W9-BWF-303

ESTILO Y ESTRUCTURA EN LA LITERATURA ESPAÑOLA

329
31

FILOLOGÍA
Director: FRANCISCO RICO

LEO SPITZER

ESTILO Y ESTRUCTURA
EN LA LITERATURA ESPAÑOLA

Introducción de
FERNANDO LÁZARO CARRETER

ST. JOSEPH'S UNIVERSITY   STX
PQ6032.S64 1980
Estilo y estructura en la literatura esp

3 9353 00110 5103

PQ
6032
.S64
1980

EDITORIAL CRÍTICA
Grupo editorial Grijalbo
BARCELONA

199562

Diseño de la colección: Enric Satué

© 1980 de la presente edición para España y América:
   Editorial Crítica, S. A., calle de la Cruz, 58, Barcelona - 34
ISBN: 84-7423-117-5
Depósito legal: B. 4517-1980
Impreso en España
1980. — Gráficas Salvá, Casanova, 140, Barcelona - 36

LEO SPITZER (1887-1960)
O EL HONOR DE LA FILOLOGÍA

Quizá esta recopilación de estudios spitzerianos cuya presentación se me encomienda salga aún a contrapelo de modas críticas vigentes en nuestro país. Y digo *aún* porque puede estar próxima la hora en que volver a leer con suma atención al maestro vienés y a otros de su estirpe (los grandes romanistas que culminaron su obra en la primera mitad de este siglo, entre los que hay algunos nombres españoles fundamentales), puede brindar salida a la actual babel que amenaza el crédito y hasta la justificación de los estudios literarios. Me estoy refiriendo a las «lecturas» formalistas, psicoanalíticas, ideológicas y, en general, semióticas, que nutren las colecciones de bolsillo y que, si no me engaño, con la salvedad de unos pocos títulos, están promoviendo entre el público lector sospechas de gratuidad próximas al hastío.

Siguiendo una tendencia normal en la historia de la ciencia, denunciada por Th. S. Kuhn [p. 154], los comentaristas de la literatura —aludo, claro es, a los epígonos, a cuantos proceden por simple mimetismo— interpretan la actual dispersión y brillantez de métodos críticos como el punto de llegada de un proceso lineal, en el cual se han «superado» los puntos anteriores y se ha alcanzado casi el final de la historia. El joven crítico, que obedece a la necesidad biológica de ser de su tiempo, cree lograrlo instalándose en cualquiera de aquellas metodologías, la que a sus ojos parezca más atractiva o esotérica. Y se siente dispensado de

mirar atrás, de experimentar por sí mismo la insatisfacción con
lo inmediatamente anterior, es decir, con el sistema de soluciones
contra el cual hubieron de reaccionar los creadores de «su» método. Sencillamente, suele desconocer aquel sistema proclamán-
dolo superado sin saludarlo. Por regla general, no le importan las
necesidades a que responde la innovación ni las deficiencias de lo
precedente. Ni siquiera sospecha —y es más grave— que lo nuevo
no supera nada, porque se limita a contemplar los fenómenos
desde otras perspectivas, comparables muchas veces con las anteriores.

Si esto acontece en las ciencias naturales, donde, con mayor
o menor dificultad, los datos pueden objetivarse, más gravemente
ocurre en las ciencias humanas, y, dentro de ellas, en la crítica
literaria, en la cual hasta los mismos datos son problemáticos, ya
que su grado de realidad es muy variable, tan inaprensible a
veces que ha de otorgársela la decisión del crítico. El cual, por
otra parte, puede escogerlos y definir su naturaleza como desee,
con la única condición, férrea en los últimos lustros, de someter-
los a un método inflexible, aunque sólo sea por el empleo de la
jerga terminológica aneja. Se diría que, a veces, la fría fidelidad
al cómo supera en importancia al qué. Muchos creen haber ven-
cido cuando han aplicado, o así lo creen, el sistema elegido, espol-
voreado con abundantes tecnicismos del mester. Aunque al introducir la plantilla en la obra, ésta quede rota o significando contra
su significado: víctima mustia de la *procédure*.

Así se ha llegado a lo que denominó J. Starobinski terrorismo
metodológico [p. 65], el cual, en palabras suyas, encubre incul-
tura e ignorancia: «a falta de una verdadera familiaridad con la
historia y con las obras, se forjan ingenuamente instrumentos ru-
dimentarios —interesa entonces que su aspecto científico impre-
sione—, a los cuales nada, ni hombres ni libros, ni culturas ni
lenguas, tiene derecho a velar su secreto». Es una actitud tecno-
crática más que científica, y, por supuesto, nada humanística,
muy propia del clima social de nuestro tiempo. Obedece, por otra
parte, a una demanda doble de «exactitud» y de «modernidad»
por parte de la clientela (que suele ser la población joven de las
Facultades de Letras), y a una falsa idea de la eficiencia inmediata.

Diríase que más, infinitamente más que la literatura, importa a muchos críticos y profesores la sociedad en que viven, con la cual desean comprometerse. Como si no hubiera otras formas más directas y sinceras de compromiso. Se produce así una auténtica crisis de lo histórico, investigable como tal; suele descalificarse lo pretérito si no resulta satisfactorio al interpretarlo con claves sociopolíticas más que estéticas: no hay tiempo para perderlo en lentos y fatigosos viajes hacia el pasado, que poco provecho y utilidad *prête-à-porter* procurarían a la sociedad.[1] Es anecdótico pero significativo el hecho de que las editoriales prefieran publicar libros «de teoría» y «de métodos», y que se muestren aprensivas ante los estudios de obras o de autores, si no se cotizan entre los valores de prestigio actual.

Tal vez parezca exagerado este cuadro, pero no importa si se reconoce en él un fondo de verdad. Sirve para confirmar lo que al principio afirmábamos: cómo estos estudios de Leo Spitzer salen a contrapelo de la moda. Porque, frente al ascetismo en la observancia de métodos, él proclamó a menudo que no se sentía esclavo de ninguno, y negó que existiera un método spitzeriano. En contra de las pretensiones de objetividad y distancia con que suelen disecarse los hechos, postuló la exigencia de que, ante ellos, en un momento dado, experimente el crítico una especie de iluminación —su famoso *clic*— que les confiera sentido; sentido, claro es, de origen subjetivo, casi místico, fruto de un saber hondo y de una extremada sensibilidad artística. Frente a la actitud de mero oficio o trabajo con que es frecuente proceder, cerró con estas palabras su última lección universitaria (Roma, 23 de mayo de 1960): «la filología es el *amor* a obras escritas en una *lengua particular.* Y si bien los métodos de un crítico deben ser aplicables a obras escritas en todas las lenguas, es preciso, para que la crítica resulte persuasiva, que, por lo menos *en el momento* en que está comentando un poema, ame *aquella* lengua y *aquel* poema más que a cualquier cosa del mundo». El amor que, en Spitzer, se transforma en gozo casi erótico, ante los textos, suele ser un

---

1. Sobre la falsedad radical de este punto de vista, pueden consultarse con provecho algunos capítulos del libro de Jauss [1978].

ausente escandaloso en la crítica contemporánea, que se ama a sí misma más que a las obras.

Naturalmente, la futura función orientadora que atribuyo a la lectura de estos grandes críticos de nuestro inmediato pasado (o, por fortuna, aún de nuestro presente) se refiere al contagio con que pueden devolvernos a la filología, al amor de las letras en cuanto tales. Sus procedimientos son irrepetibles, y una actitud ametódica en el ejercicio crítico parece ya impensable. Pero sí hay que copiar y resucitar, junto con la pasión, la amplitud de sus intereses y saberes, de sus lecturas. Sin conocerlos, resulta prácticamente imposible instalarse en los problemas que los métodos hoy vigentes intentan resolver. Y sin tratar de reproducir su sabiduría fervorosa, no habrá medio de hacer fecundas las más refinadas técnicas.

Imagino que a cuantos afronten la lectura de esta antología sin las reservas o prevenciones con que los detractores del autor lo han desviado de la moda, el contacto con ella va a resultarles fascinante. En sus grandes aciertos y hasta en sus grandes errores —él mismo confesaba haberlos cometido—, deslumbran la luz de su inteligencia y su energía dialéctica, que recuerdan las de los viejos humanistas, desde Valla a Erasmo, pasando por Nebrija. En sus disensiones no le acompaña siempre la razón o no la impone irrecusablemente, pero jamás sale el texto de sus manos sin algún enriquecimiento. Esa actitud discutidora chocará a muchos, en esta época de solistas que hacen tabla rasa de cuanto fue antes que ellos, y que afrontan los textos como tierra incógnita (claro que, por lo común, sólo escriben para sí mismos). Spitzer, por el contrario, afirmaba: «En mi caso, el hábito de polemizar sobre cuestiones de crítica literaria no es, así lo espero, una manifestación de temperamento maligno, sino una consecuencia de mi preparación lingüística; es, en efecto, procedimiento ordinario entre los lingüistas presentar primero las opiniones de sus predecesores a propósito de una cuestión particular, demostrar después que son insostenibles y, finalmente, ofrecer las opiniones propias».

Esa actitud de pasión activa por la literatura, de amplitud de intereses, de abundancia de conocimientos sobre las letras clásicas y antiguas y modernas de muchos países, de información histórica y cultural, define a Spitzer, mejor que sus métodos, y sigue constituyendo para nosotros una lección. Es su ejemplo de filólogo lo que urge imitar; porque ese retorno a la Filología como base para la crítica actual, constituye una necesidad inaplazable. A ese retorno se ha referido hace poco Vittore Branca, en un alegato que empieza así: «El desarrollo y la experiencia de la crítica y de la filología en estos últimos decenios, han hecho cada vez más clara la exigencia de una estricta interdependencia y de una activa y continua relación entre las aproximaciones y los métodos tradicionales de tipo histórico-filológico-lingüístico o filosófico-estético-crítico, y las investigaciones que se inspiran en disciplinas u orientaciones más modernas, que van de la antropología y del estructuralismo a la semiología y a la cibernética» [p. 14].[2] Acerca de qué entiende por filología, el docto crítico italiano puntualiza: es «aquella disciplina que comprende fundamentalmente la *ecdótica* (esto es, la recuperación del texto exacto de una obra mediante procedimientos científicos) y la *hermenéutica* (es decir, el aparato histórico, lingüístico, exegético, que permite una plena y rigurosa interpretación, y *que condiciona las valoraciones ideológicas, sociales, estéticas*» [p. 93, n. 2]. Es esta, claro, una definición que contrasta con otras más estrictas («la filología como disciplina ha limitado hoy su tarea a la indagación del texto en relación con su tradición», Pagliaro, p. 408).[3] Pero va acorde con la concepción de Saussure («La lengua no es el único objeto de la filología, que quiere sobre todo fijar, interpretar, comentar los textos: este primer estudio la lleva a ocuparse también de la historia literaria, de las costumbres, de las instituciones, etc.; en todas partes usa el método que le es propio, que es la crítica»)

2. La fecundidad de la filología en su rama más «tradicional», la crítica de textos, ha sido probada para investigaciones bien alejadas de lo literario en el libro apasionante de Sebastiano Timpanaro (1974), *El lapsus freudiano*, Crítica, Barcelona, 1977.

3. Para restituirle todo su ámbito a la filología el gran lingüista y crítico italiano —menos frecuentado entre nosotros de lo que debiera— crea su *crítica semántica,* que recupera en aquel ámbito.

[p. 39]; [4] y hasta con la de Bloomfield («El interés del filólogo es aún más amplio [que el de los críticos literarios]: le importa el significado cultural y el *background* de lo que lee») [p. 22].

Así, pues, lo esencial de la actividad filológica es la exactitud de los datos y de su interpretación, controlada por la historia aunque sin hacerse historia; porque si bien ésta rodea al autor y a su quehacer, es la obra el objetivo del filólogo, que pretende iluminarla para facilitar o mejorar su comprensión y su disfrute estético. La posición de base que la filología ocupa la hace compatible con múltiples metodologías, pero a la vez las supedita férreamente, hasta el punto de que, si entran en conflicto con ella, habrán de resignar sus resultados como falsos. Se trata del sentido común mismo, pero es sabido cuánto escasea.

Sin embargo, ese programa mínimo que, con respecto a los estudios literarios, impone la filología, no es fácil de cumplir; de ahí la abundancia de soluciones propuestas a un mismo problema, que forma parte de su funcionamiento como ciencia. Spitzer se propuso ajustarse a él con una brillantez que deslumbró a Europa; y menos, muchísimo menos, en los Estados Unidos. Compartía muchos supuestos con los New Critics, pero lo apartaba de ellos —mejor: ellos lo segregaron—, entre otras cosas fundamentales, su actitud de filólogo, su práctica de enmarcar la obra en su circunstancia histórico-cultural, su deseo de procurar al lector un conocimiento *racional* de los textos, desplegando ante sus ojos cuantas relaciones (con el autor, al principio; con otras obras y otras literaturas, siempre) pudieran mejorar su lectura. Se comparará con este propósito la siguiente afirmación del sintetizador del New Criticism, Wimsatt: «La función de la crítica objetiva, mediante descripciones lo más aproximadas posible, o mediante diversas presentaciones de su significación, consiste en ayudar a otros lectores a alcanzar una comprensión *intuitiva* y total de los poemas, y, como consecuencia, a reconocer los buenos poemas y a distinguirlos de los malos» [p. 83]. Spitzer, además, frente a

---

4. Sobre la neta distinción saussureana entre filología y lingüística, vid. la nota de Tullio De Mauro a su ed. del *Cours*, Payot, París, 1970, páginas 410-411.

la omisión de la historia, y al olvido de las relaciones interliterarias que practicaban sus colegas norteamericanos, afirmaba, con F. Schlegel, que la crítica y elucidación de la poesía no puede hacerse en profundidad sin echar mano de recursos filológicos: «El crítico no puede ser sólo crítico, dado que los grandes críticos del pasado fueron también, en realidad, eruditos».

Pero, repito, a pesar de ello, era mucho lo que compartía con el New Criticism, y nada con la otra prepotente escuela estadounidense: la de Chicago —la de R. S. Crane—, por sus pretensiones normativas y morales, y por su falta de atención al lenguaje, al que consideraba simple causa material de la poesía, en hostil oposición a los New Critics. Pero por unos y otros fue marginado Spitzer; y no ha salido mejor librado del juicio al que la actual crítica de aquel país lo somete, casi confundiéndolo en un mismo proceso con neocríticos y neoaristotélicos. Tampoco halló gracia de los formalistas rusos: el psicologismo era una frontera que siempre evitaron los que él llamó «místicos de la forma» [Erlich, p. 329].

Por el contrario, es en Francia, país que fue tradicionalmente impermeable a la *Stilforschung,* y del que salieron virulentas críticas contra ella,[5] donde el aprecio por su obra crece día a día, y donde una colección de trabajos suyos, en 1970, ha tenido excelente acogida.[6] Ya veremos luego que se le invoca como «precursor» de modernas corrientes críticas, y se cae en la cuenta de que su interpretación de los estilos —y la de otros investigadores que practicaron tal disciplina: Auerbach, Dámaso Alonso, Terracini...— «puede proporcionar útiles contribuciones a una reconsideración estructural y semiológica de la obra de arte, y constituye una de sus fuerzas inspiradoras» [Eco, p. 68].

El método spitzeriano (si es que existe, pues ya vimos cómo él mismo sospechaba que no) ha sido objeto de solventes exposi-

5. Cf. Ch. Bruneau, *Romance Philology,* V (1951); Jean Haytier, *The Romanic Review*, XLI (1950). Por el contrario, la presencia de Spitzer en Italia ha sido siempre patente y fecunda. Vid. D'Arco Silvio Avalle (1970), *Formalismo y estructuralismo,* Cátedra, Madrid, 1974.
6. *Études de style,* Gallimard, París, 1970.

ciones,[7] que no nos eximen de referirnos brevemente a él. Por lo
demás, el propio autor lo explica en el primero de los ensayos que
aquí se incluyen, con pormenores admirables acerca de sus creencias originales y su evolución. Tales declaraciones pueden completarse con las del primer capítulo de su libro *Lingüística e historia literaria* (1948), Gredos, Madrid, 1955. Los tres trabajos han
sido inducidos por el hostigamiento de que en su país de adop-
ción era víctima, y que hacía hincapié en su acientificismo. He aquí,
como muestra, una opinión *post mortem*: «Se ha puesto de relieve
que su método no era tal; cuando fue imitado por otros menos
capacitados, condujo [...] a la más completa incompetencia. Hay
algo seguramente caprichoso, incluso anárquico, en el *círculo filológico* con sus *clics,* sus intuiciones autosuficientes y su énfasis
en lo psicológico. Por desgracia, Spitzer no ha dejado ningún fundamento sólido sobre el que edificar; ha legado a sus sucesores el
ejemplo perturbador de su propia brillantez luminosa y, menos
felizmente, su propia terquedad» [Uitti, p. 138]. Estos juicios,
que combinan admiración y hostilidad, y que resumen la actitud
de la crítica norteamericana prácticamente desde que Spitzer se
instaló en los Estados Unidos en las vísperas de la segunda guerra
mundial, son los que lo movieron a escribir sobre su propio quehacer. Podrá verse con cuánta sinceridad, y hasta con qué talan-
te, si no humilde, exculpatorio. La falta de método era el constante cargo contra él; dos años antes de su muerte, y en ocasión
solemne, E. Stankiewicz lo unía a Croce y Vossler para repro-
charles no haber contribuido «a la exploración de los problemas
del estilo, por haberse desinteresado programáticamente de los
conceptos teóricos y de una metodología estricta» [p. 96]. La

7.   Cf. A. Schiaffini, *Presentazione* de la obra de Spitzer *Critica stilistica,*
Bari, 1954; C. Cases (1954), *Saggi e note di letteratura tedesca,* Turín, 1963;
T. De Mauro, «Linguaggio, poesia e cultura nel pensiero e nell'opera di
Leo Spitzer», *Rassegna di Filosofia,* V (1959); M. Fubini, «Critica stilistica
e storia del linguaggio di Leo Spitzer», en *Critica e poesia,* Bari, 1959; R.
Wellek, «Leo Spitzer», *Comparative Literature,* XII (1960); G. Contini,
«Tombeau de L. Spitzer», *Paragone,* XII (1961); H. Hatzfeld, *Estudios de
estilística* (1967), Barcelona, 1975; Paul Guiraud, *La estilística,* Buenos
Aires, 1970 [4]; véanse, además, los estudios de Terracini y de Starobinski que
citamos en las referencias.

acusación era cierta, y Spitzer, en sus declaraciones y palinodias, no dudará en aceptarla. Pero cometía el fiscal la insolencia de atribuirle responsabilidad en algo que nadie, aun imbuido de los más refinados conceptos teóricos y armado con los más sutiles instrumentos técnicos, ha logrado aún: definir el estilo y trazar caminos seguros para su estudio. Revelaba además una absoluta incomprensión de lo que supuso la actividad de Spitzer en la historia de la crítica.

El maestro vienés se entregó a una empresa profundamente renovadora en los estudios lingüísticos y literarios por reacción contra sus maestros. El gran Meyer-Lübke ilustraba a la perfección cualquier fenómeno del francés, menos aquello por lo cual el francés era un idioma que conmovía a Spitzer cuando, al alzarse el telón de una comedia, un camarero anunciaba: «Madame est servie». Tampoco en las clases literarias de Ph. A. Becker hallaba satisfacción, acopiando datos sobre fuentes, fechas y biografías, y nada acerca de «qué era lo que convertía aquellas obras en obras de arte» (prácticamente, la misma pregunta que se planteaban los formalistas rusos), y «cuál era su contenido íntimo, por qué ese contenido aparecía en Francia y precisamente en ese tiempo» (cuestiones ambas que ya no inquietaron a los rusos ni, años más tarde, a los New Critics). El positivismo universitario le parecía una actividad sin sentido, e intentó proporcionárselo. Partiendo de supuestos que, evidentemente, se remontan a Herder y a Humboldt, y que para nada requieren el inmediato ejemplo de Croce y de Vossler,[8] identifica *Volkgeist* con literatura, y ésta con el idioma de los escritores. Estudiar las obras (que se presentan como «érgon»), consistirá en reconstruir la «enérgeia» idiomática que los autores han liberado al crearlas. Como el texto es reflejo fiel del espíritu, será posible descubrir las peculiaridades creadoras de éste descubriendo las peculiaridades lingüísticas de aquél, es decir, lo no compartido, lo que evidencia *desvíos* respecto de la lengua común: el *estilo*. Spitzer se impuso la tarea de estudiarlo con

8. Con ambos, sin embargo, está en deuda, pero no es de este lugar dilucidarla. Sobre esta cuestión, vid. Terracini, pp. 72-81.

rigor científico, remplazando «las observaciones casuales, impresionistas, de la crítica literaria al uso».

Se aplicaba, pues, a la estilística con la pretensión de tender puentes entre la lingüística y la crítica literaria. Y ello le obligaba a debelar la creencia escolástica en que *individuum est ineffabile*. Esa rebelión contra el misterio poético —en fantasma realísimo que alzaron románticos y simbolistas para justificar los límites en que se recluía su capacidad crítica— sustentó el trabajo de Spitzer desde su juventud. Hoy, que se ha convertido en arrogante lugar común obviar el misterio, apenas si estamos en disposición de entender lo que tal actitud tenía de pionera. Prácticamente, muchos no han descubierto la posibilidad de que el enigma del arte literario anide en el tejido lingüístico de las obras, hasta que la han postulado, mucho más radicalizada, los formalistas eslavos. Si él no llegó a tanto es porque el lenguaje le servía sólo de camino para buscar el arte en la raíz extralingüística, espiritual, que utiliza el lenguaje como expresión.

Así, pues, si los rusos y los checos desconectaban el texto de su creador, de la sociedad y hasta casi de su contenido, al menos programáticamente,[9] anclándolo sólo, para comprenderlo como producto histórico, en lo que llamaban «serie literaria», Spitzer, que se inicia en el ambiente cultural vienés, dominado por Freud, ensaya inicialmente una alianza entre la lingüística, la filología y la historia literaria de sus maestros —tan insatisfactorios, pero tan admirables— con el psicoanálisis. Busca en el texto, mediante lecturas repetidas, rasgos idiomáticos que parecen sustentar materialmente el gozo estético que él experimenta al leerlo. Lógicamente, ese sentimiento que desencadena la lectura será homólogo, paralelo casi punto por punto, al que dictó la escritura. Descubiertos aquellos rasgos por el crítico, habrá hallado claves creadoras del escritor, puesto que responderán a motivaciones psicológicas de éste, no a mero azar: no de otro modo las obsesiones y comportamientos de un enfermo permitían a Freud reconstruir

---

9.   En la práctica, ¿qué son algunos estudios formalistas, como el de Eikhenbaum, sobre *El abrigo* de Gogol, sino revelaciones sobre el alma de los escritores?

su subconsciente. El primer Spitzer pasaba así del lenguaje al alma del artista, cuyo reflejo en la obra era su estilo, su psicograma oculto en el lenguaje: unas preferencias, unas constantes, unas recurrencias objetivamente verificables en la escritura, que, una vez observadas, permitían entender la obra y la peculiaridad creadora, anímica, del autor. Todos sus designios, lúcidos o irracionales, se reflejarían automáticamente, con un automatismo freudiano, en los rasgos de estilo, con tanta fidelidad como la curva de un sismógrafo registra los temblores interiores del planeta.

«En esta atmósfera freudiana —confesará Spitzer muchos años más tarde— se sitúan algunos trabajos míos escritos entre 1920 y 1925.» Hablaba entonces de la *raíz* psicológica que el investigador habría de desentrañar con la pulcritud de un etimólogo; porque era, en efecto, el *étimo espiritual* de los escritores lo que buscaba, común a sus diversas obras. Ese período freudiano fue más largo; alcanza, por lo menos, hasta 1948, en que escribe su famoso estudio sobre Diderot.[10] Si lo clausuró fue por la ofensiva de los New Critics contra cualquier tipo de explicación biográfica (cuando denuncia la *biographical fallacy* de su método, está pensando en ellos); [11] y también por la convicción a que había llegado de que no todos los elementos de la obra responden a la *Erlebnis,* a experiencias realmente vividas por el autor, a sus vivencias, ya que es mucho lo que recibe de fuera, de la literatura en primer término; y porque la posible correspondencia entre la vida del autor y su obra no siempre contribuye significativamente —puede no ser pertinente, diríamos hoy— a la belleza de esta última. «Así, me aparté de los *Stilsprachen,* de la explicación de los estilos de los autores por sus 'centros afectivos', y traté de subordinar el análisis estilístico a la explicación de los estilos de sus obras particulares en tanto que *organismos poéticos en sí,* sin recurrir a la psicología del

10. Omitido en la trad. española de *Linguistics and Literary History,* ya mencionada.
11. Cf., por ejemplo, estas palabras de Wimsatt: «The Intentional Fallacy is a confusion between the poem and its origins, a special case of what is known to philosophers as the Genetic Fallacy. It begins by trying to derive the standard of criticism from the psychological *causes* of the poem and ends in biography and relativism» [p. 21].

autor». Pero, justamente, cuando él renunciaba al psicoanálisis literario, éste, con G. Bachelard y, más tarde, con Barthes y con Mauron, emprendía el camino en que aún está. Debo advertir, por otra parte, que no creo que su renuncia tuviera el carácter sincero de una abjuración.

En cualquier caso, con apoyo o no en la *Erlebnis* del artista, la aproximación spitzeriana a los textos parte de una lectura atentísima, de un asedio, hasta que en su mente surge un «clic», la revelación fulgurante de un detalle lingüístico, que, por su insistencia, ha de ser significativo. Una vez descubierto, otros vendrán a asociársele, de manera que puedan integrarse en una misma explicación, la cual se convertirá en hipótesis sobre el «principio creador que puede haber estado presente en el alma del artista». Desde esa hipótesis, el investigador regresa al texto en búsqueda de nuevas observaciones que la confirmen. Porque, en efecto, ahora *busca* ya partiendo del «clic» revelador. Esas nuevas observaciones pueden confirmar y enriquecer la fuerza explicativa del principio creador, pueden modificarlo e, incluso, invalidarlo. Pero si esto último no ocurre, el crítico realizará sucesivos viajes de vaivén entre el texto y su clave, entre los detalles y el conjunto, hasta agotar las observaciones y su sistematización. Es así como habrá dado, piensa Spitzer, razón de la obra.

Para ser un método en el sentido fuerte del término, en el que se emplea para motejar a su definidor de ametódico, este procedimiento tiene en contra lo aleatorio de su arranque, que consiste en una espera activa, y no en una fase cuya iniciativa corresponda al investigador. Se trata de un don personal del crítico, no sometible a regulación, y, por tanto, un enigma superpuesto al de la obra. Hay un momento, sospechosísimo, en que actúa como médium. Y por ese lado vulnerable le han venido a Spitzer los más fuertes ataques. Sin embargo, jamás cedió; había concedido, al menos en sus palinodias, que tal vez no existía siempre una interdependencia fatal entre estilo y espíritu, entre forma y psique del autor. Pero la interdependencia de los detalles y su sometimiento a un principio ordenador era lo que se estaba llamando *estructura*, y el estructuralismo constituía la última palabra en cuanto a metodologías científicas. «Desde 1920 —asegura ocho lustros después— yo había practicado este método que hoy llamaría *estruc-turalista*».

El procedimiento para descubrir las estructuras, entendidas como integración de rasgos en un conjunto, podía variar: allá cada investigador con el suyo, si daba con él. Spitzer lo había hallado en su juventud, con el movimiento de vaivén que empieza en un «clic». Lo denominó más tarde *círculo filológico*, amparando el término y defendiendo su licitud en previas fundamentaciones teóricas de Schleiermacher y Dilthey. Pero sus detractores se limitaron —y se limitan— a repudiarlo como «círculo vicioso», por cuanto arranca de una situación inverificable, selecciona luego los detalles a su medida, y los convierte en pruebas de que la intuición era cierta.[12] El propio Spitzer publicó la carta que le había dirigido una alumna americana con estas objeciones: «Establecer una técnica concreta y positiva que revele la aplicación de su método sobrepasa sus posibilidades, a juicio mío. Usted emplea los principios que le guían más bien que una 'técnica', sea cual sea, que se pueda decir que sigue usted rigurosamente. Aquí puede ser una reminiscencia de su juventud, allí una inspiración que le viene a usted de otro poema; aquí, allí y siempre hay en usted un estímulo, un instinto, favorecido por su experiencia, que le dice inmediatamente: 'esto no tiene importancia, aquello sí'. Está usted, a cada paso, dejándose llevar de preferencias, sin que apenas se dé usted cuenta de ello [...]. Su única manera de demostrar consiste en mostrar. Usted ve el sentido como un todo ya desde el primer momento; en su proceso mental no hay casi escalones. Y escribiendo usted desde el centro de sus pensamientos, da por supuesto

12. Aduciremos luego defensas posteriores de la licitud del círculo; anticipemos ésta, de R. Wellek, en el Congreso de Indiana (1958), que debió de resultar particularmente grata a Spitzer. Tras afirmar que «the circle of the understanding» es la fuente principal de conocimiento en todas las disciplinas humanísticas, desde la teología hasta la jurisprudencia, desde la filología hasta la historia de la literatura, aseguró: [El círculo] «procede de la atención al detalle a una anticipación del todo, y vuelve otra vez a una interpretación del detalle. Es un círculo, pero no vicioso, sino fecundo. Fue descrito y defendido por los máximos teóricos de la hermenéutica, por Schleiermacher y Dilthey, y recientemente por uno de los mejores cultivadores vivos de la estilística, Leo Spitzer» [p. 419].

que el lector está de su parte, y que lo que es para usted evidente por sí mismo como el próximo escalón (sólo que no hay precisamente tal escalón; está ya en cierta manera incluido) también lo será para aquél».

El maestro reconoció en la respuesta la existencia de «limitaciones» en su temperamento (si puede llamarse así a tener reminiscencias, recuerdos, amplia cultura literaria en suma: justo lo que suele faltar, repitámoslo, a quienes demandan urgentemente métodos sin lágrimas y atajos sin trabajo para conseguir frutos; en el fondo de muchos reproches a Spitzer late el de que sabía mucho). Pero, con menos afectada humildad, advierte que la operación circular no es un procedimiento gradual, ya que, una vez alcanzado un escalón, éste hace inútiles los anteriores. Y, *cum grano salis,* recuerda al león de los bestiarios medievales —él, Leo— que, a cada paso, borra con la cola sus huellas para burlar a sus perseguidores. Ya totalmente en serio, declarará que el *clic* y el vaivén en que consiste el círculo filológico son el resultado «del talento, de la experiencia y de la fe».

Fue en los últimos años de su vida e inmediatamente después de su muerte, cuando el estructuralismo se dio —o pretendió haberse dado— un estatuto científico riguroso, desde el cual se rechazó la impureza de las prácticas estructurales spitzerianas. Ya se había objetado en Norteamérica su carencia de una teoría precisa del lenguaje, entendiendo por tal la definida por Bloomfield (y después por Chomsky), que metodológicamente alejaba de su interés el lenguaje de la literatura: Shakespeare no le importaba más que cualquiera de sus contemporáneos, y las peculiaridades de éstos, mucho menos que su uso común. Por otro lado, la «nouvelle vague» de los estudiosos franceses de la literatura, tan influyente en todas partes, adicta a un estructuralismo a ultranza, no prestó en sus comienzos una atención especial a Spitzer. Caracterizándola, escribía R. E. Jones que sus miembros «tienden a juzgar el pasado como si fuera un presente perpetuo. La mayoría propende a aislar de su contexto histórico la obra juzgada y a examinarla sin sentir la menor preocupación por su importancia en la historia. Barthes, Weber, Starobinski, Poulet, Richard y, en grado menor,

Mauron, separan a los autores de su clima intelectual (pero no del paisaje interior del crítico mismo) y los estudian según los métodos definidos *a priori* en las introducciones a sus obras críticas. Así, se tiene la impresión de que se toma a los autores estudiados como cobayas destinados a experimentar la validez de nuevos sistemas críticos [...]. La gran diferencia entre la nueva crítica y la crítica tradicional podría consistir en que los neocríticos desean partir del texto, pero es *para remontarse en seguida hacia el espíritu creador* [... Se sienten atraídos] por la biografía del autor examinado, pero no necesariamente por la biografía tal como estábamos acostumbrados a hallarla en los críticos universitarios. Es la *biografía del inconsciente* de un autor lo que les interesa» [páginas 28, 30].

De esta caracterización que, en líneas generales, puede considerarse justa, resulta que la «nouvelle critique» convergía en intereses próximos a algunos de Spitzer, aunque se separaba en el fundamento histórico y filológico que éste daba a sus investigaciones. El filólogo austríaco aborrecía la *historia literaria* y ello lo impulsó a acercarse a los textos desde un punto de vista *inmanente* (no riguroso: ya vimos cómo no vacilaba en salirse del recinto de la obra en pos de secretos anímicos del creador); pero nunca prescinde del control de la historia, y hace *historia de la literatura*, concebida como un proceso que acontece en el tiempo, relacionado con otros procesos culturales y sociales: «Pienso, en fin de cuentas, que la buena crítica debe ser, ante todo, descriptiva, y después discretamente histórica. Si yo creo haber descubierto en Malherbe o en Du Bellay una traducción poética del estoicismo y del platonismo, estos términos mismos son de naturaleza histórica, y el crítico cometería un acto de autohumillación si los evitase sólo para ser fiel a un fetiche de nuestra época».

Hemos adelantado ya la suposición de que ciertas palinodias suyas son concesiones al purismo metodológico que lo cercaba. Días antes de su muerte, en la conferencia de Roma, hizo la última y más grave (y tal vez más verdadera): poniendo como ejemplo su hermoso estudio sobre *El príncipe constante*, de Calderón, aseguraba que sus trabajos no obedecían a método alguno, sino que respondían a una simple lectura atenta y basada en un cierto ins-

tinto: «El buen sentido es la única guía del crítico. Es el buen
sentido el que le indicará el método de lectura que la obra misma
sugiere y a qué dictado debe obedecer». ¿No fue ése su permanente «método»? Porque cabe pensar que la invocación al círculo
filológico fue hecha *a posteriori,* para legitimar sus trabajos cuando
eran desprestigiados por los metodologistas fanáticos. Starobinski
[p. 66], con quien comparto esta sospecha, hace notar, sin embargo, que tal explicación no hubiera sido posible de no haber ido
precedida de una práctica real, de un método, precisamente el del
círculo, aplicado por instinto.

Pero es el caso que aquellas múltiples vías por donde Spitzer
asediaba a la obra literaria —psicoanálisis, estructuralismo, constantes temáticas, sociología cultural...—, para definir su estilo o sus
peculiaridades, mezclándolas todas y partiendo de intuiciones, se
han ido convirtiendo en tácticas bien diferenciadas de análisis: las
que hoy se denominan *semióticas* del texto. Y que empieza a ha-
cérsele justicia, poniendo su nombre al frente de alguna de ellas.
Se reconoce, por ejemplo, que «los trabajos de G. Poulet, J. P.
Richard y J. P. Weber tienen en común con Spitzer el intento de
organizar la escritura y la arquitectura de una obra a partir de un
centro», aunque no se basen en observaciones lingüísticas [Delas y
Filliolet, p. 22]. Algo parecido respecto a la filiación de Richard
y de Weber había afirmado ya B. Dupriez [p. 14]. Weber mismo
señalaba, antes aún, afinidades entre Butor y el vienés [p. 14].
Refiriéndose a la «nouvelle critique» en bloque, S. Doubrousky
invocó la consigna spitzeriana de religar las partes al todo como
guía de su esfuerzo [p. 68]. En un orden ideológico, J. P. Sartre,
con su enorme autoridad, sanciona el sistema del círculo con el
nombre de «método progresivo», postulando: «Lo subjetivo aparece como un movimiento necesario del proceso objetivo», y señalando que ese movimiento procede mediante un *va-et-vient* de la
parte al todo y del todo a la parte [pp. 136, 188]. ¿No se trata
de una consagración del sistema teórico de nuestro filólogo, con
el que Sartre coincide en el empleo del término *vaivén*? Ya vimos
la defensa de tal método que, por su parte, había hecho R. Wellek,
en 1958; la más reciente que conocemos es la del brillante crítico
rumano Adrian Marino [pp. 265 ss.].

Hasta el punto más débil de esa técnica («Spitzer infiere de un detalle la psique del autor, hipótesis que él controla en seguida examinando otros detalles chocantes que aparecen en el mismo texto. Así, construye sobre el primer indicio que reclama su atención [¿por qué sobre el primero?] y, por supuesto, sobre la interpretación a que él mismo lo somete», Riffaterre, p. 44), es decir, el incontrolable subjetivismo de que parte, el «clic», halla un eco nítido en estas palabras de Barthes: el texto «sólo puede arrancarme este juicio, nada adjetivo: *C'est ça!* Y más todavía: *C'est ça pour moi!*» [1973, p. 24]. El gozo de las obras y del ejercicio crítico que Spitzer confiesa expresamente se corresponde con «el placer del texto», tal como lo ha descrito el deslumbrante ensayista francés. El cual, con aforismo: «Clásicos. Cultura (a mayor cultura, mayor placer y más diverso). Inteligencia. Ironía. Delicadeza. Euforia. Maestría. Seguridad: arte de vivir» [1973, p. 82], da las claves del buen lector, del buen gozador de la literatura, las que Spitzer ofreció toda su vida con un ejemplo. También es de él esta aserción, que constituye su propia palinodia, tras muchos años de áscesis metodológica: «Hay que afirmar el placer del texto contra las indiferencias de la ciencia y el puritanismo del análisis ideológico».

Un último dato: Spitzer, proclama hoy G. Mounin, es el predecesor de la semiología inmanentista, aunque «apenas si se le ha reconocido como tal» [p. 184]. La fertilidad de su obra, por influjo directo o por mera coincidencia con sus previsiones, parece inagotable. Hasta la caracterización que de la lengua poética hizo A. Martinet [1967] como empleo de un idioma rico en *connotaciones*, tiene en el crítico austriaco un claro antecesor, cuando en su ensayo *Tres poemas sobre el éxtasis* (1948), polemizando con el poeta norteamericano K. Shapiro (el cual había escrito: «La misma palabra empleada en una línea de prosa y en otra de verso, son realmente dos palabras distintas. Yo designaría la palabra poética como una 'no palabra'»), afirma: «Sencillamente no es verdad que la poesía consista en 'no palabras' [...]. La poesía consiste generalmente en palabras que pertenecen a un lenguaje dado, el cual posee connotaciones tanto racionales como irracionales, palabras que son transfiguradas por lo que Shapiro llama 'prosodia'».[13]

Ya he adelantado que una lectura y una meditación actual de Spitzer no puede hacerse con la intención de imitar sus procedimientos. Él mismo concluyó los *Stilstudien* (1928) con estas palabras: «No me sigáis». Una inmersión en su obra por parte de quien desee orientarse en las tareas críticas, puede resultar incluso perjudicial si no va acompañada del conocimiento de los deslindes metodológicos que, en sus últimos años, se han producido en la masa enorme de sus intuiciones tácticas. Tras ellos, es ya imposible el regreso a su poliformismo crítico, aun cuando pretenda encubrirse como un modesto empirismo. Pero es precisamente tras ellos cuando la riqueza bullidora del pensamiento spitzeriano [14] asombra más y puede ser mejor beneficiado. En él se compendia y se preludia una parte sustancial de la crítica contemporánea. Con una riqueza añadida, que ésta no suele poseer, y que es la pulcritud filológica, la intencional fidelidad al texto y a lo que éste consiente.[15]

Hago la salvedad de que se trata de una pretensión intencional, porque muchas veces —baste pensar en el viejo ensayo sobre el *Buscón* [16]— contrasta en Spitzer su pulcritud de filólogo con lo arriesgado de su salto interpretativo, en este caso al alma de Quevedo, que puede suscitar dudas. Objeciones parecidas pueden hacerse a otros muchos ensayos, pero —aquí— no podemos susti-

13. No se nos oculta, claro es, la polisemia que el tecnicismo *connotación* presenta entre los lingüistas, a partir de Bloomfield que lo introdujo en nuestro arsenal terminológico. Es lástima que su empleo por Spitzer haya escapado a la vigilante atención de C. Kerbrat-Orecchioni [1977].

14. Starobinski [p. 72] hace la observación justa de que su temperamento inquieto le impidió escribir una obra exhaustiva sobre ningún autor.

15. Insistimos en ello, y aportamos estas palabras concluyentes de Jean Frappier, en defensa de la hoy tan maltratada filología: [La crítica] «debe imponerse una regla: *un mínimo indispensable de disciplina filológica*. Un texto no es maleable a capricho: fija límites al juego de las imaginaciones, de las fantasías [...]. Al fin de cuentas, el intérprete debe estar a las órdenes del texto, y no el texto a las órdenes del intérprete y de sus teorías preconcebidas. Sólo el texto y todo el texto. Es una cuestión de método, más aún: un delicado escrúpulo con el autor, una cortesía, una forma de honestidad, en todos los sentidos del vocablo» [p. 439].

16. Ahora accesible en la traducción de G. Sobejano (compilador), *Francisco de Quevedo*, Taurus, Madrid, 1978, pp. 123-184. [Véase abajo, NOTA PRELIMINAR.]

tuir al lector en la tarea de ir formulándolas cada vez que sea del caso. Sin embargo, no podemos cerrar los ojos ante algún error garrafal del maestro en cuestiones puramente filológicas (aunque sea justificable, ya que no podía pedírsele una solvencia igual en todas las lenguas cuyos textos analizaba). Aquí se verá, por ejemplo, en su estudio de la *Noche oscura* de San Juan de la Cruz, el desliz enorme de entender *ventura* como 'aventura'.

En cuanto a sus postulados teóricos mismos, muchos han sido revisados después o siguen sometidos a discusión. Su concepción de la lengua literaria como *desvío* —compatible en él con la que, según hemos visto, la define como sistema connotativo—, y que, por supuesto, no es exclusivamente suya, difícilmente puede mantenerse hoy [Lázaro, 1974]. Al interpretar las obras conforme al «étimo espiritual» del autor, nada garantiza que no las fuerce a testimoniar de una falsa impresión o que no oculte (simplemente porque puede pasarle inadvertido) lo que desentona del supuesto étimo. Analiza Spitzer partiendo siempre de rasgos presentes en la obra, pero la ausencia de otros rasgos ¿no es a veces un indicio estilístico de primera magnitud? Y ¿no puede serlo un detalle aislado, de imposible sistematización junto con otros? [17] Fue excesiva —aunque luego la corrigió [Terracini, pp. 85, 99]— su pretensión de identificar la estilística con toda la crítica literaria; y la de querer pasar, partiendo de detalles lingüísticos, a una *Geisteswissenschaft* y hasta a una *Geistesgeschichte.* Y aunque se quede normalmente en el análisis de almas individuales, muchas de sus deducciones resultan «excesivas a la luz de evidencias estilísticas» [Babb, p. 150]...

Sin embargo, no vacilamos en suscribir estas palabras de L. L. Hammerich [pp. 9-11]: «Leo Spitzer no admitió nunca que la verdad pudiera ser una *duplex veritas*; para él, lengua y literatura se reducían a un solo fenómeno: la palabra [...]. Era un verdadero filólogo [...]. Leía mucho, atesoraba ávidamente gran cantidad de hechos, con humildad, sin sistema preconcebido, impulsado siempre por una curiosidad insaciable y presta a recoger todos

17. Es la pregunta que G. Contini formulaba a Jakobson [Avalle, página 257], y que puede aplicarse igual a Spitzer.

los datos que se ofrecían a su espíritu. A la teoría previa, prefería
la extrañeza fecunda, la sorpresa, la disponibilidad ante cualquier
descubrimiento inesperado [...] Las perspectivas que abre, las
ideas que suscita, hacen que siempre se saque algún provecho de
la discusión; se aprende más con una hipótesis temeraria de Spitzer que con diez hipótesis clásicas, justas y banales. Leo Spitzer
tenía 'l'esprit de finesse' más que el de geometría. Era ingenioso
e intuitivo, vivo y caluroso; en una palabra, si se nos permite
ampliar el sentido de una palabra francesa para que evoque a la
vez los diversos sentidos que este vocablo puede tener en francés, en alemán, en inglés [y en español]: Leo Spitzer era genial».

Dos palabras finales sobre esta antología que ha preparado, con
su habitual acierto, el director de la colección Francisco Rico. Se
recogen en ella algunos estudios fundamentales o significativos
que se refieren a la literatura española. Spitzer confesó haber comenzado ocupándose de las letras francesas porque su seguridad
en ese idioma le permitía advertir mejor los desvíos idiomáticos.
Y que se aplicó después a las nuestras, cuando los problemas de
contenido le interesaron más que los formales. (Más tarde, le
apasionará la literatura italiana por amor a la vida.) Corresponden
los ensayos reunidos a los veinte últimos años de su actividad,
y ofrecen, por tanto, un nutrido muestrario de los diversos intereses del autor. Se observará que los puramente «estilísticos» son
pocos en número, aunque densos. Pero los restantes no resultan
menos spitzerianos. Porque los hay filológicos en el sentido estricto
del término, ampliamente críticos, definidores de corrientes culturales... Uno, el consagrado al *Poema del Cid*, ha revolucionado la
valoración del cantar [Deyermond, p. 101]. Otros no han corrido
la misma suerte, pero no son menos ricos en sugerencias ni dejan
de ser ilustrativos. Y confirman su inconformidad con la etiqueta
de mero «crítico de estilo» que muchos le habían colgado.

Su apasionada propensión a discutir se ejemplifica también en
estos capítulos. Se le verá disentir vivamente de algunos críticos,
entre ellos varios maestros españoles. Su grado de razón varía, y
el lector habrá de estimarla. Es excesivo a veces su tono arrogante,
pero sin ese gesto apenas podría reconocerse su verdadera faz.

De todos modos, los estudios de Spitzer constituyen un espectáculo intelectual subyugante, que, a casi veinte años de su muerte, podemos contemplar con todo su esplendor. Ya no tiene aquel poder que lo hacía temible en las revistas del mundo entero. Es simplemente un maestro, lleno de sabiduría, dando a esta palabra el contenido con que Barthes la llenaba hace poco: «*Sapientia*: ningún poder, un poco de saber, un poco de sensatez y el máximo sabor posible» [1978, p. 46]. Sólo que en él había tanto sabor como saber; y más de estas cosas que de *sagesse*.

Fernando Lázaro Carreter

Universidad Complutense, Madrid.

REFERENCIAS

Avalle, D'Arco Silvio, *Formalismo y estructuralismo* (1970), Cátedra, Madrid, 1974.

Babb, H. S. (compilador), *Essays in Stylistic Analysis,* Harcourt-Brace-Jovanovich, Inc., Nueva York, 1972.

Barthes, R., *Le plaisir du texte,* Seuil, París, 1973.

—, *Leçon inaugurale de la chaire de Sémiologie Littéraire du Collège de France,* Seuil, París, 1978.

Branca, V., y J. Starobinski, *La filologia e la critica letteraria,* Rizzoli, Roma, 1977.

Delas, D., y J. Filliolet, *Linguistique et poétique,* Larousse, París, 1973.

Deyermond, A. D., *Edad Media,* vol. I de F. Rico, *Historia y crítica de la literatura española,* Crítica, Barcelona, 1980.

Doubrovsky, S., *Pourquoi la nouvelle critique,* Mercure de France, París, 1968.

Dupriez, B., *L'étude des styles,* Didier, París, 1971.

Eco, Umberto, *La struttura assente,* Bompiani, Milán, 1968.

Erlich, Victor, *El formalismo ruso* (1954), Seix Barral, Barcelona, 1974.

Frappier, Jean, «Le Graal et ses feux divergentes», *Romance Philology,* XXIV (1971).

Hammerich, L. L., «Leo Spitzer. 1887-1960», *Langue et Littérature. Actes du VIIIe Congrès de la F.I.L.L.M.,* Les Belles Lettres, París, 1961.

Jauss, Hans Robert, *Pour une esthétique de la réception,* Gallimard, París, 1968.

Jones, Robert E., *Panorama de la nouvelle critique en France,* Sedes, París, 1968.

Kerbrat-Orecchioni, C., *La connotation,* Presses Universitaires de Lyon, 1977.

Kuhn, Thomas S., *La estructura de las revoluciones científicas* (1962), Fondo de Cultura Económica, México, 1971.

Lázaro, Fernando, «Consideraciones sobre la lengua literaria», en el volumen colectivo, *Doce ensayos sobre el lenguaje*, Publicaciones de la Fundación Juan March, 1974, y en F. L., *Estudios de lingüística*, Crítica, Barcelona, 1980.

Marino, Adrian, *La critique des idées littéraires*, Éditions Complexe, Bruselas, 1977.

Martinet, André, «Connotations, poésie et culture», *To Honor R. Jakobson*, Mouton, La Haya, 1967, II, pp. 1.288-1.294.

Mounin, Georges, *La littérature et ses technocraties*, Casterman, Bruselas, 1978.

Pagliaro, A., *Nuovi saggi di critica semantica*, D'Anna, Messina-Firenze, 1963.

Riffaterre, M., *Essais de stylistique structurale*, Flammarion, París, 1971.

Sartre, J. P., *Questions de méthode*, Gallimard, París, 1960.

Saussure, F. de, *Curso de lingüística general*, trad. de A. Alonso, Losada, Buenos Aires, 1945.

Stankiewicz, E., «Expressive language», en Th. A. Sebeok (compilador), *Style in Language* (1960); utilizo la ed. del M.I.T., Cambridge, Massachusetts, 1964.

Starobinski, Jean, «Leo Spitzer et la lecture stylistique», en *La relation critique*, Gallimard, París, 1970.

Terracini, B., *Analisi stilistica. Teoria, storia, problemi*, Feltrinelli, Milán, 1966.

Uitti, K. D., *Linguistics and Literary Story*, Prentice-Hall, Inc., Englewood Cliffs, Nueva Jersey, 1969. [Hay trad. esp. de R. Sarmiento, Cátedra, Madrid, 1975.]

Weber, J. P., *Néocritique et paléocritique*, Pauvert, París, 1966.

Wellek, René, «Closing Statement: From the Viewpoint of Literary Criticism», en *Style in Language* (vid. la anterior referencia a Stankiewicz).

Wimsatt, W. K., *The Verbal Icon* (1954), Methuen and Co., Londres, 1970.

NOTA PRELIMINAR

La intención del libro que el lector tiene entre las manos es bien sencilla. Ni más ni menos que reunir un puñado de los espléndidos estudios que el último Leo Spitzer consagró a las letras españolas, y ponerles al frente el texto que con mejores razones cabe considerar testamento y autobiografía intelectual del maestro. Con los trabajos spitzerianos de tema afín e inéditos en castellano o también desperdigados en lugares no fácilmente accesibles, cabría preparar otros dos o tres volúmenes como el presente. No renunciamos a sacar algún día siquiera uno de esos volúmenes posibles, para dar mayor difusión a las sugestivas páginas de Spitzer sobre Berceo o Lope de Vega, sobre el Buscón quevedesco, Confianza de Pedro Salinas y tantos asuntos más. Pero constricciones de índole editorial impedían ahora correr esa «ventura» quién sabe si «dichosa», y fuerza será aguardar a que las cosas cambien. Por el momento, cumple expresar nuestra gratitud a quienes han hecho viable la aparición de Estilo y estructura en la literatura española: Anna Granville Hatcher, Wolfgang Spitzer, Max Niemeyer Verlag; los responsables de Cultura Neolatina, de la Nueva Revista de Filología Hispánica y de Modern Language Notes; y la Universidad de Buenos Aires, con la gentilísima intervención de Frida Weber de Kurlat. La corrección de pruebas y la confección del índice, lista de abreviaturas, etc., han ido al cuidado de la profesora Milagros Villar.

F. R

1. DESARROLLO DE UN MÉTODO *

Os agradezco profundamente esta invitación para hablar del desarrollo de un método aplicado a la lectura de los textos poéticos: método que, según creo, se llama spitzeriano. Aunque dicho desarrollo haya sido ya descrito por varios críticos italianos, como Schiaffini, Citati y Giachery, y al mismo tiempo cortésmente censurado por escritores eminentes como Fubini y Pasolini, me gustaría que la víctima de tan amistoso tratamiento pudiera expresar de modo más decisivo las propias dudas acerca de ciertas fases de su pensamiento e indicar, también, sus verdaderos errores, que ahora puede ver con mayor claridad. Con vuestro permiso, explicaré cómo pasé de la lingüística, que era el campo al que me dedicaba cuando comencé a escribir en 1910 aproximadamente, a la crítica literaria, que con el tiempo se ha convertido casi en mi única ocupación.

Espero que sabréis perdonar este inciso autobiográfico destinado únicamente a esclarecer cómo un cierto tipo de crítica puede provenir de una concatenación definida de factores e influencias, no necesariamente obligatorias para los otros críticos, cuyo trabajo puede ser igualmente válido, o más válido que el mío. «Methode ist Erlebnis» dijo el gran crítico literario alemán Gundolf: método es experiencia vivida. Los métodos de los distintos críticos deben

* Texto de la conferencia pronunciada en la Facultad de Letras de la Universidad de Roma, el 23 de mayo de 1960, y publicada con el título «Sviluppo di un metodo», en *CuN*, XX (1960), pp. 109-128. (Traducción castellana de Silvia Furió.)

ser forzosamente diferentes porque su experiencia vital es necesariamente distinta. Este elemento de la diferencia radical entre un ser humano y otro explica el hecho extraordinario de los nuevos descubrimientos en obras sumamente conocidas desde hace siglos, descubrimientos realizados a menudo por críticos jóvenes, que aportan una nueva sensibilidad propia, su singularidad como individuos, al texto antiguo. Naturalmente, ello no excluye el hecho de que, movidos por su propio temperamento, cometan errores de interpretación, cosa que no pocas veces he tenido que admitir en mis trabajos.

Nací y me eduqué en la Viena de antes de la guerra de 1915, y asistí al llamado «Humanistisches Gymnasium», que me enseñó la existencia de lo que llamaría una *poësis perennis,* es decir, una poesía clásica antigua como modelo o medida válida siempre para toda la poesía. En aquella época de paz, período que muy pocos de vosotros habréis tenido ocasión de conocer, los valores parecían haberse fijado para siempre: Horacio y Sófocles, Tácito y Demóstenes constituían modelos sin par de perfección artística. La educación moderna es muy distinta de la que yo recibí, puesto que, al ser los valores más volubles, el estudiante se ve obligado a conquistar por sí mismo aquello que se convertirá para él en el modelo más alto de poesía; es decir, no *comienza* con la experiencia de un mundo estético ya constituido más allá de su alcance.

Sin embargo, a partir de mi contacto con la poesía clásica adopté la idea de la inteligibilidad de todo texto, aún después de miles de años, y la opinión de que una sola explicación de un párrafo es siempre la mejor: en otras palabras, estaba inmunizado contra la moderna anarquía de la multiplicidad de significados propuestos.

Pero, a mi entrada en la universidad, me vi cruelmente expulsado de este mundo de formas estéticas puras y univalentes. Allí, el gran lingüista Meyer-Lübke trataba la lengua como un erudito, como si fuera una secuencia histórica de desarrollos condicionados únicamente por factores intralingüísticos, y no como un producto estético. Su enseñanza sobria y positiva me familiarizó con el habla común, fenómeno bien limitado y definido, y me aportó una técnica exacta que me capacitó para distinguir lo verdadero de la hipótesis con un rigor y una precisión tales, que podrían servir de requisito general para cualquier tipo de trabajo, incluso el literario.

Al igual que todo gran científico, Meyer-Lübke podía ir más allá de aquello que sabía realizar de modo soberbio en su propio campo: me sentí aliviado el día en que, durante su clase, afirmó que hubiera sido importante para la historia del italiano antiguo, establecer las formas verbales utilizadas en las rimas de Dante: pero, añadió, «Dante es quizá demasiado hermoso para esto». Se mostró sumamente magnánime al aceptar mi tesis sobre un tema del que él nunca hubiera hablado y que para mí era un compromiso entre intereses lingüísticos e intereses literarios: «La formación de neologismos como medio estilístico ejemplificada a través de Rabelais».

Hoy en día, es una verdad evidente que un poeta, especialmente un humorista, puede lograr efectos estilísticos extraordinarios con neologismos; pero en 1910 este era un pensamiento totalmente nuevo, por lo menos en el ámbito de la filología. En efecto, en aquella época, en Viena, un hombre que se hallaba al margen del campo de la filología, es más, al margen del mundo académico, había intuido ya la importancia de los neologismos que se dan a nivel inconsciente en los sueños, en los *lapsus linguae* y en formas conscientes de autoliberación psicológica, como son los chistes y las salidas ingeniosas. No es necesario que mencione el nombre de Sigmund Freud, quien, en todas las desviaciones humanas de la norma indicó, no tanto el elemento aberrante, sino la necesidad del mismo y su lado productivo. El elemento fantástico en una palabra improvisada le da una cualidad irreal, pero, al mismo tiempo, dicha palabra adopta una realidad ficticia: si se halla perfectamente formada, reproduce determinados paradigmas lingüísticos.

Rabelais, cuyo arte grotesco me había impresionado sobremanera debido a su constante detenerse entre la realidad y la irrealidad o no-realidad, me pareció el más idóneo para un análisis estilístico de los neologismos. En una frase famosa que caracteriza a los profesores de la Sorbona como *sophistes sorbillans sorbonagres sorbonigenes sorbonicoles sorboniformes sorboniques niborcisans sorbonisans saniborsans,* podía reconocer no sólo un obvio intento satírico, sino también un deseo de crear nuevas palabras capaces de producir, por así decirlo, una nueva realidad. La base de todas estas formaciones, la palabra *Sorbona,* representa algo real que Rabelais atacaba; y los distintos sufijos evocan a su vez una cierta realidad, puesto que los encontramos en otras muchas palabras (*sorboniforme* formado como *multiforme, uniforme*); sin embargo, no sólo las palabras fantásticas como *niborcisans, saniborsans,* sino la serie entera, termina con el caos, un caos de monstruos dotados de vida, caos que nos divierte sólo después de habernos causado miedo (la combinación típica de estos sentimientos es producto del arte grotesco). Los neologismos de Rabelais sacan a relucir las innumerables formas que el monstruo Sorbona provoca, por así decirlo, ante nuestros ojos. Rabelais nos libera, a modo freudiano, de la obsesión que él y otros muchos humanistas deben haber sentido personificada en aquel instituto medieval, y nosotros, lectores modernos, podemos sentir con él ya sea este mismo temor, ya la liberación del mismo.

Sólo veinte años más tarde pude descubrir que el arte grotesco de Rabelais está caracterizado generalmente por el hecho extraordinario de conferir realidad a la no-realidad: como en el mito alegórico de Antifisia que camina al revés, con la cabeza abajo y los pies arriba, según la analogía medieval establecida con los árboles, cuyas raíces (que corresponden a los cabellos) se hallan en el suelo; o en el mito de las palabras heladas de la región ártica, que pueden descongelarse y ser lanzadas como objetos sólidos sobre el puente de la embarcación de Pantagruel. No obstante, cuando yo todavía sostenía mi tesis, catalogué de modo pedante los neologismos de Rabelais, clasificándolos según ciertas desaboridas categorías literarias como la farsa, lo burlesco, lo grotesco; pero, por lo menos, mencioné una característica lingüística, importante en Rabelais, como motivada por una necesidad creativa del autor que encuentra eco en nosotros, lectores modernos.

Después del trabajo acerca de Rabelais, en 1918, apareció, en un volumen dedicado a cuestiones sintácticas, un estudio mío estilístico cuyo título disimulaba su carácter: «Innovaciones sintácticas de los simbolistas franceses». Este estudio ha vuelto a publicarse recientemente en un volumen editado por Einaudi, *Marcel*

Proust ed altri saggi di letteratura francese, aunque yo, por mi parte, lo considere hoy inmaduro. No obstante, el editor Citati no carecía de razón al buscar nuevamente los primeros pasos todavía dubitativos de este método, el carácter experimental e inseguro de mis categorías en aquella época.

Gramáticos como Brunot en su historia de la lengua francesa y literatos como André Barre habían encontrado algunas réplicas acerca de las innovaciones sintáctico-estilísticas de aquella escuela poética en nombre de la tradición lingüística, de un *sorbonicole* que hoy en día parecería increíble. Brunot, por ejemplo, a propósito del uso de preposiciones por parte de algunos simbolistas, se expresaba del siguiente modo: «*De* ne peu pas remplacer *avec* comme le voudrait: [*la tour*] '*devient plus grave et sonore des heures*'; *en* restitué pour *dans,* vivra-t-il?: '*Et la cloche du soir appelle en le vallon*'». Ésta es la vieja teoría de sustitución de los retóricos: *avec* sustituido por *de, dans le* sustituido por *en le,* cuando, en realidad, *grave et sonore des heures* para el poeta no significaba 'la torre se hace cada vez más solemne y sonora *con* el transcurrir de las horas', sino '*por las* horas, por el tañido de la campana que anuncia las horas' (pero también esta traducción resulta demasiado forzada, ya que sugiere más bien una vaga relación entre la torre y el sonar de las horas). Evidentemente, *en le vallon* es todavía más vago, menos circunscrito en el espacio, que el *dans* materialista y sólido. Recordemos que la incertidumbre, la oscuridad y la falta de *contour* constituían la base del programa de la escuela simbolista. El crítico puede no estar de acuerdo con esta tendencia, pero antes de condenarla ha de identificarla (y en este comportamiento «apologético» no veo ningún peligro del «divismo» temido por Devoto).

Así pues, ordené las mencionadas innovaciones sintácticas en un amplio catálogo según las categorías gramaticales: preposiciones, conjunciones, adverbios, verbos. Como ejemplo de la nueva fuerza prestada a los verbos existenciales de la poesía simbolista, cité los poemas enumerativos o anafóricos en los que el prosaico *il y a* (que Racine sin duda hubiera evitado a causa del hiato) se repetía enfáticamente. En Jammes, por ejemplo:

> Il y a une armoire à peine luisante
> qui a entendu les voix de mes grand'tantes,
> qui a entendu la voix de mon grand'père,
> qui a entendu la voix de mon père...
> Il y a aussi un coucou en bois...
> Il y a aussi un vieux buffet...

La última estrofa llega a lo que para nosotros, actualmente, puede considerarse una conclusión poéticamente no necesaria:

> Il est venu chez nous bien des hommes et des femmes
> qui n'ont pas cru à ces petites âmes.
> Et je souris que l'on me pense seul vivant
> quand un visiteur me dit en entrant:
> —Comment allez-vous, Monsieur Jammes?

En cada uno de estos *il y a,* vi un acercamiento a la sencillez desprovista de adornos de la vida cotidiana, un descubrimiento de la existencia de objetos humildes y familiares que, normalmente, solemos olvidar en nuestra actitud convencional respecto a los mismos. En aquella época, no resultaba fácil adivinar que esa tosca lista de cosas, tanto poéticas como prosaicas, sin infundir en ellas vida simbólica, constituía una innovación que anunciaba ya ciertas orientaciones de nuestro tiempo, y que la vaga etiqueta de *simbolismo* designaba características contradictorias.

Como ya he dicho, este artículo sobre el estilo de los simbolistas fue concebido como polémica contra las opiniones de otros críticos; desde entonces, he permanecido siempre fiel a esta costumbre, que quizá provoca la hostilidad de aquellos críticos que son el blanco de los disparos y confunde a los autores de ensayos que describen sus propias opiniones sin considerar para nada las de sus compañeros-críticos. En mi caso, la costumbre de discutir acerca de cuestiones de crítica literaria no es, y así lo espero, una manifestación de temperamento maligno, sino una consecuencia de mi preparación lingüística: efectivamente, se trata de un procedimiento típico de los lingüistas el presentar primero las opiniones de sus predecesores respecto a una determinada cuestión, para demostrar después que éstas son insostenibles y ofrecer, finalmente, las propias opiniones. Examinando el reciente y espléndido diccionario etimológico español de Corominas, hallamos por ejemplo que, bajo la palabra *trobar*, «encontrar», el autor describe la opinión de Schuchardt, quien extrañamente vio una relación entre esta y otra palabra referente a la pesca, el hecho de enturbiar (*turbare*) el agua al intentar pescar, capturar, encontrar; después expone la opinión de G. Paris, que rechazó esta etimología relativa a la naturaleza y pensó en el gr.-lat. *tropos*: el primer significado sería el de «modular» en música, después «componer poesía» y, por consiguiente, «inventar, encontrar»; a continuación sigue la opinión que modifica la de G. Paris y que, a su vez, es modificada por la de Corominas.

Ahora bien, en lo que respecta al gusto, evidentemente no resulta tan sencillo como en etimología el determinar cuál es la única opinión posible (*de gustibus...*); de todos modos, incluso en el campo estético el *consensus omnium* es siempre el ideal. Aquella interpretación de una poesía que tenga en cuenta todas las objeciones posibles y explique todas las particularidades del modo más satisfactorio, será la que más se acerque a la verdad, al igual que una etimología correcta debe tener presentes todas las formas y todos los significados postulados anteriormente. Si todos los etimólogos hubieran procedido del mismo modo que tantos críticos literarios, escribiendo únicamente los propios monólogos, evitando aquello que en griego se denomina συμφιλολογεῖν, esto es, hacer filología todos juntos, sin dialogar con los colegas, no hubiera sido posible realizar una recopilación crítica tan gigantesca como la de Corominas. Por supuesto, todavía estamos lejos del día en que por fin aparecerá, publicado por un crítico superhombre, un diccionario que contenga todos los distintos comentarios de que han sido objeto las grandes obras de la literatura occidental.

En los años que siguieron a 1920, existía quizá una necesidad mucho mayor de polémica de la que existe hoy en día, porque entonces la escuela positivista, firme en sus cimientos sin verse amenazada en absoluto por antipositivista como Croce y Vossler, seguía dominando el escenario académico alemán. Tal era su apogeo que en un artículo, publicado por un filólogo de la vieja escuela,

acerca de la *Consolation à M. Du Périer* de Malherbe, tan sólo se
concedió belleza estética a los dos versos famosos:

> Et rose, elle a vécu ce que vivent les roses,
> l'espace d'un matin.

Pero incluso en estos dos versos el crítico encontró algo que
decir, porque en ellos aparecen recuerdos y evocaciones de poetas
antiguos que habían empleado la similitud rosa-muchacha: y una
vez hallada una fuente, según la lógica positivista, la originalidad
del párrafo queda destruida. Ésta es la falacia de la búsqueda de
las fuentes originales, a través de la cual la poesía queda reducida
solamente a su contenido, mientras que la forma se descuida por
completo. Entonces, demostré que los dos versos citados, uno
más largo y otro más breve, corresponden, por así decirlo, a una
diástole y a una sístole, a la irrupción de un dolor seguido de una
contracción del ser: módulo rítmico que expresa el proceso del estoico dominio de uno mismo. Por primera vez, me encontraba
frente a la estructura de una poesía que, por medio de sonidos,
traduce el ritmo de la existencia —en este caso de la existencia fi-
losófica—: la filosofía estoica encontraba aquí su equivalente poético. Denominé a mi procedimiento «inmanente», en oposición
a los métodos que «trascienden» el ámbito de la poesía: búsqueda
de fuentes, indicios biográficos, etc.

Estos estudios interesaron a un notable cultivador de la literatura alemana, Oskar Walzel, de la Universidad de Bonn, donde
me había trasladado después de la primera guerra mundial. En
aquella época, él era el único germanista alemán interesado en la
forma artística de la poesía, mientras que en Alemania la literatura
alemana se estudiaba solamente desde el punto de vista positivista
o por el lado filosófico. Como es de todos sabido, en Alemania
reina soberana la filosofía, no el sentido estético, y Walzel, vienés,
constituía una loable excepción. Por aquel entonces, el citado autor
estaba escribiendo precisamente un libro en torno a los métodos
literarios, titulado *Gehalt und Gestalt* (Contenido y forma), en
el que hacía hincapié en la forma, y estaba dispuesto a aprender
del colega del campo de las románicas, para el cual la forma es-

tética era una *conditio sine qua non* de la obra de arte. Pero también yo aprendí de él: en sus estudios sobre el clasicismo alemán del siglo XVIII, por ejemplo, había desarrollado la categoría de la «Klassische Dämpfung», categoría que yo apliqué al estudio del estilo del clásico Racine, acerca del cual, entonces, se sabía verdaderamente muy poco. Es realmente cierto que los poetas más conocidos, más estudiados en la escuela por millones de niños franceses son, precisamente, por esta razón, los menos conocidos por sus innovaciones estilísticas. Permitidme que os ofrezca, con un dístico tomado de *Phèdre,* un ejemplo de la «Klassische Dämpfung» raciniana: los caballos de Hipólito se asustan ante el monstruo enviado por Neptuno:

On dit qu'on a vu même, *en ce désordre affreux,*
Un Dieu qui d'aiguillons pressait leurs flancs poudreux.

El terrible suceso que provoca la muerte de Hipólito es visto y narrado poéticamente: *on a vu* el dios que arremete contra los costados de los caballos; pero el hemistiquio *en ce désordre affreux* contiene una sentencia, un diagnóstico racional. Calificando la situación de horrible desorden, se añade un cierto elemento reflexivo o prosaico que disminuye la fuerza emotiva; es como si el poeta se hubiera separado de la empatía que debe a su personaje y lo observase desde fuera. Se trata, pues, de una interpolación que el poeta clásico quería introducir en una descripción de situaciones patéticas, un elemento de racionalidad o normalidad, desde el cual podía juzgarse aquel suceso o situación.

El hecho de haber tomado prestados términos, como «Klassische Dämpfung», de otros críticos me ha expuesto a la a menudo repetida acusación de eclecticismo. A ello quisiera responder que lo único que importa es si la categoría empleada por el crítico es realmente adecuada al fenómeno descrito, y no quién la usa o dónde ha sido descubierta. Resultaría ridículo si un físico, al analizar las fuerzas que actúan sobre un objeto determinado, hiciese caso omiso de la ley de la gravedad, sólo por el hecho de no haberla descubierto él, sino Newton. En el mundo de la crítica literaria existen, en efecto, no demasiadas, sino demasiado pocas categorías que puedan ayudarnos a describir el objeto de nuestro estudio.

Mientras estos estudios descriptivos de estilo permanecían fieles a los principios de Croce, quien despreciaba aquello que había calificado de *allotria,* debo añadir que en el análisis concreto de poesías no sucumbí a la influencia de Croce, cuya teoría del lenguaje (intuición y expresión vistas como una unidad) no me habría permitido el análisis de detalles lingüísticos en poesía. Estoy también en deuda con el gran filósofo, en el sentido de que alentó mis estudios, de inspiración tan distinta a la suya: otro ejemplo de la magnanimidad que es característica innata de las personas más grandes. Por otra parte, también es cierto que no me limité a descripciones *inmanentes* del producto literario, sino que trabajé de modo similar al de Freud, quien, introduciendo el subconsciente como fuerza motriz de la conducta humana y también del artista, infundió nueva vida a la teoría de la *Erlebnis* de Dilthey.

Con Dilthey, al igual que con Freud, se pasa de la obra de arte a la persona, a la experiencia personal del artista: y ello, tanto si se clasifica su *Erlebnis* con Dilthey en términos de tipología psicológica general, como si se le identifica con Freud, es decir, más concretamente, en términos de complejos reprimidos.

En 1918, el amigo Hans Sperber publicó en colaboración conmigo un estudio titulado *Motiv und Wort* (Motivo literario y expresión verbal), en el que, con la ayuda de muchos ejemplos extraídos del escritor austríaco Meyrink, demostró que ciertos complejos perfectamente definibles colorean el conjunto imaginativo de este último: acosado por el miedo a ser estrangulado, este escritor veía en una corbata serpientes que asfixiaban a quien la llevaba puesta. La constancia con que se repiten tales imágenes tiene un paralelo con la regularidad de ciertos tics nerviosos o ciertos errores, consecuencia de complejos que Freud había señalado en sus investigaciones acerca del inconsciente. Más tarde, Sperber amplió esta idea con la intención de demostrar, en el desarrollo semántico de palabras de un determinado período, una regularidad relativa (no ya la regularidad de manifestación de complejos) que corresponde a las principales preocupaciones o emociones de aquel período concreto: en una época en que predomine la música, abundarán en la literatura similitudes musicales, en otra en que sobresalga la arquitectura, prevalecerán las palabras derivadas de ésta. Años más tarde, utilicé este concepto, combinándolo con la historia de las ideas, en mis *Essays in historical semantics* (1948), en los que demostré que nuestras palabras modernas *ambiente, ambiance, environment, Umwelt* se remontan, en un último análisis, al concepto griego de περιέχον, de espacio o aire que nos rodea, concepto tomado del Renacimiento, de Newton (*circumambient medium*) y de Goethe, que acuñó el término de *Umwelt*, traducido a su vez por Carlyle como *environment*, o que el concepto pitagórico de la música de las esferas resurgió en el Renacimiento y en el período del Barroco con el resultado de que la palabra alemana *Stimmung*, que originariamente significaba 'armonía, acuerdo musical del mundo', se ha convertido en una palabra bastante común, con el significado de 'estado de ánimo', perdiendo el matiz emotivo que tenía en la época barroca.

Dicho de otro modo, un concepto heredado de una época anterior revive cuando puede expresar una determinada concepción de la vida, como en este caso la armonía leibniziana del mundo. Pero ahora nos estamos alejando ya de la crítica literaria. Siguiendo la sugerencia de Sperber acerca de la regularidad de ciertas expresiones en un escritor que dé rienda suelta a su *Erlebnis,* en los años siguientes a 1920, me puse a indagar en la literatura francesa, buscando casos en que se reflejase claramente la *Erlebnis* del autor en su estilo. Así, por ejemplo, encontré que Charles-Louis Philippe en una novela de rufianes y prostitutas, *Bubu de Montparnasse* (1905), hace gala de cierta simpatía social por estos tipos amorales, y a su identificación interior con ellos corresponden unos determinados rasgos lingüísticos. Al hablar de uno de los chulos y de su modo de gozar de las mujeres, Philippe dice:

> Il aimait sa volupté quand elle appliquait son corps contre le sien et qu'elle se pliait pour qu'il la pénétrât. Il aimait cela qui la distinguait de toutes les femmes qu'il avait connues *parce que* c'était plus doux, *parce que* c'était plus fin et *parce que* c'était sa femme à lui qu'il avait eu vierge.

Es evidente que nos hallamos frente a aquella forma de discurso transpuesta llamada *style indirect libre* o *erlebte Rede,* según la cual, palabras pronunciadas realmente por los personajes de la historia se ponen en pasado como si formasen parte de la narrativa. En realidad, el chulo había dicho: «J'aime cela ... parce que c'est plus doux, parce que c'est plus fin», etc.

Veamos otro ejemplo con *car:* de un chulo que al mismo tiempo es un ladrón, Philippe dice con un tono pseudoobjetivo:

> Les femmes l'entouraient d'amour comme les oiseaux qui chantent le soleil et la force. Il était un de ceux que nul ne peut assujettir, *car* leur vie, plus noble et plus belle comporte l'amour du danger.

La vida peligrosa de este personaje de los bajos fondos parece ser convincente para las mujeres, y su idealización del personaje está en cierto modo irónicamente aprobada por el autor.

Una vez hallada, en la obra de Philippe, la piedad en la ironía expresada lingüísticamente, podemos encontrar la misma actitud en su modo de tratar la trama. Al igual que en el caso de Rabelais, el detalle lingüístico nos ha llevado a la raíz psicológica de sus escritos, de modo que hemos podido reconocer el mismo elemento-base en otros aspectos de su arte: en su tratamiento de las ideas, de la trama, y así sucesivamente. A este procedimiento lo denomino, según Schleiermacher y Dilthey, procedimiento circular, y no me refiero a un círculo vicioso, sino a un medio legítimo al servicio del humanista, del historiador, literato o lingüista, que quiera comprender un fenómeno humano; en primer lugar, observa una peculiaridad (que podrá ser o no lingüística), presupone su raíz psicológica y verifica si también otras peculiaridades resisten el examen de su hipótesis: un continuo movimiento de inducción y deducción, de ida y vuelta del detalle a la esencia y, nuevamente, de la esencia al detalle. Evidentemente, para describir un fenómeno literario que se presenta ante nuestros ojos como un todo redondo, una esfera, hemos de ayudarnos de una palanca para penetrar en él, y esta palanca es precisamente la observación del detalle que, repito, puede ser o no de naturaleza lingüística. En el caso de Philippe, yo mismo había realizado una observación lingüística respecto a la expresión de una causalidad pseudoobjetiva; en otros casos adopté el juicio de otros críticos literarios acerca de un escritor, proporcionando únicamente la prueba lingüística a sus opiniones. Así, el ensayista francés Johannet había afirmado que Péguy posee el estilo que debería ser propio de Bergson, pero que no lo es: su llamada repetición retórica es, en efecto, un elevarse, motivado por su *élan vital* hacia niveles cada vez más altos, una continua autocorrección del escritor que nunca se siente satisfecho del modo en que traduce el transcurrir de la vida. En lo que respecta a Proust, traté de demostrar, siguiendo un artículo de Curtius, que su ritmo de la frase corresponde a su concepción de una realidad provista de varios aspectos y numerosos estratos, que debe ser reflejada por el escritor: la novela-río se refleja en la frase-río.

Al aceptar el juicio de otros críticos, evidentemente, se corre el riesgo de asumir asimismo sus prejuicios, pero, por otro lado, existe un grave peligro para quien se basa únicamente en sus propias observaciones: puede darse el caso de que el crítico confunda la facilidad con que es capaz de distinguir ciertos rasgos en el estilo de un escritor con el valor estético absoluto que éstos encierran; no todo aquello que observamos en un autor posee mérito literario. En el caso de Péguy y Proust, su peculiar estilo es parte integrante de su excelencia y unicidad literarias; en el caso de otros autores, el estilo puede ser un *hors-d'œuvre* o una receta barata que se presta a ser imitada fácilmente: este me parece el caso del *unanimisme* de Jules Romains, que probablemente sobreestimé treinta años atrás, cuando escribí un estudio sobre él. Cuando Jules Romains, al intentar describir las entidades colectivas formadas por un grupo de individuos (un cuartel, una casa, una fábrica) en el momento en que se separan de la vida en general y se funden en ella, adopta términos como 'nacimiento', 'evacuación', 'secreción', 'vómito', y, frente a párrafos como «la salle le pondit comme un œuf» (a propósito de una persona que sale de una habitación), «Les maisons ... se vidèrent ... les portes faisaient un à un des hommes vêtus de noir, *comme une chèvre fait ses crottes* et jusqu'à l'épuisement. Cette envie gagna les maisons de proche en proche. À quattre heures toutes s'*étaient sou-lagées*» (a propósito de unas personas que abandonan un grupo de casas), frente a párrafos como éstos, ya no estoy seguro de si las metáforas, con su carácter físico y mecánico, logran expresar estéticamente el fenómeno de la solidaridad de grupo; y que conste que ahora pienso así, no porque las metáforas sean de carácter poco apetitoso, sino porque una vez se ha utilizado una de estas metáforas, las otras parecen seguir automáticamente: entonces, ¿qué mérito tiene el crítico al observar aquello que el autor ha expuesto en la vitrina de modo tan conspicuo, tan indiscreto y tan reiterativo? Por esta razón, un juicio acerca de la excelencia literaria de la obra analizada (la respuesta a la eterna pregunta cro-ciana: ¿poesía o no poesía?) debería preceder siempre al análisis del crítico. En las obras de arte, las peculiaridades no siempre son cualidades estéticas.

Mi último ensayo a la manera freudiana, según la cual el crí-tico busca detalles estilísticos que abundan normalmente en los es-critos de un autor, motivados por un impulso interior comparable, aunque no siempre idéntico, a los complejos freudianos, fue el de Diderot en *Linguistics and Literary History: Essays in Stylistics* (1948), donde traté de probar que en muchos trabajos del autor se halla un impulso, de fondo erótico, de trascender de sí mismo y de fundirse con otro ser; conducta típica de Diderot que se encuentra en su aforismo: «L'art d'écrire n'est que l'art d'allonger les bras».

Cuando Diderot escribe, en un artículo de la Enciclopedia, acerca de la *jouissance* de uno de los seres que participan en un enlace amoroso: «L'être qui pense et sent comme vous, qui a les mêmes idées, qui éprouve la même chaleur, les mêmes transports, qui porte ses bras tendres et délicats vers les vôtres, qui vous enlace, et dont les caresses seront suivies de l'existence d'un nouvel être ...», se siente, en el ritmo de la frase entera, aumentar el sentimiento del propio autor, extenderse, dilatarse en el recuerdo feliz de la *étreinte*. Este es un rasgo característico del estilo de Diderot, que se encuentra en muchas otras obras suyas, ya sean didácticas ya narrativas.

Entretanto, me había dado cuenta de que el procedimiento

crítico freudiano no siempre podía aplicarse a períodos literarios pasados, en los que al autor no se le permitía abandonarse a su propia idiosincrasia ni a sus fobias; entonces no existía siquiera el culto por el genio «original», como más tarde existió, a partir del siglo XVIII, y las obras poseían como mucho un carácter impersonal y objetivo. Un alumno mío que estaba trabajando en *Les tragiques* de Agripa d'Aubigné, se sorprendió al hallar en aquella poesía lo que un crítico americano de inspiración freudiana había definido como *emotional clusters,* racimos de expresiones emotivas, como «leche» opuesta a «veneno», «madre» a «serpiente», «lobo» a «cordero»: parejas antitéticas que representaban (para d'Aubigné) la actitud natural de los hugonotes franceses del siglo XVI contra el partido católico de Catalina de Médicis. Mi alumno, que apenas había leído a Joyce, creyó que podía encontrar algunos tipos asociativos a la manera de Joyce en el poeta del siglo XVI; entonces tuve que decirle que todas aquellas parejas antitéticas habían sido sugeridas por la tradición de las Sagradas Escrituras. Probablemente d'Aubigné debió haber revivido los modelos bíblicos, pues tal es la fuerza expresiva de sus sentimientos, que los católicos son para él el lobo venenoso, mientras que los hugonotes simbolizan al cordero bondadoso; sin embargo, contrariamente a Joyce, en estas imágenes no se esconde ningún complejo personal del autor.

El profesor Fubini, en una crítica al volumen de mis escritos publicados por Laterza, ha mostrado con gran exactitud las dos distintas inspiraciones de mis trabajos, la freudiana y la estructural, de las que parece preferir la segunda. En parte estoy de acuerdo con él y, efectivamente, ya me había dado cuenta de que el método de describir un autor según la *Erlebnis* ha de limitarse a períodos y a géneros literarios en los que la *Erlebnis* es realmente el objetivo del autor. Este descubrimiento tuvo para mí dos consecuencias: por una parte me sentí mucho más atraído por la poesía *pre-Erlebnis,* es decir la poesía del Medioevo, del Renacimiento, de la época barroca o de un poeta moderno como Claudel que habla para la humanidad, no para el propio *ego.* Por otra parte, con el análisis de la estructura, me ocupé en mayor grado del elemento *Gestalt* en el producto poético, ya sea antiguo o re-

ciente, como había hecho anteriormente comenzando por el estudio de la *Consolation* de Malherbe al que siguieron otros ensayos
sobre la *Ballade des dames du temps jadis* de Villon, sobre Góngora
y algunos más. En el ensayo sobre Góngora acuñé un *slogan* distinto al de *Motiv und Wort,* esto es, *Werk und Wort* (Obra y
palabra), para expresar el nexo necesario del conjunto de una
obra poética y de su material verbal.

Digamos entre paréntesis que cuando Pasolini y otros críticos
orgullosos de su juventud me definen «campeón de decadentismo
europeo» (probablemente por la elección de los autores tratados
y estudiados), se equivocan en gran manera: quizás el volumen
publicado por Einaudi dé esta impresión (aunque resulta un poco
difícil definir a Claudel como decadente), pero como prueba el
volumen alemán (Tubinga, 1959) que comprende los ensayos literarios escritos en América desde 1936 a 1956, de 39 ensayos publicados en dicho volumen, 30 tratan de obras medievales, 11 de
obras del Renacimiento y del Barroco, y solamente 7 se ocupan
de la poesía de los siglos XIX y XX. El resultado de esta estadística
es que he trabajado en la poesía de todos los siglos excepto la de
los siglos XVIII y del Romanticismo (la única poesía de Victor
Hugo estudiada en el mencionado volumen es de carácter parnasiano: «Le rovet d'Omphale»). El hecho de haber comenzado en
1919 con los simbolistas franceses casi contemporáneos, queda
hoy justificado por el hecho de que su uso de la lengua representó
la revolución más violenta de toda la poesía francesa, revolución
que preparó el terreno a las innovaciones de hoy en día en la lírica, que todavía son más audaces. El hecho de que yo, en los años
siguientes a 1930, me haya apartado del psicoanálisis para enfras-
carme en el estudio de la estructura, se debe quizá no a un estudio
de la *Gestaltpsychologie,* sino a una creciente desconfianza en la
turbia *Erlebnis* y a una predilección por un claro contorno de
forma, a un esfuerzo personal hacia la salud y la racionalidad,
características naturales de un hombre que ha dejado de ser joven.

El crítico que se detiene en un *que* creativo y misterioso intuido por él en el poeta al *hic et nunc* de la obra objetiva, se hace
cada vez más racional. Y el «raciocinio frío del crítico», que con
gran placer por mi parte Pasolini advierte en mí, corresponde a

una disposición similar en el artista de la palabra, el poeta, quien es también un artesano que nos hace llorar con sus versos, pero que no se ha olvidado de contar las sílabas. (Y no puede atribuirse al caso el hecho de que dos escuelas críticas, con las que no tenía ningún contacto directo cuando me volqué hacia el estructuralismo, los formalistas rusos y los New Critics americanos, convergieran en esta idea del artista-artesano.)

Sin embargo, era perfectamente consciente de que muchas obras literarias, especialmente las de la Edad Media, todavía no habían sido analizadas en su estructura y, por lo tanto, aún no se habían comprendido claramente.

Por ejemplo, en el *Lai du Chievrefueil* de María de Francia, el motivo-base no había sido definido de modo claro por los críticos; tras un artículo mío y otro de mi sucesor en la cátedra de la Universidad Johns Hopkins, la profesora Anna Hatcher, me parece lógico que el *lai* haga referencia a un milagro de amor: el de Isolda que comprende milagrosamente el mensaje oculto en el nombre de Tristán, la única palabra grabada en la vara de avellano que Tristán pone en su camino. El avellano evocará en la reina la planta complementaria, la madreselva; ambos están destinados a morir separados el uno del otro: «Belle amie, si est de nus — Ne vus senz mei, ne mei senz vous». El avellano y la madreselva inseparables es el tema central del poema que canta la milagrosa capacidad del amor-pasión para comprender y aceptar su destino ineluctable (la muerte): y me parece increíble que ningún crítico lo haya descubierto en sesenta años. No debería ser preciso ningún método para comprender una verdad tan simple.

Asimismo, hallamos en el poema español antiguo *Razón de amor* una voluptuosa escena de amor en un jardín paradisíaco unida a un debate entre el agua y el vino; ningún crítico, incluido Menéndez Pidal, había sido capaz de encontrar un nexo entre estas dos escenas pertenecientes a distintos géneros: en realidad, el nexo entre la escena de amor con su contraste entre amor espiritual y físico claramente expuesto y el debate en el que el agua es el principio espiritual de la vida y el vino el principio físico, queda definido de forma evidente; la moral que se desprende de las dos partes juntas es: la unión de los dos principios hace que nuestro universo sea completo y perfecto. Otro ejemplo: en el *Cantico delle creature* de San Francisco, los críticos italianos, desde Casella hasta Getto, no han captado lo que yo llamo la combinación de un *Alleluja* con un *Dies irae*, de la alabanza a Dios por medio de la alabanza a sus criaturas hermosas y útiles con una severa advertencia moral al hombre para que imite a Cristo y evite el pecado, haciéndose digno de su Creador. En el estudio de todos estos casos medievales, el crítico debe estar dotado de sentido de exactitud lógica en la explicación del símbolo misterioso; ha de ser capaz de captar el símbolo con toda su fuerza imaginativa e importancia estructural, así como de seguirlo en los detalles del poema estructurado en torno a dicho símbolo. Así pues, nos hallamos en el procedimiento circular de Dilthey, aunque aplicado a la comprensión de una unidad poética concreta. Únicamente el lector que permanece dentro del poema, es decir, el que considera el poema de modo inmanente, excluyendo todos los elementos externos a la obra, puede percibir la cohesión estructural.

Últimamente me he ido convenciendo de que no resulta fácil para un literato el excluir *completamente* todas las fuentes, aunque la escuela de los New Critics americanos, en su dogmatismo, trate de hacerlo. Cuando defino el *Cantico* de San Francisco como *Alleluja* más un *Dies irae,* apunto ya hacia dos fuentes o inspiraciones: resulta evidente que la alabanza de hermano Sol y hermana Tierra no podía concebirse más que al modo de los salmos de David y del libro de Daniel, donde la creación y las criaturas de Dios son alabadas por igual; así como una Virgen de Rafael no puede concebirse fuera del tipo de pinturas de la Virgen a la que Rafael añadió la propia creación.

Quizá por ello debía realizarse una revisión de mi anterior actitud, demasiado radical y antihistórica, en contra del examen de las fuentes. Esta idea vino reforzada por otra consideración: es decir, que una obra literaria realmente grande se hará todavía más grande si la comparamos con sus modelos. Me había dado cuenta de ello al examinar la *Consolation* de Malherbe, donde el diseño rítmico que expresa la filosofía estoica era un hallazgo del autor; pues, efectivamente, no se encuentra en las antiguas *Con-*

solationes de Plutarco y Séneca, fuentes originales de Malherbe.
Exactamente lo mismo sucedió con el famoso *Sonnet de l'idée*
de Du Bellay: hace treinta años descubrí un ritmo que, al leer
en voz alta, obliga a levantar la voz continuamente hasta el final
cuando la idea platónica, *l'idée de la beauté,* aparece como en la
epifanía de una diosa; este diseño vocal me pareció característico
de la idea platónica, que nos eleva por encima de la tierra, a una
cima de adoración no terrenal. Al examinar las fuentes del soneto,
Bernardino Daniello, Petrarca, Boecio y Platón, descubrí que ninguno de ellos había encontrado aquel diseño acústico especial que
hace que el poema de Du Bellay resulte tan convincente. Evidentemente, no se trata de diluir una poesía en sus fuentes, como
hizo Rajna con el *Orlando Furioso,* en sus *topoi* como hace Curtius
en su famoso libro, en el que todos los poemas que tratan un
topos determinado se alinean y emerge solamente una continuidad
histórica indistinta. El examen de las fuentes no perjudica a la
gran poesía siempre que se realice *después* de haber leído y comprendido la obra en su belleza inmanente: pues, si yo hubiera
empezado por las fuentes del *Sonnet de l'idée,* nunca habría llegado
a captar su característico diseño vocal. El mencionado examen de
las fuentes tiene su propio lugar *en un cierto momento del análisis* del poema. Respecto a eso me separo del programa de los
New Critics americanos, con los que más de una vez he estado
totalmente de acuerdo.

Quizá ya sepáis que en los últimos años, en oposición al positivismo integral que domina las universidades americanas, se ha
formado una escuela de críticos, la mayoría de los cuales eran
profesores de enseñanza media, que, al darse cuenta de que sus
alumnos, pésimamente formados por sus maestros, no sabían leer
poesías, divulgaron (y vencieron) en libros de crítica y antologías
de uso escolar una campaña en defensa de la poesía. Así pues,
a través de una reforma escolar, de un movimiento propagado de
abajo arriba (al contrario de la reforma crociana en Italia), se re-
novó toda la enseñanza universitaria de la literatura (y no sólo en
el campo inglés, del que había partido) instaurándose una nueva
literatura crítica.

Soy de la opinión de que los New Critics han prestado un excelente servicio a América asignando a los estudiosos de la literatura como tarea principal, una lectura sensible de la obra en cuestión, teniendo en cuenta sus aspectos visibles, estructurales. Un libro de uno de los mencionados críticos lleva por título *The Wellwrought Urn,* expresión sacada de una poesía de John Donne. En este antirromanticismo, los New Critics van a la par con la escuela rusa de los formalistas, que precedió en veinte años a los New Critics, pero que fue eliminada por las intervenciones, descritas en el excelente libro de Victor Erlich, de la burocracia soviética en el preciso momento (1930) en que se producía el movimiento de los New Critics en América. En ambas escuelas podemos encontrar extremismos: los extremismos de una fe en la pureza necesaria para la lectura poética. Los New Critics hacen alusión a 'herejías de lectura', con tal fanatismo casi religioso que a uno le entran ganas de cometer tal o cual herejía por ellos excomulgada. Diría incluso que su modo radical de hace veinte años, hoy en parte abandonado, de enfrentar a la crítica estética con la erudición histórica, me parece erróneo: quiere decir que el crítico no puede ser únicamente crítico, mientras todos los grandes críticos del pasado en realidad han sido también eruditos: Lessing, los críticos románticos alemanes, Sainte-Beuve, Thibaudet, De Sanctis, Croce, Ortega.

Poco antes de morir, Erich Auerbach escribía: «Federico Schlegel, el crítico moderno más grande de todos, ... dijo que la mejor teoría del arte es su propia historia y que la lectura con la sola ayuda de la filosofía resulta imposible así como también es imposible la lectura de la poesía sin la filología. La revolución copernicana de los críticos románticos fue sin duda el prospectivismo histórico. Gracias a ella, los críticos se deshicieron del método de juzgar la literatura según criterios absolutos y al margen de la historia, y aprendieron a adoptar criterios más elásticos, flexibles e históricos». Aunque no comparta este historicismo integral de Auerbach, me opongo todavía con más fuerza a la crítica normativa, aristotélica, que intenta reivindicar la mencionada escuela crítica de Chicago. A fin de cuentas, creo que la buena crítica ha de ser ante todo descriptiva, y luego, discretamente histórica. Si yo creo haber descubierto en Malherbe o Du Bellay una traducción poética del estoicismo y del platonismo, estos mismos términos son de naturaleza histórica y el crítico cometería un acto de autohumillación si los evitara únicamente para ser fiel a un fetiche de nuestra época.

Otro punto en el que tampoco estoy de acuerdo con los New Critics es su costumbre de admitir, incluso en poetas que no pertenecen a la escuela del *metaphysical wit,* sentidos múltiples, con la guía del crítico inglés Empson, quien distingue siete posibilidades de ambigüedad poética. Clasicista como soy, no puedo admitir la ductilidad semántica, gracias a la cual los distintos sentidos que posee una palabra en la lengua corriente o en el diccionario, no serían más que medios presentes en el lenguaje poético, simplemente porque en el habla de todos los días, al igual que en la poesía, la ambigüedad de *una* palabra se halla generalmente limitada, o eliminada, por las *otras* palabras del contexto: ¿cómo sería posible, si no, cualquier comunicación por medio de la lengua humana, si la frase no definiera el sentido definitivo exigido por cada una de las palabras? Efectivamente, creo que la hipótesis de la *polisemia* de las palabras en poesía es una extensión ilegítima de experiencias de nuestro tiempo realizadas con los *slogans* ambiguos de la política y del *réclame,* que se han revelado sumamente destructivos (*semantics* en América se ha convertido en un término peyorativo).

Una variante de la interpretación a través de los sentidos múltiples es la *explicación alegórica,* predilecta de los New Critics: me parece que la especial importancia que Dante ha tenido para T. S. Eliot y, por consiguiente, para los New Critics, ha alentado, hasta cierto punto, la lectura de *toda* la literatura medieval y del Renacimiento como si ésta fuera alegórica y encerrase un mensaje moral o religioso: idea que concuerda con las tendencias religiosas —unas veces titubeantes, otras decididamente manifiestas, o incluso clericales— de la América de hoy. Desde el momento en que estoy convencido de que la universidad no es la iglesia, sino que se halla a la búsqueda de la verdad y no de la fe, tiendo a aceptar el mensaje moral o religioso de una obra literaria sólo cuando se puede demostrar realmente que dicho mensaje está incluido en una determinada obra, como en el caso de *La divina*

comedia. Sin embargo, otros sostienen que la interpretación alegó-
rico-religiosa de un poema, ya se trate de una obra pía, es de
por sí mejor que una interpretación no alegórica o secular; no
obstante, creo que la verdad es muy distinta: una explicación, ya
sea alegórica o no, únicamente será correcta si tiene en cuenta el
tono general y los detalles de la poesía en estudio. Tras mi investigación acerca de *Razón de amor,* un tal Mr. Jacob publicó un
artículo en el que la muchacha que aparece cantando en el jardín
de Venus, con sombrero y guantes y un manto que deja caer inmediatamente para poder besar al poeta con un fervor que hace
perder el habla (todos los detalles vienen en el texto), es considerada una alegoría de la Virgen. Reto a quien sea a que me en-
cuentre un texto medieval en el que la Virgen aparezca retratada
con sombrero y guantes y deje caer el manto para besar con tanto
ardor que incluso hace perder el habla. Aquí se ha descuidado
totalmente la exactitud filológica y la consideración atenta tanto
de los detalles como del tono de la obra entera. Al reducirlo todo
a una simple alegoría se despoja al poema de su encanto individual
para sustituirlo por una simplificación moralizante. Las obras más
pintorescas y literarias, si se reducen a simples alegorías, asumen
una pátina de oscuro aburrimiento: parece que la *Odisea* de Homero en una alegoría de Chapman, totalmente aceptada por un crítico moderno, se convierta en el peregrinaje espiritual de un hombre, Ulises, hacia Itaca, siendo el cielo la meta final de dicho
peregrinaje; con un análisis semejante se evaporan todos los elementos específicos de la *Odisea* y queda tan sólo un insulso y
anacrónico *topos.* Creo que la hiperalegoría moralizante de la crítica anglosajona moderna corresponde a una tendencia a introducir
elementos voluntarios en la lectura poética y después deducir de
ellos normas para la vida activa, en vez de contemplar la poesía
de modo desinteresado, como nos enseñó el viejo Kant.

Después de haber definido mi actitud respecto al psicoanálisis, al examen de las fuentes y a la alegoría, espero poder expresar ahora mi opinión acerca de los críticos existenciales recientes
como Béguin, Bachelard y Poulet, que, según parece, nos llevan de
la obra de arte a la *Erlebnis* del artista: *Erlebnis* que consiste en
experiencias de datos existenciales de la vida humana: espacio,

tiempo, sueños y elementos físicos (tierra, agua, fuego y aire). Mi propio amigo George Poulet me confesó que su método no sólo no puede aplicarse a poetas como Molière y Rabelais (como si estos grandes cómicos estuvieran exentos del *temps humain*), sino que, además, tiende a destruir la obra de arte.

El crítico existencialista no se detiene a considerar aquello que hace que una obra de arte sea tal, es decir, su forma que se acopla al contenido: se ve forzado a destruir la obra de arte y a disolverla en textos que atestigüen una actitud psicológica del autor, que puedan utilizarse como instrumentos al mismo nivel de las letras, conversaciones, diarios, es decir, materias primas no sublimadas por el arte. Su escritor ideal es Amiel, que da rienda suelta a sus confesiones sin la forma artística que encontramos en Rousseau. Poulet está ahora trabajando en Amiel. Puede también ocurrir que el crítico interprete erróneamente elementos artísticos de un texto poético cuando está totalmente decidido a encontrar *nuevos* datos psicológicos acerca de su héroe. En cuanto a los estudios de Poulet respecto a Marivaux, afirmó que *La vie de Marianne* está hecha de momentos aislados, sin nexo, en los que la protagonista se pregunta: «Où en suis-je?» y ésta sería la actitud del propio autor; sin embargo, yo conseguí demostrar que aquellos momentos separados se comunican por medio de una línea de constancia y fuerza de ánimo que conforman el carácter de Marianne; el frecuente empleo, en la novela, de *cœur* o *courage* en el sentido de 'fuerza de ánimo' revelan una intrepidez fundamental en Marianne, que logra superar sus momentos de vacilación. A partir de este caso de interpretación equivocada, deduje que el crítico que desee establecer elementos constantes en la psique de su autor, debe, ante todo, establecer firmemente el *significado* de cada una de las obras del citado autor, *sólo entonces* podrá proceder a la explicación de los elementos constantes en su psique.

El peligro de que un crítico existencialista llegue a falsas interpretaciones aumenta en el caso de las obras del pasado, aisladas en su tiempo, y de cuyo autor no sabemos casi nada. La famosa tragicomedia española *Celestina,* a ojos de los críticos filólogos de la vieja generación, de Bataillon por ejemplo, apareció como de naturaleza didáctica, como una advertencia contra la imprudencia y la pasión de amantes sensuales que puede convertirlos en esclavos de alcahuetas como Celestina y de siervos cínicos. Sin embargo, para un joven literato de Harvard, Stephen Gilman, la *Celestina* es un drama existencial que revela al hombre su posición cósmica de suspensión en el elemento extremo, el espacio (efectivamente, el joven e imprudente protagonista Calisto cae de una escalera de mano a la que se había encaramado para reunirse con Melibea; así pues, esa caída es sin duda una caída en un espacio sin simpatía por el hombre que se precipita en él).

Quizá me he extendido demasiado al hablar de mi oposición a la actual tendencia americana, no tan interesante para vosotros; por ello, me apresuro a terminar con la definición de mi actitud frente a la crítica italiana del período postcrociano. Como ya habréis podido notar por mis anteriores observaciones, para mí, como crítico, la cuestión principal ya no es la propuesta por Croce: «¿es este poema poesía o no poesía?» —pregunta que el crítico debe haber decidido por sí solo cuando inicia un trabajo crítico— sino la estructuralista: «¿forma parte del todo este determinado fragmento del poema o no?».

Hay casos en que la pregunta crociana y la «mía» entran en conflicto: en un *Festschrift* para Helmuth Hatzfeld publicaré un estudio sobre la *Aspasia* de Leopardi, afín en cuanto al método a un estudio magistral de Monteverdi sobre *Passero solitario*; os demostraré cómo algunos críticos italianos seguidores de Croce (no el maestro que escribió una maravillosa y decisiva frase acerca de ese poema «dramático»), al no tener en cuenta la «estructura», han condenado párrafos de aquel incomparable poema, párrafos justificados no por la sensualidad, ni por el resentimiento, ni por el indómito espíritu polémico, etc. (sentimientos por los que aquellos desdeñosos críticos muestran muy poca simpatía), sino por consideraciones estructurales, correspondencia y paralelos entre los distintos «romances». La *vision superba* inicial de la divinamente bella cortesana o duplicidad en el carácter de *Aspasia*; este elemento 2 es el que conforma los 4 (2 × 2) «romances» o unidades estructurales del poema que describe los *dos* años durante los cuales el poeta fue incapaz de distinguir las *dos* naturalezas de Aspasia, la *amorosa idea* de la mujer ideal y su sórdido ser empírico.

Quisiera también expresar una cierta reserva a la expresión «crítica estilística» con la que se define, en el título del volumen laterziano, mi tipo de crítica; es cierto que a menudo analizo los medios estilísticos, pero no creo que la crítica estética pueda agotarse con la consideración del estilo; también hay estética en la trama, en la fabulación de una obra poética. Por lo tanto, siempre he evitado, y más con el transcurrir del tiempo, el llamar a mis estudios *Stilstudien* (título del primer volumen, hace treinta años): más tarde otro trabajo mío se llamó *Romanische Stil- und Literaturstudien,* y el último, del año pasado, lleva por título *Romanische Literaturstudien.* Como habéis visto, el elemento estructural, la arquitectura del pensamiento reflejado en los poemas, han ido absorbiendo cada vez más mi atención. Si es un buen ejercicio para la lectura estética, la estilística puede ser únicamente una de las doncellas de la percepción artística. Lo que sí creo poder recomendar con plena convicción —y estoy convencido de haberlo practicado siempre— es la observación directa de una obra literaria concreta, observación directa que hace referencia a la unidad del poema y no excluye los detalles del contexto. He tenido ocasión de comprobar que la observación directa de obras concretas ayuda a descubrir características de un poeta que permanecen invariablemente ignoradas cuando se estudian las obras de modo general y sumario. Sea cual fuere el camino por el que uno se acerca a una obra, ya sea el de la historia de las ideas, el de la estilística, de la estructura métrica, psicología, sociología (esta última ejemplificada en la *Mimesis* de Auerbach que, evidentemente, no es —como ha visto a la perfección Roncaglia— una «crítica estilística»), se llega siempre a nuevos resultados a condición de que el crítico no se aleje demasiado del texto y lea, tal como deberían hacer *todos* los lectores, dicho texto *con suma atención.* Mis estudios sobre Marivaux o sobre las *Lettres portugaises* no tienen nada que ver con el estilo, a menos que se quiera denominar «estilística» a la atención concedida a la repetición de motivos en la trama, lo que los formalistas califican de «tautología arquitectónica», distinguiéndola de la «tautología verbal» (repetición de palabras o sonidos), que es al mismo tiempo estilística y lingüística: la primera podría filmarse en una película muda, la segunda no.

En un artículo que no tardará en aparecer, trataré de demostrar que los dos protagonistas de *El príncipe constante* de Calderón, Don Fernando, el héroe cristiano, y Fénix, la hija melancólica del rey moro, no son, como se ha insinuado a menudo, personajes sin nexo que encarnan respectivamente la «constancia» y la «belleza», sino que se aman el uno a la otra y, en el momento en que son conscientes de ello, se ven arrastrados en direcciones distintas (el uno hacia la muerte, la otra hacia un matrimonio banal) por el espíritu de sacrificio de Don Fernando y por la naturaleza egoísta de Fénix. Lo que permite al crítico llevar a cabo semejante declaración no es precisamente la *crítica estilística* (aunque Calderón utilice distintos e interesantes medios estilísticos): el autor confiaba en que el público reconocería lo que es importante y que constituye simplemente el tono y el comportamiento psicológico de ambos protagonistas, la construcción de las diferentes escenas que unas veces tienden a acercarlos y otras a alejarlos el uno de la otra, y la arquitectura de la trama. Estos resultados, aunque acertados, no me parece que representen ningún método en particular, sino más bien una simple lectura basada en el buen sentido que debería estar presente en todo lector. De este modo llego a la conclusión de que no existe ningún método específicamente spitzeriano. El buen sentido es la única guía válida del crítico. El buen sentido es el que indica al crítico el método de lectura que la obra misma sugiere y a cuyo dictado debe obedecer sin imponer al texto categorías externas al mismo: es inútil buscar similitudes interesantes en las *Lettres portugaises* donde no las hay, o, si hallamos similitudes grandiosas en *El príncipe constante,* no es lícito descuidar su valor funcional en el conjunto de la tragedia. Este empirismo, por el cual todo texto poético es considerado como una experiencia única e irrepetible, podría excusar quizá la ausencia en mi obra, manifestada por muchos críticos, de una filosofía estética capaz de sistematizar mis distintas experiencias. Al igual que un rey extremadamente cínico dijo que para conquistar un país extranjero primero hay que enviar a los generales con sus tropas —sus filósofos e historiadores se encargarán más tarde de justificar la expedición—, pienso que también los críticos, para conquistar las numerosas e incógnitas tierras de la poesía, hemos de movilizar nuestras fuerzas perceptivas (los soldados de nuestras expediciones) y dejar a los filósofos la tarea de justificar, o tal vez desaprobar, *post factum,* desde su punto de vista universal, los movimientos prácticos de los críticos.

Concluiré diciendo a mi público italiano aquí presente que, en el trancurso de los años, se ha producido una evolución en el contenido de mis estudios: inicié mi *explication de texte* con autores franceses, convencido de poder observar en ellos, mejor que en otros, desviaciones estilísticas (conocía la lengua francesa desde mi infancia austríaca); más tarde, especialmente en América, me enfrasqué en textos españoles principalmente por razones que podríamos calificar «de contenido»; su contenido religioso, durante un cierto tiempo, fascinó a una mente no indiferente a los valores religiosos, hasta el punto de hacerle confundir la sensibilidad religiosa con la verdadera religión. Después de descubrir esta confusión, me entregué a la poesía italiana, o mejor dicho, volví a ella, ya que en mi juventud había tratado ya la poesía tan evidente en las cartas de los prisioneros de guerra italianos durante la primera guerra mundial; aquello que más aprecio, especialmente en la poesía italiana de la Edad Media, así como en las humildes cartas de los prisioneros italianos, es lo que en alemán llamaría *offenen Weltsinn,* la disposición al amor por la vida, el carácter bondadoso que la gobierna, el prudente evitar los extremos ya sea en el egoísmo o en el altruismo, la espiritualidad moderada por un sentido de realidad, todas ellas cosas que resultan atractivas a mi edad. Este cambio personal de intereses, tan distinto al de Vossler, que empezó con la poesía italiana, pasó a la francesa y terminó con la española; o al de Curtius, que comenzó con la poesía francesa, para volcarse más tarde a la española, sin llegar nunca a apreciar verdaderamente la poesía italiana (a excepción de Dante al que transformó en un Stefan George); o al de Auerbach que pasó de la italiana a la francesa, sin tratar nunca la poesía española, a excepción de un capítulo ocasional acerca del *Quijote,* pero ¿qué tiene que ver este cambio con los métodos de crítica literaria, único objeto de esta conferencia? Nada: sirve tan sólo para recordarnos que ningún método puede sustituir la simpatía elemental que siente el crítico por el campo de sus estudios; la filología es el *amor* a obras escritas en una *lengua* particular. Y si bien los métodos de un crítico deben ser aplicables a obras escritas en todas las lenguas, es preciso, para que la crítica resulte persuasiva, que, por lo menos *en el momento* en que está comentando un poema, ame *aquella* lengua y *aquel* poema más que cualquier cosa del mundo. A fin de cuentas, el crítico, bajo su frío raciocinio de profesional, no es un autómata o un *robot,* sino un ser sensible, con sus contradicciones y sus impulsos momentáneos.

2. SOBRE EL CARÁCTER HISTÓRICO DEL «CANTAR DE MIO CID» *

No parece que haya en la antigua epopeya española ninguna obra de la universalidad de la *Chanson de Roland,* que, en sus 4.000 versos, nos muestra toda la cristiandad unida bajo el cetro de Carlomagno, rey-sacerdote y perpetuo cruzado, y protegida por Dios y sus ángeles en su lucha contra el enemigo de la verdadera fe. En cambio, el *Cantar de Mio Cid* (también de 4.000 versos) trata de un héroe nacional español, sin pretensiones de representar todo el mundo cristiano. Pero lo que el *Poema de Mio Cid* pierde en latitud legendaria lo gana en sabor de terruño español. El Cid es un héroe histórico real, que recibe el homenaje poético de nuestro *Cantar* cuarenta años después de su muerte (1099), mientras que Carlomagno y Roldán vivieron trescientos años antes que Turoldo los inmortalizara en su *Chanson.* Esta historicidad del héroe poético castellano es lo que ha seducido al gran historiador don Ramón Menéndez Pidal, quien cree poder reconocer en el poema una intimísima compenetración de historia y epopeya, y así es como en su *España del Cid* unas veces el poema aclara a la historia, y otras la historia aclara al poema. He aquí la tesis fundamental de ese libro: «Siempre vemos comprobado que la épica española vivía mucho de la actualidad, mientras que la de otros

* Artículo publicado en *NRFH,* II (1948), pp. 105-117; reimpreso (con adiciones) en *Romanische Literaturstudien, 1936-1956,* Max Niemeyer Verlag, Tubinga, 1959, pp. 647-663, y en *Sobre antigua poesía española,* Instituto de Literatura Española (Monografías y Estudios, I), Buenos Aires, 1962, pp. 7-25 (donde no se incluyen las adiciones).

países ya no vivía sino de recuerdos». El Cid es para don Ramón «el último héroe ... que se aureola con destellos de una gran poesía nacional. En el siglo XI, ningún país hermano conservaba una poesía épica que buscase sus héroes en la vida de entonces, mientras España vivía en retraso la última edad heroica del mundo occidental, y por eso en época de mayor madurez pudo producirse la gesta cidiana ... con un valor histórico a la vez que poético enteramente de excepción».

Ahora bien, la historicidad del *Mio Cid,* tan grata a Menéndez Pidal, reside en que el poema concuerda en ciertos hechos fundamentales con la historia del Cid establecida por el propio don Ramón en sus dos ediciones del *Cantar*: [1] «la enemistad del Cid con el conde Ordóñez, el destierro del Cid, la prisión del conde de Barcelona, las campañas en tierras de Zaragoza ... y en las playas de Valencia, la conquista de esta ciudad y el ataque rechazado de Yúsuf de Marruecos; el episcopado de don Jerónimo en Valencia; el casamiento de una de las hijas del Cid con un infante de Navarra» (bien es verdad que las doncellas no se llamaban Elvira y Sol, sino Cristina y María, y que nunca fueron reinas de Navarra y Aragón). Hasta en menudos pormenores puede Menéndez Pidal documentar la historicidad del poema. El Cid histórico consultaba los agüeros ni más ni menos que el Cid del poema. No sólo el héroe, sino muchos otros personajes nombrados en el *Cantar* son históricos: tanto Álvar Fáñez y Pero Bermúdez, partidarios suyos, como sus enemigos los infantes de Carrión, que, llamados también Veni-Gómez en el *Cantar,* aparecen en diplomas de la corte castellana, y a quienes los historiadores árabes llaman en efecto Beni-Gómez. Aunque no se sepa nada de un primer matrimonio de las hijas del Cid con estos condes, y aunque en documentos posteriores a la muerte del Cid ambos hermanos aparezcan en la corte del rey, Menéndez Pidal cree posible un núcleo de verdad histórica en el episodio de la afrenta de Corpes: un trato matrimonial ruidosamente fracasado.

La geografía del poema tiene, según Menéndez Pidal, exactitud aún mayor; he aquí un descubrimiento suyo imperecedero: aun-

---

1. Utilizo aquí su prólogo a la edición de «Clásicos Castellanos».

que el poeta mencione ciudades e itinerarios que abarcan toda la
Península, sólo da pormenores reiterados para el camino, muy de
segundo orden, que une a Valencia con Burgos, y en este camino, varias veces recorrido por los héroes del poema, los únicos
detalles topográficos, de esos que revelan un conocimiento especial del terreno, corresponden a la zona que va de Medinaceli a
Luzón, así como a la región del robledo de Corpes y a Calatayud.
También la acción del poema converge en torno a Medinaceli,
situada en la frontera de Castilla: así el poeta dedica cuatrocientos cincuenta versos a referirnos la toma y abandono de dos luga-
rejos fronterizos próximos a Medinaceli, no mencionados en la
historia auténtica, mientras el largo asedio de Valencia, hecho
histórico, se despacha en ciento treinta versos. El episodio del
moro Abengalvón, desconocido de los historiadores, se sitúa en
Molina, ciudad musulmana frontera con Castilla. La afrenta de
Corpes, que la historia tampoco registra, pertenece a la tradición
local de San Esteban, pueblo cercano a Medinaceli; el poeta alaba
a los habitantes de San Esteban: «siempre mesurados son»; hasta
Diego Téllez, que recibe a las doncellas afrentadas, es personaje
cuyo nombre consta en diplomas. Medinaceli fue reconquistada
definitivamente hacia 1120, y el juglar, que escribió el poema sólo
una veintena de años después, quizá lo destinara a recitarse en la
plaza de Medinaceli. Como elementos ficticios Menéndez Pidal reconoce muy pocos episodios: el de los judíos y el del león, y también la oración de Jimena, que imita pasajes semejantes de las
chansons de geste.

Hasta aquí no he hecho más que recordar los deslumbrantes
hallazgos de Menéndez Pidal. Pero ya es tiempo de manifestar, en
un punto capital, mi profundo desacuerdo con el ilustre historiador. Mi opinión puede enunciarse muy sencillamente: para mí,
el poema de *Mio Cid* es obra más bien de arte y de ficción que de
autenticidad histórica. En el presente trabajo trataré de señalar el
verdadero puesto que a esta obra de arte corresponde entre las
epopeyas medievales europeas.

Ya Ernst Robert Curtius observaba [2] que la afrenta de Corpes,

2. «Zur Literarästhetik des Mittelalters», *ZRPh*, LVIII (1938), páginas 1-50, 129-232, 433-479.

sin duda la parte más dramática y más poética, la culminación del
Cantar, no es histórica. El razonamiento de Menéndez Pidal («dada
la historicidad general del poema, es muy arriesgado el declarar
totalmente fabulosa la acción central del mismo») no resiste a la
crítica, que diría con más razón: «dado el carácter fabuloso de la
acción central del poema, es muy arriesgado declarar totalmente
histórico el poema en su conjunto». Y si Menéndez Pidal, en su
respuesta a Curtius,[3] insiste en el carácter histórico de un personaje tan insignificante como Diego Téllez, el historiador se enreda
en la cuestión del marco de geografía fantástica que impone el
juglar al asunto histórico. Esa actitud del juglar obedece a un
impulso de *fictionalization,* de anovelamiento, en este caso de
entrelazamiento de lo épico con intereses regionales: a Diego Téllez, el «Juan Pérez» de San Esteban en esa época, debía llenarle
de regocijo el oír, en la plaza de Medinaceli, su humilde nombre
ligado a la noble tradición cidiana.

Nos encontramos aquí con uno de los *proton pseudos* del positivismo de cuyas tramas no ha logrado zafarse por completo el
gran maestro Menéndez Pidal: datos históricos y datos geográficos
exactos le parecen igualmente positivos, comprobadores de una
realidad extraartística reflejada en la obra de arte, sin ver que la
minuciosa geografía provinciana del poema es antihistórica, pseu-
dohistórica, y, si algo prueba, es sólo el carácter ficticio del poema.
Ahora bien, si la afrenta de Corpes es ficción, hay que pensar, de
parte del poeta, en motivos únicamente poéticos para introducir
ese episodio. Uno de ellos sería la necesidad artística de oponer
el Cid, dechado de nobleza caballeresca, en el apogeo de su gloria,
a adversarios infames, negación viviente de toda caballería: cobardes, afeminados, codiciosos, celosos, orgullosos, intrigantes, de-
rrochadores, fanfarrones, crueles, que por satisfacer su odio mezquino le desgarrarán al héroe las telas del corazón y le herirán en
la honra. El Cid no tiene enemigos nobles y heroicos como Aquiles, Sigfrido o Roldán. Menéndez Pidal parece censurar al poeta
en ese punto. Pero nótese que el Cid, a diferencia de otros héroes

3.   «La épica española y la "Literarästhetik des Mittelalters"», *ZRPh,*
LIX (1939), pp. 1-9.

épicos, es un héroe-modelo, comparable con Carlomagno más bien que con Roldán, y el modelo no puede tener otro adversario que el no-modelo, el antimodelo, lo innoble. El Cid de nuestro poema es ejemplar en todas las virtudes del hombre maduro; no es el Rodrigo joven, enamorado y arrogante de las *Mocedades,* un Roldán español, que había de sobrevivir en el teatro de Guillén de Castro y de Corneille. Como ha visto bien el mismo Menéndez Pidal, el Cid del *Cantar* representa una síntesis del rebelde, a la manera de Fernán González o Girart de Roussillon, y el vasallo leal al servicio del monarca, a la manera de Roldán o Guillermo de Orange: el Cid es el rebelde leal, el rebelde que no se rebela, buen vasallo aunque no tenga buen señor. Su adversario no es tanto el rey cuanto la fatalidad, que emplea como instrumentos ya al monarca desconocedor de la justicia, ya a los infantes, intrigantes palaciegos. En nuestro *Cantar,* como en el de los *Infantes de Lara,* habrá odios y luchas dentro de una familia, pero el Cid, ejemplar, se distinguirá de esos héroes bárbaros por acudir a la justicia real en vez de acariciar en su pecho, años y años, la sed de venganza, hasta lograrla en la sangre del enemigo. Es una invención poética la que opone las intrigas de los mezquinos a la magnanimidad del héroe ideal, como es una invención poética la traición del mezquino Ganelón contra el magnánimo Emperador en la *Chanson de Roland.* Rasgo genial de nuestro poeta fue precipitar al Cid —devuelto al amor del rey, conquistador de Valencia, riquísimo, honrado por todos, padre feliz de hijas bien casadas, a lo que parece— en el más hondo abismo del sufrimiento, desgarrarle las telas del corazón (lo que el destierro no pudo lograr), para hacerle subir, al final del poema, al más alto estado: ¡qué ejemplo de lo inestable de los bienes terrestres, pero también de un orden providencial que acaba por recompensar al virtuoso! Los caminos de la Providencia son inescrutables: la afrenta de Corpes es, al fin y al cabo, consecuencia de la fidelidad del vasallo Rodrigo Díaz de Vivar. No es él quien ha querido el matrimonio de sus hijas con los de Carrión; el casamentero ha sido el rey. Y es el caso que el rey, después de haberse reconciliado con su irreprochable vasallo, toma una decisión otra vez dañosa para el Cid y su familia. El rey está llamado, sin darse cuenta de lo que hace, a ayudar a las fuerzas del mal contra las del bien; hace mal al Cid tanto con su amor como con su odio. Pero, a pesar de esa persecución por el destino, el Cid consigue librarse de ella; su virtud y fama obran la salvación de sus hijas. Es la fidelidad de Félez Muñoz, producto de la magnanimidad del Cid, lo que salva a las hijas; es la fama del Cid lo que mueve a los reyes de Navarra y Aragón a pedir la mano de sus hijas agraviadas. El poema, optimista, proclama la victoria final de las fuerzas del bien: «Aun todos los duelos en gozo se tornarán». Se ve cómo el poeta, ahora, al final, se empeña en colmar al Cid de felicidad, en igual medida que antes lo colmó de desgracias: los mensajeros de Navarra y Aragón llegan a las mismas cortes que dan satisfacción jurídica al agraviado. Es verdad que «esa corte nunca se celebró» en la realidad histórica, como confiesa Menéndez Pidal, pero tenía que celebrarse en la realidad poética. Y si el matrimonio ultrajado y roto de las hijas del Cid con los infantes es ficción, ficticio será el episodio del león —reconocido como ficticio por Menéndez Pidal— que motiva el odio de los infantes. La fiera sale de su jaula para asustar y exponer a la risa a los dos cobardes, y suscitar en ellos ese odio vital de los mezquinos que no se detienen ante la crueldad; y, de otra parte, para mostrar la fuerza mágica, casi sobrehumana, que naturalmente reside en el Campeador, especie de santo laico que puede obrar milagros sin martirio y sin lucha. El león es el agente catalítico que separa las fuerzas del bien y del mal.

Si el cenit de la acción es el momento en que el Cid llega a ser padre de reinas, el nadir es sin duda la escena de los judíos, muy ricamente desarrollada, y ficticia también según Menéndez Pidal. Menéndez Pidal se esfuerza en negar toda huella de antisemitismo medieval en su héroe y subraya el hecho de que, en contra de las bulas papales que declaraban nulas las deudas contraídas con judíos, el poeta «anuncia que el Cid pagará largamente el engaño. Después de este anuncio, poco importa que el poeta no se acuerde más de decirnos cómo el Cid recompensa a los judíos. Una de tantas omisiones del autor ...». Pero la verdad es que, cuando la «casa comercial judía Don Raquel y Vidas» reclama su préstamo a Álvar Fáñez en su parada en Burgos, él contesta: «Yo lo veré con el Cid, si Dios me lleva allá», lo que no es precisamente una promesa de pago; y así lo entienden los negociantes, quienes anuncian en tono de desafío que, si no se les paga, «dexaremos Burgos, ir lo hemos buscar». El Cid, tan generoso con todos los que le ayudan, ya no piensa más en los judíos engañados.[4] No, el poeta quiere con ese engaño patente —del cual se da cuenta exacta el Cid: «yo más non puedo e amidos lo fago»— señalar el punto más bajo de la trayectoria, que irá subiendo gradualmente en el poema hasta el punto en que el Cid sea padre de reinas; es como si nos dijera: 'he aquí a qué nivel se encontró una vez, sin culpa suya, el Campeador'. No hagamos confusiones: la moralidad me-

---

4. Creo que, entre los críticos españoles modernos del poema, Dámaso Alonso es el único que parece considerar el episodio de los judíos en términos de «estafa». En un fino estudio psicológico (*Ensayos sobre poesía española*, Madrid, 1944, p. 107) subraya la desfachatez del caballero-pícaro Martín Antolínez, que en nombre del Cid gestiona el asunto con los judíos, y muy atinadamente compara las idas y venidas de los personajes de este episodio con un *ballet* (p. 98). Es decir, que los judíos son cómicos de por sí, y se les ve con ojos de caballeros: «ganan el pan», no peleando, sino contando su dinero, «prendiendo y dando». Léanse las instructivas páginas de Marguerit Zweifel, *Longobardus-Lombardus* (Zurich, 1921, pp. 88 ss.) sobre el menosprecio de que fueron víctimas por igual los *lombards, cahorsins* y judíos de parte de una sociedad que estimaba como virtudes sumas las caballerescas. Textos como los alegados para los *lombards* (en una crónica francesa de las cruzadas se dice de ellos: «cils [los franceses], si sont chevaliers, tienen ceauz [los *lombards*] a despit»; Bertrán de Born dice de un caballero endeble y digno de desprecio: «viu a guisa de lombart») hubieran podido aplicarse a los negociantes judíos. La fuerza cómica —no tan ingrávida como la describe Dámaso Alonso— de la escena del poema reside en que los judíos no son caracteres, sino fantoches caricaturescos que bailan mecánicamente el *ballet* dirigido por don Dinero. La caricatura verbal es muy fuerte: los nombres (*Raquel*, que aunque nombre de mujer basta para evocar la lengua hebraica, *Vidas*, traducción del *plurale tantum* hebreo *Jáyim*, reunidos en uno solo, *Don Raquel y Vidas*, como si se tratara de una casa comercial); «primero prendiendo, después dando», lo que sugiere modismos semíticos: cf. hebr. *masá-u-mathán*, literalmente "hacer y dar" > "negocio". Por lo demás, yo diría que la misma técnica cómica de esta escena, llena de idas y venidas, de personajes, de apartes, con ritmo y gracia de *ballet* (y, claro está, sin el colorido local hebraico), prevalece también en las escenas que versan sobre los «ifantes de Carrión»: hay en éstas la misma repetición del hemistiquio con los nombres agrupados *Raquel y Vidas — ifantes de Carrión*; los infantes son siempre vistos «amos», es decir juntos, como un grupo que hace movimientos mecánicos y secretos; también ellos viven sólo para la «ganancia». Los de Carrión son los judíos entre los caballeros...

dieval no es la nuestra. Para un aristócrata del siglo XI contaba la obligación moral de pagar 1.000 misas prometidas al abad de San Pedro; no tanto la de pagar 600 marcos a judíos. Un engaño perpetrado contra judíos, gentes sin tierra, era pecado venial, perdonable en vista de la necesidad de «ganarse el pan», tantas veces subrayada en nuestro poema. Las correrías continuas del Cid por tierras tanto moras como cristianas, por fuerza de la misma necesidad, tampoco son de la más alta moral, pero pasan por perdonables en la situación desesperada del desterrado. «Ganarse el pan» no implica para la sociedad medieval, como para un americano de hoy, la posibilidad de cambiar de estado social, y la «democracia» del *Poema del Cid* debe entenderse *cum grano salis*: es democracia dentro de una aristocracia. Un caballero medieval debe, ante todo, seguir siendo caballero, y qué se le va a hacer si se vuelve caballero-bandido y, para no sufrir hambre, hace sufrir a otros (recuérdense las palabras del juglar, tan llenas de compasión por las víctimas de tales correrías: «mala cueta es, señores, aver mingua de pan, / fijos e mugieres verlos murir de fambre»). La trayectoria del Cid lo lleva de caballero-bandido a reconquistador de Valencia, donde no sólo triunfa la «limpia cristiandad»:[5] la «rica ganancia» es la manifestación exterior de esa honra que le va creciendo al Cid a lo largo del poema. No olvidemos que riqueza y honor no son para la Edad Media bienes inconmensurables: no hay honor sólo como consecuencia de la virtud: «alia vero quae sunt infra virtutem honorantur ... sicut nobilitas, potentia et divitiae», dirá Santo Tomás. El Cid, claro está, es desde los comienzos un ejemplar de virtud interior inalterable según los cánones medievales, pero su *devenir,* en el poema, consiste en la adquisición de los bienes exteriores, que recompensan su virtud: honor, posición social, riqueza. No se desarrolla el carácter del héroe, sino las condiciones exteriores favorables a ese carácter. Lo problemático en el poema no es la vida interior del protagonista, siempre mesurado y ejemplar; lo problemático es la´vida

5. «Verán por los ojos —dice el Cid de su mujer e hijas, antes de la toma de la ciudad— cómo se gana el pan; / riqueza es que nos acrece maravillosa e grand.»

exterior arbitrariamente injusta que tiene que vivir. No es el Cid
quien debe mostrarse digno de la vida; es la vida la que debe justi-
ficarse ante un ser ejemplar como él. «Dios, qué buen vasallo, si
oviese buen señor»: ese verso nos revela la óptica del *Cantar*.
El vasallo es bueno, el rey es bueno (siempre lo llama así el poeta);
lo que falta es la adecuada relación de buen vasallo a buen señor,
por imperfección de la vida humana, que no es precisamente vida
paradisíaca. El poeta establece al fin la situación ideal. El carácter
del Cid —nada dramático, en el sentido moderno de que no hay
en su alma conflictos— [6] es el de un santo laico, que por su sola
existencia, por la irradiación milagrosa de su personalidad, logra
cambiar la vida exterior alrededor de sí, gracias a una Providencia
cuyas intervenciones, si no frecuentes, son decisivas en el poema.
En contraste con la *Chanson de Roland,* donde parece haber entre
el cielo y la casa de Carlomagno un tren directo en que viajan
regularmente los ángeles como correos diplomáticos de Dios, hay
sólo una intervención sobrenatural en nuestro poema: la aparición de Gabriel en el sueño del héroe; sabemos así desde el comienzo que el Cid está bien protegido por la Providencia, pero es
él quien mediante sus esfuerzos personales se labrará la rehabilitación. Y en ese marco hay que poner otro elemento ficticio reconocido por Menéndez Pidal: la larga oración de Jimena, que no creo,
con Menéndez Pidal, sea imitación de oraciones semejantes de las
chansons de geste, sino una derivación paralela de viejas oraciones
mágicas cristianas que subsisten en la *Commendatio animae* de la
Misa de Réquiem. Esa oración pronunciada antes del destierro es,
no sólo el grito del alma que la mujer del agraviado se arranca del
pecho, sino la voz del público que implora a la Providencia por el
bien del héroe y que recibe contestación del cielo en forma de palabras consoladoras del ángel. No habrá más oraciones explícitas en
el poema. Para los oyentes del *Cantar* basta saber, de una vez para
siempre, que el Cid está bajo la protección de Dios. En el resto

---

6. También hay armonía entre sus sentimientos y su ademán: en la
escena de la «vuelta al esposo» —comentada por Pedro Salinas, en *BSS,*
XXIV (1947)—, el Cid somete sus sentimientos a la más rigurosa etiqueta
de corte, esto es, a la «mesura».

del poema se manifestará directamente esa acción divina (o su irradiación, acción indirecta).

En suma: los elementos ficticios reconocidos por Menéndez Pidal —el episodio del león, el de las arcas, la oración de Jimena y la visión del arcángel Gabriel—, así como los no reconocidos —el primer matrimonio de las hijas, la afrenta de Corpes y el segundo matrimonio anunciado cuando fracasa el primero—, se revelan como elementos no advenedizos, sino fundamentales en la fabulación del *Cantar,* que sirven para poner de relieve la trayectoria ascendente de la vida exterior del héroe.

Al leer la *España del Cid* de Menéndez Pidal, se pensaría las más de las veces que la concepción objetiva que el historiador moderno tiene del Cid coincide con la del juglar que compuso el *Cantar.* El Cid histórico, para Menéndez Pidal, es un noble hombre de estado español, el primero que, descartando el pensamiento imperial característico de los reyes de León, hace triunfar aspiraciones castellanas más democráticamente modernas y combate por la idea nacional contra el rey leonés Alfonso y sus partidarios castellanos. «Su apartamiento de la Castilla cortesana es, pues, el hecho que da al Cid un carácter plenamente hispánico», y su conquista de Valencia era «obra de reconquista al modo de los reyes españoles». Pero ninguna de estas ideas p o l í t i c a s aparece en el texto del juglar, enteramente preocupado por la ejemplaridad m o r a l de su héroe. El buen caballero no tenía buen señor: esa misma fórmula excluye consideraciones estrictamente políticas, que son amorales por naturaleza.[7]

Además, he de confesarlo, no sé si yo, «internacionalista» convencido, no escandalizaré quizás a mis buenos amigos españoles declarando que no encuentro al Cid héroe tan español como medieval, internacional, hombre de una época que en sus más altas aspiraciones era verdaderamente internacionalista, «católica», cuya verdadera patria era el mundo de las ideas universales y cristianas.

---

7. La ejemplaridad moral también incluye, claro está, actitudes políticas, pero son actitudes políticas ideales; la clemencia del Cid para con los moros de Valencia está, como la de Augusto, tan motivada por política como por bondad del corazón.

Christenheit oder Europa, como decía Novalis. En la Edad Media cada hombre tiene dos patrias: la grande y universal, y la pequeña y particular; pero la segunda era sentida como inferior a la primera; el arte medieval se empeña en adaptar a la pequeña patria, española, francesa, alemana, etc., las ideas generales que la trascienden.[8] Cuando Jefferson habla de las dos patrias de todo ser humano, usa todavía un patrón de ideas medieval (pues la Francia del siglo XVIII, a la cual Jefferson se refería, era la patria de las ideas generales). Menéndez Pidal, que debe su formación intelectual a la generación del 98, piensa en categorías nacionales, porque la tarea encargada a su generación era la de rehabilitar a la nación española, y sin darse cuenta proyecta hacia la Edad Media su pensamiento nacional moderno. Don Ramón ha escrito su *España del Cid* como lección de energía para la España de hoy. Pero también se podría concebir una obra titulada *La Europa del Cid o El Cid europeo* que tratara la idea del héroe medieval y universal en traje español. Hay en el arte de la Edad Media rasgos nacionales, claro está, pero su sustancia es universal. Precisamente por el afán de popularizar las grandes ideas y arraigarlas en el suelo particular de la pequeña patria, es por lo que el juglar que escribió nuestro *Cantar* pudo transferir el noble asunto a su propia e inmediata vecindad y mezclar la geografía local de Medinaceli a la materia épica del héroe; de la misma manera pudo el arcipreste Juan Ruiz españolizar la fábula esópica del ratón campesino y el ratón ciudadano transportándola a lugares de provincia como Guadalajara y Monferrado, lo que sería sacrilegio para un autor moderno, pero no lo era para un medieval, en quien la relación siempre viva entre la patria grande y la patria pequeña era una realidad.

Ese carácter europeo de la poesía medieval se puede comprobar en los más mínimos pormenores artísticos del *Cantar*. Siempre

---

8. La doble patria en la Edad Media se refleja también en la doble organización del arte de la arquitectura: existían las corporaciones locales (guildas, etc.), pero, para las catedrales, las «obras de iglesia» (*Bauhütten,* etcétera) internacionales. Juan de Colonia perteneció a la última categoría, la de los arquitectos internacionales y migrantes. Cf. el interesante artículo de Alexander Rüstow en *AfPh,* II, n.° 1 (1947), p. 139.

se dice que hay en él una sola comparación, pero ésta de originalidad insuperable: el Cid se separa de su mujer «como la uña de
la carne». Ante todo, no es verdad que sea la única comparación
(el Cid dice a los infantes: «en braços tenedes mis fijas tan blancas
como el sol», las lorigas de los compañeros del Cid son «tan blancas como el sol», y en el verso «allá me levades las telas del corazón» hay también comparación o metáfora); y, además, nos consta
hoy por el sabio polaco Morawski [9] que la misma comparación
existía en antiguo francés, provenzal e italiano (también se encuentra en rumano y retorrománico moderno). No: los rasgos artísticos
en las obras medievales no son privativos de un país, de un autor o
de una obra, como puede ocurrir en tiempos modernos: son
elementos de un patrimonio común, de algo como un l a t í n
v u l g a r d e l e s p í r i t u que está en la base de todas las
manifestaciones artísticas.

Y lo mismo sucede con los ideales expresados en obras medievales: un medievalista que conozca bien la literatura medieval
alemana y que lea por primera vez el *Poema del Cid* se encontrará
maravillado de la concordancia de ideales entre los viejos poemas
alemanes y el *Cid*. He aquí lo que dice el germanista Theodor
Frings en su ensayo «Europäische Heldendichtung»: [10] el Cid está
lleno «del ideal antiguo de *prudentia, justitia, fortitudo, temperan-
tia* que cobró nueva vida con el cristianismo, de *triuwe, staete,
reht, milte, erbermede,* y ante todo de *ere* (honor) y *mâze* (mesura), como diría el habituado al estudio de la epopeya en alto-
alemán medio». Hasta hay un héroe semejante al Cid en el poema
de los *Nibelungos,* Rüdiger von Bechlaren, desterrado que vive
en la corte de Atila, valeroso, rico en éxitos, fiel vasallo y amigo,
que sacrifica su vida por hondos conflictos morales; y hay quien ve
—con el aplauso de Menéndez Pidal— en ese Rüdiger, personaje
históricamente no atestiguado, una derivación alemana del héroe español (Rodrigo > Rüdiger). Más bien prefiero ver en él una figura
paralela al Cid, igualmente debida a necesidades poéticas: el autor
del poema de los *Nibelungos* tenía que oponer a los urdidores de

9.   En una publicación escrita en polaco, *Kastor i Poluks.*
10.   *N,* XXIV (1939).

traiciones y venganzas u n s o l o personaje digno, el noble desterrado, dechado de todas las virtudes caballerescas, tipo ampliamente medieval y europeo.

Pero ¿cómo explicar que una de las más grandes ideas de su
tiempo, la de la cruzada europea, no se refleje en nuestro héroe,
cuando la conquista de Valencia llevada a cabo por el Cid histórico era una especie de anticipación de la conquista de Jerusalén?
Recuérdese que Godofredo de Bouillon fundó el reino de Jerusalén en el año de la muerte del Cid (1099). Es verdad que el reino
cristiano de Valencia no pudo ser sostenido por la viuda del Cid,
Jimena, más de tres años, y que no hubo en España movimiento
de cruzada en apoyo de la obra del Campeador. ¿Sería que el
juglar que escribió el poema cuarenta años después tomó los hechos históricos como se le presentaron entonces y no quiso glorificar al Cid por obras que probaron no ser duraderas? «Frecuentemente sucede —dice Menéndez Pidal, quizás inclinado a mirar
con más simpatía el arte de la historia que la historia del arte—
que el carácter real del Cid es de más interés poético que el de
la leyenda». Es seguro que el Cid del *Cantar* no tiene como primer
motivo el empuje del cruzado: más bien se defiende a sí mismo.
Rodrigo justifica así la toma de Valencia: «Después que nos par-
tiemos de limpia cristiandad / non fo a nuestro grado *ni non
pudiemos más*». Nuestra causa —viene a decir— ha hecho progre-
sos; ahora los moros nos asedian en Valencia. Y continúa: nosotros, para *durar,* tenemos que cambiar la guerra defensiva en
ofensiva. No es este el lenguaje de un cruzado francés que prorrumpe en gritos de «Dieu le veult!» (y «limpia cristiandad» aquí
no es más que una paráfrasis de 'Castilla').

Ahora bien, el Cid histórico, a juzgar por los documentos que
ha exhumado Menéndez Pidal, concibió su empresa en categorías
más impersonales, más consonantes con la idea de la Reconquista.
Resumiré aquí el preámbulo de la carta de donación, escrita en
un latín pomposo, por la que el Cid, un año antes de su muerte,
en 1098, dota con varias heredades la iglesia catedral de Valencia,
sede del obispo don Jerónimo: Aunque Dios —escribe el Cid—
esté potencialmente en todas partes del mundo, tiene todavía sa-
grarios favoritos: a pesar de la ruindad de los judíos y de su espí-

ritu legalista, Dios había escogido como su sede el templo de Sión; cuando, en la plenitud de los tiempos, surgió la verdadera fe, y los pueblos entraron en el tálamo del Esposo redentor, se cumplió la profecía de Malaquías: «Desde donde el sol nace hasta donde se pone, es grande mi nombre entre las gentes, y en todo lugar se ofrece a mi nombre perfume y presente limpio». La predicación apostólica llena todo el orbe, de Sión hasta España, la cual extirpó las supersticiones paganas y vivió largo tiempo en paz, en la verdadera fe. Pero cuando la prosperidad aflojó la fe y Dios fue olvidado por los españoles, la espada de los crueles hijos de Agar derribó la autoridad secular, así como la autoridad espiritual en España, y los que no habían querido servir al Señor de los Señores, fueron obligados a servir en la lucha que sostuvieron sus señores terrestres. Después de cuatrocientos años de esas luchas, por fin el Padre eterno se dignó apiadarse de su pueblo y suscitó al invictísimo príncipe Rudericus Campidoctor como vengador de su infamia y como propagador de la religión cristiana; el cual, después de muchas victorias que le fueron dadas por Dios, pudo tomar la gloriosa, rica y grande villa de Valencia, y, después de la derrota del ejército de los Moabitas [Almorávides] y de otros bárbaros, dedicó la mezquita, en la cual rogaban los Agarenos, a Dios, y dio esta iglesia catedral al venerable preste Jerónimo. En cambio, la entronización está descrita así en el *Cantar*: «A este Don Jerome ya l otorgan por obispo; / diéronle en Valencia o bien puede estar rico; / Dios, qué alegre era tod cristianismo / que en tierras de Valencia señor avie obispo». No hay nada de esa maravillosa construcción ideológica de la historia universal elaborada en la carta auténtica del Cid: los tres reinos —el del Judaísmo perverso en Palestina, el del Cristianismo primitivo, puro tanto en España como en Palestina, y el de la Cristiandad corrupta de España, castigada por la invasión árabe— y la culminación, en la plenitud de los tiempos, en el redentor terrestre enviado por Dios piadoso: el Cid que transmite a Valencia algo de la gloria de la Jerusalén eterna. La carta de 1098 es una crónica abreviada, y quien dice crónica en la Edad Media, dice crónica universal, historia universal. En el poema se alegra el juglar de la conversión de Valencia, rica ciudad mora, en obispado cristiano. Nada más. Bien se comprende que a Menéndez Pidal le parezca a veces el Cid histórico más poético que el de la epopeya, ya que él identifica *poesía* con *poesía de la historia*.[11]

Y ahora miremos la deslumbrante *chanson de geste,* la *Chanson de Roland,* que, según ha sugerido el crítico francés Pauphilet, quizá sea más bien una *Chanson de Charlemagne,* porque la traición de Ganelón no es sino un episodio, importante en verdad, pero nada concluyente, de la *Chanson*: un agravio particular que sufre la cristiandad en su encarnación, el rey-sacerdote Carlomagno, mítico y sobrehumano. También a él, como al Cid, el arcángel Gabriel le ordena: «Cabalga»; pero esa orden, dada no al principio sino al final de la obra, es una incitación a la aventura perenne, a la aventura eterna de la defensa de la fe, siempre amenazada en este mundo. Para Carlomagno no se trata de ensalzar su fama o riqueza o las de su familia (no tiene más familia, en el poema, que su sobrino Roldán); él lucha tan sólo por la causa cristiana. Los últimos versos de la *Chanson* nos muestran al guerrero, por encima de toda limitación de edad y, a pesar de su cansancio, siempre pronto a nuevos trabajos en pro de la causa mundial, pronto a prestar la ayuda reclamada por Vivien, otro adelantado del cristianismo en tierras de Oriente: «Li emperere n'i volsist aler mie. / *Deus,* dist li reis, *si penuse est ma vie.* / Pluret des oilz, sa barbe blanche tiret». Carlomagno representa aquí la *militia Christi* en que se funden los ideales guerreros del soldado romano y los de la camaradería feudal germánica. El punto culminante de la *Chanson* es sin duda la escena del duelo del Emperador de la Cristiandad con el Califa del Islam. Descritos en riguroso paralelismo, luchan a brazo partido los dos principios mismos, encarnados en sus príncipes, y la victoria se deberá a la intervención de la divinidad cristiana: «Quant Carles oït la seinte voiz de l'angle

---

11. En confesiones como esta revela don Ramón Menéndez Pidal su fundamental actitud de historiador. También Leopold Ranke, el fundador de la escuela histórica, comparando las «novelas históricas» de Walter Scott con los materiales históricos de que se valió para escribirlas, prefiere los materiales a las novelas. Pero, si se le hubiera ocurrido —como hace Menéndez Pidal en otros pasajes de la *España del Cid*— identificar la obra novelada con la historia verdadera, entonces el deber del crítico, y no sólo del crítico literario, habría sido poner sus reparos a semejante confusión.

... Fiert l'amiraill de l'espee de France»; la espada de Francia, que es la de la Europa cristiana, la de la *humana civilitas,* vence en la batalla por el reino de Dios, la *civitas Dei.* Es la *Gesta Dei per Francos,* de que habla Guibert de Nogent. Menéndez Pidal, en su ataque a lo que llama la cidofobia de ciertos sabios extranjeros, se deja arrastrar hacia una desconsideración injusta de la *Chanson de Roland:* según él, «su argumento está perfectamente agrupado, pero es seco en demasía», «todos los personajes piensan y obran sólo en cuanto guerreros preocupados únicamente de sus deberes militares», «en vez de fundarse en ... costumbres propias de una aristocracia desaparecida, el *Poema del Cid* busca base inconmovible en sentimientos de valor humano», «la guerra misma es mucho más variada e interesante en el *Cid* que en el *Roland*», «el autor del *Roland,* en medio de su rudeza arcaica, propende al efectismo ... pone en juego cifras enormes, vigor físico enorme, hombres monstruosos, milagros estupendos. El autor del *Cid* se prohíbe esos recursos exagerados ...». Detrás de esas afirmaciones se oculta el prejuicio de que el servicio a principios sobrehumanos o metafísicos es menos humano que la obra cuyo fin es el hombre mismo. Es que la *Chanson de Roland* pone en juego los eternos derechos de lo divino sobre el hombre, y sus efectos artísticos no son buscados por un poeta efectista, sino que son efectos, en el sentido literal de la palabra, del milagro.

Pero, y ahora llegamos a la conclusión que me parece más importante en este trabajo, estimo que hay que abandonar por completo la comparación del *Cantar de Mio Cid* con la *Chanson de Roland:* esta comparación sirve para menospreciar el *Cantar* o la *Chanson,* pero es equivocada por compararse dos fenómenos inconmensurables. Ni el *Cantar* es una *Chanson de Roland* número dos, ni mucho menos la *Chanson* es inferior al *Cantar,* sino que el *Cantar* es el más ilustre representante de un subgénero épico distinto del de la *Chanson,* de un género que también existe en otras partes, aunque ahora no se haya reparado en ello: el género de la biografía novelada o, por decirlo así, *epopeyizada.* La *Chanson de Roland* canta en 1100 a un Carlomagno y sus paladines, que son héroes míticos de tres siglos atrás; el Cid del *Cantar* es héroe histórico, muerto recientemente. En vez de oponer el genio realista de la epopeya española al genio mítico de Francia, como hace Menéndez Pidal, yo opondría la epopeya mítica medieval a la biografía *epopeyizada* medieval. Hay oposición de géneros existentes en literaturas medievales, no oposición entre una literatura y otra. La epopeya mítica, de inspiración cristiana o pagana, encuentra sus asuntos en el pasado legendario y realiza ideas que trascienden la persona humana: o la idea germánica de la *Blutrache,* de la venganza por odios de familia (como en los *Infantes de Lara,* en los *Nibelungos* o en el *Garin de Loherain*), o la idea cristiana de la cruzada y del imperio cristiano (como en las *Chansons* de Roland, Guillaume y Vivien). Por el contrario, el *Cantar de Mio Cid,* biografía novelada, glorifica, no ideas impersonales, sino una personalidad real, la idea ideal de esa personalidad. De ahí la variedad de tonos humanos que el *Cantar* expone en todos los aspectos, trágicos y cómicos, de la vida de un gran personaje, en contraste con la unilateralidad de los servidores de la idea de cruzada en el *Roland,* o de los servidores de la venganza en los *Infantes de Lara.* El *Cid* realiza únicamente su propio ser, las ideas de su época se presentan simplemente como tributarias de su personalidad. El Campeador (campidoctor) no es un cruzado, sino un «catedrático de valentía», como dice Menéndez Pidal modificando la frase referida a Napoleón: *professeur d'énergie.* Y el juglar que compuso el *Cantar de Mio Cid,* el primer cidófilo, se atreve a transformar en tipo ideal, anovelándola, la persona histórica, porque buscaba en la historia una enseñanza moral, y debía transformar aquélla cuando no cuadraba con ésta. Como decía Schiller, la poesía puede ser más verdadera que la historia. Con el juglar, el arte enseña la verdad a la historia; con Menéndez Pidal, la historia tendría que enseñar la verdad a la poesía.

Ahora bien, ¿es cierto que existe en otras literaturas medievales el género de la biografía *epopeyizada?* Desde luego, no podré citar obras tan acabadas ni tan famosas como el *Poema del Cid,* ni podré citar tampoco obras españolas semejantes; pero hay en francés, por ejemplo, una graciosísima biografía épica, la *Histoire de Gilles de Chin,*[12] poema de 5.500 octosílabos escrito

12. Editada por E. Place.

entre 1230 y 1240, que trata de un héroe valón que murió en 1137 y que se basa en relatos anteriores. Gilles de Chin ama a una condesa con un amor cortés que recuerda el *Roman d'Eneas*. Va de cruzada porque Cristo se le aparece en sueños y deja una carta suya en su lecho; lo acompaña un león como a *Ivein,* rechaza el amor de una reina lasciva como *Lanval,* defiende en duelo a una noble doncella como *Lohengrin,* pasa su vida en torneos y en uno de ellos muere; todos pormenores ficticios, heroicos o cómicos, *topoi* medievales y recuerdos librescos, pero consta la historicidad de la mayor parte de los protagonistas. El mismo hibridismo de historia y epopeya se encuentra en vidas *epopeyizadas* de santos, como la de Tomás de Becket, arzobispo de Canterbury, asesinado en su catedral en 1170 y canonizado en 1173, héroe de uno de los más grandiosos poemas del antiguo francés, mitad crónica, mitad epopeya, escrito inmediatamente después de los acontecimientos históricos; o la del arzobispo Anno de Colonia, muerto en 1075, escrita en estilo épico veinticinco años más tarde, que transforma la vida de ese violento y ambicioso príncipe de la iglesia en dechado de virtudes seculares y espirituales.

La labor de los sabios alemanes y eslavos ha clarificado en las últimas décadas la biología de la epopeya europea: Andreas Heusler ha establecido para el poema de los *Nibelungos* tres etapas de evolución, desde la historia hasta la epopeya: 1) una cantilena lírica contemporánea de los acontecimientos históricos; 2) un *Kurzepos,* un poema épico breve de 800 versos (en antiguo francés esa etapa estaría representada por *Gormond et Isembard*); 3) el *Grossepos,* el poema épico largo de 4.000 versos (la etapa de la *Chanson de Roland*). Los serbios y los rusos conocieron, en un período más reciente (en el siglo XIV), las etapas 1 y 2, pero nunca alcanzaron el poema épico largo, tal como existe en Francia, Alemania y España en el siglo XII. Es, probablemente, el espíritu occidental de las cruzadas —en el que se unió la *militia Christi* con el vasallaje germánico— lo que plasmó la vasta forma de arte realizada en la *Chanson de Roland,* que abarca el mundo entero; y es Francia probablemente la que, del mismo modo que engendró el espíritu de cruzado, plasmó también la forma poética en que ese espíritu podía desplegarse.

Ahora bien: el *Cantar de Mio Cid,* obra épica tardía —pero no mucho, escrita cuarenta años después de la *Chanson*—, ha saltado las etapas de la cantilena y del *Kurzepos* y se sirve de la forma del *Grossepos,* del vasto poema del tipo de la *Chanson de Roland,* para glorificar a un héroe histórico. En ese «transporte» consiste la originalidad del autor del *Cantar de Mio Cid,* ejemplo precioso no tanto de la historicidad de una obra épica como de la *deshistorización* o anovelamiento de un asunto histórico bajo el influjo del espíritu de la leyenda. El juglar que compuso el *Cantar* tuvo la idea genial de dar a un personaje histórico un marco poético con dimensiones dignas de la más vasta cruzada, sustituyendo la plenitud de una acción global del mundo cristiano por la plenitud de una gran personalidad cristiana. De ahí que imaginase una historia espuria, más verdadera que la verdad, con judíos, leones, afrentas y cortes, que existían sólo en su fantasía de consumado narrador, llena de recuerdos literarios. De ahí también que redujera el marco geográfico del *Cantar,* mucho más limitado que el de la *Chanson,* pero lleno de otra geografía, más regional, la de la patria pequeña, la región de Medinaceli. Quien se atrevió a esta reducción geográfica pudo también atreverse a intensificar la irradiación multicolor de la personalidad del héroe único, omnipresente en la obra. La *Chanson de Roland* es más bien una *Chanson de Charlemagne,* como dijimos, o mejor, es una *Chanson de la Chrétienté*; el *Cantar de Mio Cid* es un verdadero *Cantar de Mio Cid,* monumento a una personalidad cristiana auténtica y autárquica.

Dos veces en su larga historia literaria España afirmó, como suceso de importancia mundial, el valor de la personalidad humana: en el *Cantar de Mio Cid* y en el *Quijote,* en la epopeya de la personalidad medieval triunfante y en la novela de la personalidad medieval fracasada. En un caso, una personalidad con todas sus facetas, derramadas a lo ancho de la vida, integrada con ella; en el otro, una personalidad vista con todo el perspectivismo que impone la fragmentada vida moderna. En ambos casos, se contempla al héroe dentro de la totalidad de la vida. En ambos casos también es el artista quien triunfalmente vindica su libertad de creación, libertad que se toma el rey de los juglares medievales con la historia, libertad que se toma el príncipe de la poesía barroca con la pseudohistoria. Aquella España que tantas veces nos pintan sujeta a las fuerzas impersonales de la Edad Media, dos veces probó ser de lo más atrevidamente individualista y modernista. Quizá la explicación de esa paradoja sea que España, con alma más hondamente medieval que otras naciones occidentales, también siente más intensamente los sacrificios que impone a la personalidad humana el sistema moral de la Edad Media.

Véase la discusión de este artículo por Menéndez Pidal en *NRFH*, III (1949), pp. 113 ss., en la cual me parece que mi ilustre contradictor haya alterado, o atenuado, un poco un punto de vista contra el cual yo había escrito mi artículo.

Propongo a todo lector leer el graciosísimo diálogo entre Menéndez Pidal y Antonio Viscardi, relatado por este último en *FR*, III (1956), pp. 337-344, en el cual el primero defiende su concepción 'romántica' de la epopeya como historia poética nacional, el segundo la suya, antirromántica, de la epopeya como novelística histórica. Inútil decir que mi concepción de *Mio Cid* es la de Viscardi.

3. «RAZÓN DE AMOR» *

Desde la publicación del texto castellano del siglo XIII conocido con el nombre de *Razón de amor* por A. Morel-Fatio, en *Ro*, XVI (1886), pp. 369 ss., las opiniones de los estudiosos están divididas entre la teoría de dos trozos independientes, un poema de amor y un debate del vino y del agua, unidos de extremo a extremo (Morel-Fatio) o mezclados burdamente por un escriba inhábil (Petraglione, Carolina Michaëllis de Vasconcellos) y la teoría de un todo artístico, mediocremente compuesto —es cierto— pero que se remonta al autor, ese *escolar* o *clérigo* que se presenta como tal en la poesía (Monaci, Menéndez Pidal). Las argumentaciones de Pidal a favor de la unidad de *Razón de amor* me parecen definitivas (*RHi*, XIII, 1905, pp. 602 ss.):

> se observa que no se dejan separar tan fácilmente los dos trozos; principalmente porque se dice en la parte de los Denuestos [es decir: en el Debate del vino y del agua] (vs. 19-20) que el vaso de vino que luego disputará con el agua, pertenecía a la señora del huerto o del olivar en que el suceso pasa, la cual no tendría para qué ser mentada, si el autor no pensase que era la misma señora que en la *Razón de Amor* había de entrar en el huerto ... (vs. 76 y 105). Aparte de este lazo de unión del vaso de la señora, se ve en otros pormenores de la obrita la intención de unir los dos temas de Amor y de Denuestos. El mismo *huerto*,

***

* Artículo publicado en *Ro*, LXXI (1950), pp. 145-165; reimpreso en *Romanische Literaturstudien, 1936-1956*, pp. 664-682, con adiciones no incluidas en la traducción (de L. E. Ferrario) publicada en *Sobre antigua poesía española*, páginas 41-58.

escenario del Amor (v. 144), lo es de los Denuestos (vs. 146 y 20), la hora de la *calentura* es la de los Denuestos (v. 18) y la del Amor (v. 36), la hora que convida a dormir (v. 146) la siesta (v. 75), hora que despierta la *sed* en el narrador del Amor (v. 51) y de los Denuestos (v. 31).

Hay que destacar aquí que Menéndez Pidal considera la introducción a la escena amorosa donde se mencionan los dos vasos, como parte del debate, oponiéndose así a Carolina Michaëllis que había considerado los versos de la introducción 19-26 como agregado de un copista. Dejando a un lado la cuestión de saber si verdaderamente la señora del huerto es idéntica a la doncella que entrega su amor al joven clérigo, haré notar que Pidal sólo nos ofrece relaciones entre la introducción y el debate, no entre la escena amorosa y el debate en sí. Convendrá más, pues, investigar si las dos escenas principales están conectadas por otro vínculo, además de la aparición de los dos vasos en el huerto del amor.[1] Aquí destacaré que el debate se desarrolla en la situación precisa que había creado la paloma, que, en su precipitación por salir del vaso de agua, lo había volcado, de suerte que el contenido de los dos vasos, agua y vino, se mezcla: el primer parlamento del vino comienza con estas palabras (166-167):

> Agua, as mala mana,
> non queria aver la tu compana

versos que aluden a la situación existente en ese momento: el vino y el agua mezclados y el agua intrusa. Del mismo modo, en los versos 185-190 (insultos del vino al agua):

> Suzia, desberconçada,
> salit buscar otra posada;
> que podedes a Dios iurar
> que nunca entrastes a tal lugar;
> antes amaryella e astrosa
> *agora uermeja e fermosa* ...

---

1.   Y por supuesto, por el vínculo entre la *dueña*, propietaria del jardín, y la *doncela* enamorada, vínculo que, aunque en mi opinión no se trata de un lazo de identidad, es sin embargo testimonio de la unidad de la poesía.

la situación es evidentemente la de la «mezcla» que existe *agora,* en este momento, después de la torpe intervención de la paloma.[2]

Menéndez Pidal ha vuelto al problema de la unidad de *Razón de amor* en su libro *Poesía juglaresca y juglares,* 1924, p. 186. En virtud de sus profundos estudios de antiguos poetas españoles como Berceo y el arcipreste de Hita, de aquellos trovadores «ajuglarados» que se parecen a los goliardos y gustan brillar por la variedad de acentos, el decano de los estudios hispánicos ha llegado a ver aun en la inspiración diferente de las dos partes de nuestra poesía un signo de su unidad, unidad consistente en la variedad: *Razón de amor,* nos dice Pidal, es un producto típico del trovador-juglar castellano del siglo XIII:

> Aunque se dice rimada por un escolar que aprendió cortesía en Alemania, Francia e Italia, es de tono muy juglaresco por su metro irregular, por el contraste brusco con que quiere entretener a un público abigarrado, ora usando de idealidad cortesana, ora de bufonería callejera (la disputa del agua y del vino es tema muy usado en la poesía goliardesca), y es, en fin, ajuglarada por el don que pide al final, propio de un cantor del pueblo: «Mi razón aquí la fino / e mandat nos dat vino».

Pero Pidal no tuvo ocasión, en un libro más bien dedicado a la sociología de los trovadores-juglares que a la explicación esté-

2. Todo el que desee comparar el debate latino *Denudata veritate* (escrito hacia 1200 probablemente en Alemania) del que trata H. Walther en su obra exhaustiva *Das Streitgedicht in der lateinischen Literatur des Mittelalters,* pp. 49 ss., con el debate español, se dará cuenta, por los rasgos numerosos que estas dos poesías tienen en común, de que el último debe basarse en el primero. Precisamente, la situación inicial es en él la de la mezcla que ya existe de los dos líquidos, contra la cual el vino protesta por las palabras «*Surge, exi, vade, foras*», que han inspirado el verso español «*salit buscar otra posada*». Nuestro poeta castellano ha imaginado, pues, una situación *anterior* a aquella del comienzo de la poesía latina, situación que explicaría cómo los dos líquidos han llegado a mezclarse. Por lo demás, la tendencia de la poesía latina es opuesta a la de la española: mientras el goliardo, su autor, se encarniza contra toda idea de mezclar entre el vino y el agua (el juicio decide al fin: «*quod haec miscens execretur / et a Christo separetur / in aeterno saeculo*»), nuestro poeta castellano, también él goliardo, parece indicar, por el episodio de la paloma, como veremos más tarde, que los dos líquidos, como los principios que representan (salud-éxtasis), deben mezclarse.

tica de sus obras, de volver a la contextura de *Razón de amor* y al
«porqué» y al «cómo» de su unidad.

Presentaré en lo que sigue otras pruebas de la unidad sustancial de las dos escenas. Pero, ante todo, ¿cómo dar cuenta de los
defectos que los críticos, incluido Menéndez Pidal, han creído descubrir allí y que los ha llevado a admitir una composición «demasiado floja, demasiado inhábil» (Pidal, en el estudio de 1905)? Se
trata especialmente de los rasgos siguientes:

1) El vaso de vino que la dueña del huerto ha puesto en
el jardín para que su amigo lo vacíe, no desempeña ningún papel
en la escena amorosa que se desarrolla en ese mismo jardín. Pidal
admite aquí una «grave distracción» por parte del autor, comparable a aquella de *malgranar* (152-157) en lugar de *manzanar* (13,
27, 30); sólo que esta falta me parece más bien imputable al
copista, que, por otra parte, ha trastocado todo el pasaje 150-157.[3]
Carolina Michaëllis, que atribuyó la mezcla de dos poesías independientes al escriba más que al poeta, corroboró su punto de
vista con el mismo argumento de los vasos: «Un verdadero artista, aunque de modesta envergadura, al querer combinar los dos
temas, ¿no habría contado antes, con gracia singular, cómo los dos
enamorados apagaron juntos su sed a la sombra del manzanar, mez-
clando el agua y el vino de las tazas milagrosas? ¿O digo herejías?» (*RLu,* VII, 1902, p. 10).[4]

---

3. Se notará la negligencia general del copista, que parece tener tendencia a contaminar palabras aproximadamente sinónimas: 162, *copienza* (= co-
mienza + *empieza*); 174, *aoultar* (= *aontar* + *aviltar*).
4. Reconozco no comprender otra falta de lógica en el relato, justamente la «principal», que pretende haber encontrado Carolina Michaëlis
(p. 8): «[el joven clérigo] cansado por el calor se acuesta en ... De pronto
está al pie de una fuente. Solamente después de la partida de la dama resuelve nuevamente dormir cuando la paloma se lo impide».
El clérigo se tiende sobre la hierba para hacer su siesta, teniendo cuidado de estar cerca de la fuente (37, «Plegem a una fuente perenal»: es de
notar *plegem* "yo me aproximé a", no se encuentra "de repente" cerca de
la fuente); cuando la señora entra en escena, él se levanta (103, *levem*) y
los dos se dirigen hacia el olivo donde tendrá lugar la escena amorosa, después de la cual él se recuesta para continuar la siesta interrumpida por la
llegada de la señora (el hecho de que el placer amoroso sea seguido por la
siesta, muestra claramente que se trata de goces sanos dados al hombre).
En cuanto al olivo que aquí es vecino del manzanar y que para Carolina

2) «La razón feyta d'amor» del verso 4 (que llega a ser una *razón* a secas en el v. 260: «mi razón aqui la fino»), no parece comprender el debate del vino y del agua. Esta última objeción, que aparece ya en C. Michaëlis,[5] resultaría vana si admitiéramos con Pidal que la poesía, tal como se nos ha conservado, se halla incompleta (en efecto, el facsímil muestra una línea ondulada antes del penúltimo verso, que Pidal en su edición indica con puntos): Pidal propone un desenlace en el que los vasos y los amantes harían su entrada. Sea lo que fuere, razonando a partir de lo dado, sería mejor método admitir, a título de hipótesis de trabajo, que tenemos ante nosotros un todo artístico completo.

Me parece que lo que ha impedido a los críticos admitir una composición con unidad es su tendencia a ver los géneros literarios como entidades fijas, separadas por muros infranqueables. No llegan a pensar que un poeta medieval pudo haber combinado un poema amoroso, digamos una *amorosa visione,* con debate, sin tener necesariamente que, *ipso facto,* concluir en una quiebra artística o, al menos, en un gusto poco refinado del autor. No pueden ver los hilos de idea, tenues y delicados, que, en el alma del poeta medieval, vinculan ambos temas, el simbolismo latente que podría hacernos pasar imperceptiblemente de uno al otro. C. Michaëllis y Menéndez Pidal ven un abismo entre el lirismo cle-

---

Michaëlis era un signo claro de la contaminación de las dos poesías —la poesía amorosa cuyo decorado originariamente es el olivo y el debate que se abriría bajo los manzanos—, todo lector del capítulo de Curtius (*Europäische Literatur und lateinisches Mittelalter,* Berna, 1948) sobre el *topos* medieval del «Ideallandschaft» (p. 189 ss.) sabe a qué atenerse en lo que se refiere a olivos, pinos y otros árboles meridionales llamados a embellecer los paisajes estilizados de los trovadores, los «lugares amenos», que no hacen más que continuar el *locus amoenus* de Virgilio. En el huerto de nuestro poeta castellano no faltan los perfumes maravillosos que menciona, por ejemplo, el *Roman de Thèbes* (v. Curtius). El olivo y el manzanar tienen un valor simbólico: aquél es el árbol solitario de las visiones amorosas (cf., por ejemplo, el comienzo del debate latino *Ganymedes et Helena*) bajo el que tendrá lugar el oaristis; éste es un grupo de árboles elegido para que los vasos milagrosos puedan estar allí suspendidos.

5. «Si realmente la introducción se refiriera a ambos, ¿era probable que en ella se hablase sólo de la *Razón de Amor,* y no del *Conflicto entre el Agua y el Vino,* tan apropiado, o más, para alegrar corazones tristes que el coloquio amoroso?»

gante, cortés, aristocrático del idilio amoroso y el debate realista, vulgar, juglaresco, «de praça publica ou taberna», «callejero». Dámaso Alonso sólo ha admitido en su antología, *Poesía de la Edad Media* (1942), la escena idílica, que, dice, con sus «delicadas tintas», contrasta «rudamente» con el tono de «narración burlesca» del debate. Tal modo de juzgar subordina la trama de ideas al tono; pero ¿qué experto en poesía medieval ignora cuánto más importante es la trama de ideas para el poeta de esta edad tan propenso a mezclar el intelecto a las emociones estéticas?

Ninguno de los críticos parece haber advertido el vínculo de ideas por el cual el motivo de los dos vasos (lleno el uno de vino, el otro de agua), que, por una parte anticipa el debate del vino y del agua, y por otra encuadra el episodio amoroso, está ligado a este último episodio. El sentido de estos dos vasos, que presiden el idilio bajo el olivo cerca de la fuente, no ha sido definido por ningún comentarista. Cortar la poesía en dos partes, sea admitiendo como C. Michaëlis dos poesías independientes fusionadas por un escriba (que, para hacerlo tan hábilmente, habría debido ser poeta), sea admitiendo con Dámaso Alonso dos inspiraciones diferentes, una artísticamente superior a la otra, lesiona a la poesía. ¿Qué lector del trozo admitido en la antología de Dámaso Alonso se dará cuenta del sentido de estos dos vasos suspendidos sobre las cabezas de los amantes, a menos que los relacione con el debate entre el vino y el agua? (No sé si la nota del editor, que sólo nos informa de la existencia de esta segunda parte, cercenada en la antología, es suficiente para establecer la relación necesaria para la comprensión de la poesía.) [6]

6. Mi colega de la Universidad Johns Hopkins, el poeta Pedro Salinas, ha hecho pesar, en una discusión, un argumento importante a favor del procedimiento de Alonso: ya que el sentimiento estético moderno se niega a reconocer igual valor artístico a la *amorosa visione* y al debate (este último género definitivamente desprovisto —para nosotros, modernos— de su valor medieval basado en el juego dialéctico de *sic et non*), Salinas estima que el antologista no podía hacer otra cosa que truncar el poema y dejar sin solución, en suspenso, los símbolos de los dos vasos, con su alusión misteriosa permaneciendo en el aire como en una poesía de la escuela simbolista moderna. Alonso, en suma, habría obrado como el poeta anónimo que «truncó» el romance del *Conde Arnaldos* y que, según el magistral

Hay, pues, una relación entre el debate del vino y del agua y la escena amorosa: la de la «sed», la sed que anhela la saciedad por bebidas refrescantes, y la sed de amor que se alivia en el goce sexual. Como Gide en *Nourritures terrestres,* nuestro autor medieval ha visto la unidad en la vida de los sentidos: una sed, un hambre invoca la otra. ¿No es acaso la misma «calentura» a la hora de la siesta, que hace que el poeta busque alivio en el fresco y oloroso huerto cerca de la fuente y que hace surgir justo a tiempo a la bella joven, apareciendo como una visión apropiada al lugar de recreo? Él ha bebido un poco de agua fresca, ha cogido una flor, ha tenido deseos de cantar «fino amor», y he aquí que se acerca la *doncela* («Mas ui uenir una doncela; pues naçi, non ui tan bella»).[7] ¿No hay en esta escena, al lado de la sed del cuerpo, una sed de alma, una sed amorosa, saciada juntamente con la del

---

estudio de Menéndez Pidal, ha creado, compendiando un trivial relato, un organismo nuevo, de irracional lirismo y misterio sugerido. La advertencia de mi distinguido colega me parece justa siempre que se conceda al antologista moderno el derecho de «recrear» al modernizarla, una poesía medieval; ¿pero no debería reeditar las obras poéticas medievales *como medievales,* sin cambiar su espíritu? Sin embargo, Dámaso Alonso parece querer ofrecernos una antología «histórica»: no moderniza ni las formas ni las grafías ni las construcciones del español medieval, ¿por qué entonces moderniza, al truncarla, la arquitectura de nuestra poesía?

7. Hay que observar los paralelismos en los pasajes que describen al poeta y a la *doncela* (que, por otra parte, se interpelan con el mismo término: *la mi señor - el mi señor*):

33 Sobre un prado pus' mi tiesta,	72 un sombrero tien en la tiesta,
que nom fiziese mal la siesta	*que nol fiziese mal la siesta*
53 Eu mi mano *prys una flor* ...	76 De las flores *viene tomando*
e quis *cantar de fin amor*	*en alta voz d'amor cantando*

paralelismos que, a mi entender, nos hacen apreciar la armonía de los deseos naturales de estos dos seres destinados uno al otro, y que se complementan. La joven viene al huerto, protegida del calor por el sombrero que le ha dado su amigo (detalle original en la descripción típicamente medieval de la belleza femenina) para volcar su queja de enamorada solitaria: ella se inclina de pronto hacia el amor; él sólo pensaba en primer término quitarse la sed y la idea del amor le llega poco más tarde. ¡Qué delicada distinción de sexos!

cuerpo? Y si nosotros siguiéramos esta dirección, ¿no veríamos en la aventura amorosa, tal como nos ha sido relatada, representados los dos elementos característicos de todo amor, el deseo de pureza y la sensualidad, la castidad y el éxtasis, que podemos identificar simbólicamente con el agua y el vino? En efecto, el joven clérigo y la doncella se amaban «a distancia», como bien lo ha reconocido Carolina Michaëlis (p. 14),[8] matizando un poco lo que Morel-Fatio había escrito: «Antes de encontrarse en el huerto, *los dos amantes no se habían visto jamás o habían dejado de verse desde hacía largo tiempo*; se amaban a distancia, habían cambiado presentes ..., les es necesario a la bella y a su amigo el tiempo de examinarse atentamente para reconocerse por los dones recíprocos que se habían hecho y que, por feliz azar, llevan sobre sí. Por lo demás, recobran rápidamente el tiempo perdido, y es la señora quien comienza; deja caer su manto de la espalda, besa a su amante en la boca y en los ojos, y con tanta convicción que pierde el habla». (Carolina Michaëlis se opone a la frase subrayada.) En nuestra poesía, pues, un *amor de lunh,* género trovadoresco, es seguido por un desenlace francamente sexual. En los dísticos triunfantes, escritos en el estilo paralelístico de los cantares de amigo, la señora vierte su sentimiento de «dicha sexual» (130-134):

> Dios señor, a ti loa[do],
> quant conozco meu amado!
> agora e tod bien[comigo]
> quant conozco meo amigo

subrayo el verbo *conozco*: «ahora conozco (en el sentido bíblico) mi amor». Antes amaba fiel, pura y lealmente, por las razones generales que motivan el amor en una doncella cortés (80 ss.):

8. Desdichadamente no saca ninguna consecuencia de esta observación tan justa, y se engaña más tarde cuando llama al episodio amoroso una *pastourellenartiges Liebesabenteuer* (aventura amorosa del género pastoril): nuestra escena no tiene nada de la pastorela, donde un caballero encuentra a una pastora o a una campesina. En nuestro caso, se trata de una doncella cortés, que tiene afición a las Musas y a las buenas maneras y que sabe «amar a distancia».

> Amet sempre, e amare,
> quanto que viva sere!
> Por que eres escolar
> Nunca odi de homme decir
> que tanta bona manera ovo en si ...

Después de la escena amorosa, conoce a su amante en su persona individual y en su carne. Pero ¿no hay cierta analogía, que el poeta se cuida de subrayar, por una parte entre el amor puro «platónico», trovadoresco) y el agua pura; por otra entre la experiencia sexual, embriagadora, y el vino? El sentimiento de melancolía que embarga al enamorado después de la partida de la bienamada, ¿no está relacionado con el deseo, descrito por el poeta (23-26), de tener s i e m p r e el vino «a mano»? (Siempre apreciamos más la falta del don extraordinario, de lo superfluo, que de lo estrictamente necesario.) De un modo general, en el mundo creado por Dios, el agua y el vino están en la misma relación que el amor puro y el amor sensual: son ambos dones de Dios.

Con su arte consumado el poeta nos muestra cómo los dos extremos se tocan y están unidos uno al otro: el poeta ha vuelto al huerto cerca de la fuente para apagar su sed, para beber *el agua,* pero he aquí que el bienestar que se adueña de él, refrescado por el sorbo bebido en la fuente, llama a la fruición erótica, al delirio, *al vino...* La sutura entre estas dos escenas es estrecha e imperceptible, en el fondo se trata de una sola escena que se desarrolla de modo muy lógico y natural.

Y así llegamos al «marco» donde se sitúa el episodio amoroso: el motivo de los dos vasos. En lo que concierne a la primera mención de los dos vasos, es Carolina Michaëlis quien ha captado bien lo que el adorno tiene de maravilloso: ella nos habla de las dos «taças milagrosas» (p. 10): suspendidas en el aire entre los árboles, como el vaso del Graal,[9] estos vasos han sido puestos

---

9. Es justamente lo que sugieren las expresiones (13) «entre çimas d'un mançanar» y (27) «arriba del mançanar». La posición relativa de los dos vasos es, sin embargo, poco clara: ¿están suspendidos (milagrosamente) uno junto al otro, de modo que, cuando la paloma entra en uno, vuelca también el otro? ¿O el vaso de agua está colocado más arriba que el de vino, como las dos expresiones adverbiales (*entre çimas - arriba*) parecen indicar? En

allá por la dueña de casa para refrescar al amigo sediento, y permanecerán en esta posición sobrenatural durante todo el episodio amoroso, sobre las cabezas de los enamorados, hasta el momento en que la paloma llegue a «trastocar» la situación. Estamos pues, aquí, como en tantas obras medievales, en presencia de un plano sobrenatural, desarrollado por encima de una escena terrestre; en otros términos, hay ahí una lección que debe deducirse de los acontecimientos que tienen lugar en ese plano superior y que ha de superponerse a la que se infiera de la escena terrestre. Los dos vasos y la paloma pertenecen al decorado sobrenatural.[10]

No estoy completamente seguro de que la joven que figura en el episodio amoroso sea la misma persona que la dueña del huerto; dos lingüistas tan acabados como Carolina Michaëlis [11] y Menéndez Pidal no están preocupados más que por un problema de léxico: a la primera se la llama *doncela,* a la segunda *dueña.* La joven aparece como en un sueño, como evocada mágicamente, y repite los gestos del poeta (ver nota 7), se entrega sin titubeo al amante y después desaparece rápidamente, de acuerdo con un ritmo interior y misterioso, sin preocuparse por la melancolía del

---

los dos casos, si los vasos se encuentran a tal altura, no comprendemos que el poeta haya podido pensar en beber de uno de esos vasos. ¿Se debilita aquí el realismo simbólico del autor o la realidad del sueño esfuma un poco la nitidez del contorno?

10.   Por supuesto, el poeta no duerme ni ve a la joven en un sueño como en la verdadera *amorosa visione,* pero el marco de la escena es el del sueño (por lo menos el poeta se prepara para la siesta) y los acontecimientos tienen la realidad particular del sueño.

11.   Ésta, por otra parte, atribuye al copista retocador la intención de «sugerir al público la vaga sospecha de la identidad entre la dama del escolar y la dama del huerto» (p. 14), pero ¿cómo habría podido deslizarse esta «vaga sospecha» en el espíritu de un público habituado a distinguir entre *doncella* y *dueña*? Más tarde (p. 30), Carolina Michaëlis compara muy justamente a la joven con «la dueña-doncella de los trovadores», alusión a la poesía portuguesa antigua de Joam Zorro «Pela ribeira do rio», pero ¿por qué no ha visto que *la dona d'algo,* que se opone a *la dona-virgo* en la poesía de Joam Zorro, corresponde a la *dueña* de la *Razón de amor*? (S. Pellegrino en su edición "Auswahl altport. Lieder", Halle, 1928, traduce *dona-virgo* por "Adelfräulein", *dona d'algo* por "Edeldame"). Por lo demás, la idea del poeta portugués es diferente. En él hay paralelismo de actitudes (como de forma en las estrofas): la señora y la joven cantan igualmente (y bajo igual forma) sus lamentos amorosos.

joven que la ve partir: ella va de prisa (*privado*, 42) y abandona
rápidamente el jardín. Es quizás una mensajera, que, después de
haber desempeñado su misión (del don de la voluptuosidad),
d e b e partir («oram *serya* de tornar», 136). Morel-Fatio, que ve
la escena con ojos regocijados y que no advierte los sentimientos
del amante (145, «por poco non fuy muerto»), no ha reconocido
este automatismo: he aquí cómo comenta la escena amorosa (hasta
aquí no hemos citado más que su primera frase): «Además ellos
[los amantes] recuperan rápidamente el tiempo perdido, y es la
señora quien comienza; deja caer su manto ... Y luego intercambian expresiones galantes; y después ... nada más. El poema se
corta bruscamente, los últimos versos son en extremo desmañados
y oscuros». Pero la doncella «comienza» y deja caer el manto porque tiene que cumplir su misión, porque debe entregarse; y después de haberse dado debe partir. Es probablemente la *dueña*, que
permanece invisible,[12] quien la ha enviado (o la ha hecho conju-
rar por el poeta). Esta *dueña*, ¿no sería Venus, en cuyo jardín el
poeta sediento ha entrado sin saberlo, Venus, que, en el plano terrestre, ha enviado al joven clérigo, bajo la forma de una joven
perfectamente bella,[13] el amor físico para refrescarlo (la copa de

---

12. Es incorrecto decir con G. Díaz-Plaja (*La poesía lírica española,*
1937, p. 26): «Cuenta ... el poeta que *ve a una dama poner* en un manzanar un *vaso*». El vaso ha sido puesto en el jardín por esta señora *antes de
que* la acción de nuestro relato comience (insisto en «relato», porque Díaz-
Plaja llama al poema «el primer monumento de nuestra poesía lírica», «una
deliciosa trova amorosa», exagerando los «acentos» líricos que allí se encuentran y descuidando el Debate).
13. Así, pues, de ningún modo pienso, con Pidal, que el poeta no habría tenido ninguna razón para mencionar a la propietaria del jardín si no
la concibiera como idéntica a la joven. Ésta, especie de ángel del amor
carnal, es una materialización, encarnación o emanación de la fuerza divina,
misteriosa, que permanece invisible.
La *doncela*, ¿no recuerda acaso a la Matilde del paraíso terrenal de
Dante?:

> una donna soletta che si gia
> cantando e scegliendo fior da fiore
> ond' era pinta tutta la sua via

[«una mujer sola, que iba / cantando y recogiendo flores entre las flores /
de que estaba esmaltado todo su camino»].

vino que aporta la dicha) y que enviará más tarde una segunda
mensajera, aérea ésta, la paloma, el pájaro de Venus, acerca de
cuya misión hablaremos después? Notemos que la entrada en escena de la paloma será expresada del mismo modo «visionario» que
la de la doncella:

146 Por uerdat quiseram *adormir*,
 mas una palomela *ui*;
 tan blanca era com la nieu del puerto,
 uolando uiene por medio del uerto

53 sobre un prado *pus*
 [*mi tiesta*
 que non fiziese mal
 [la siesta
55 et quis cantar de fin
 [amor
 mas ui uenir una
 [doncela,
 pues naçi, non ui tan
 [bella.

La *amorosa visione* se desarrolla en dos planos, ambos, por lo
demás, instituidos por la voluntad de Venus: la misión «terrestre»
de la joven, de llevar la dicha del amor, está en un plano inferior
con respecto a aquel en que se encuentran los dos vasos milagrosos y esta otra mensajera, la paloma. La joven bajo el olivo, cerca
de la fuente, es la dicha dada al hombre sobre la tierra; los vasos
y la paloma son la interpretación (sobrenatural) de este regocijo,
los símbolos espirituales o las especies del sacramento del Amor.
¿Nos extrañaremos de que los símbolos no desciendan jamás al
nivel de los amantes, de que los dos vasos permanezcan suspendidos, durante toda la escena amorosa, encima de sus cabezas? [14]

Pero si Matilde explica este paraíso al poeta florentino, la joven española no debe hacerlo, pues ella misma es, por su presencia, una explicación
viviente del paraíso terrenal, del placer dado al hombre sobre la tierra.
 14. Se notará que no era fácil para el poeta separar los dos planos. El
vaso suspendido entre los árboles estaba «pleno d'un agua fryda / que en
el mançanar se naçia» (29-31). El poeta no la prueba, aprensivo del carácter
mágico, es decir sobrenatural, de esta bebida. Pero, por otra parte, no te-
merá sorber de la fuente que refresca el huerto (*prys del agua un bocado / e
fuy todo esfryado»*, 51-52). El agua del vaso y la de la fuente deben ser
idénticas; sin embargo, la fuente es llamada «una fuente perenal» (37), con

¡Qué prosaísmo moderno!, muy «victoriano» y ¡qué incomprensión del mundo del pensamiento medieval pedir a un «verdadero artista» —según las concepciones del siglo XIX, se entiende— una escena mostrándonos a los amantes, saciados de amor, ofreciéndose como sobremesa, en una suerte de picnic o de «almuerzo campestre» las bebidas contenidas en los dos vasos milagrosos! Pero ¿acaso no habían sorbido el vaso de vino del Placer amoroso? En el pensamiento medieval ordenado según una arquitectura, según una jerarquía de valores, los símbolos del Amor (Amor espiritual y Amor físico), en la especie vino y agua, no deben confundirse con sus realizaciones terrestres. Las «cosas» (los acontecimientos) están en un nivel inferior al «sentido» de estas cosas.

Nuestro poeta goliárdico, tan experto en la descripción del amor sexual, no desmiente su formación de espíritu clerical, que debe respetar la jerarquía de valores.

Y ahora llegamos a la escena de la paloma, que ha sido singularmente maltratada por los críticos: Menéndez Pidal no la menciona en absoluto;[15] Morel-Fatio se ofusca por la confusión que hay en su propio espíritu:

> [El poeta] vuelve todavía a estos vasos al final de su relato, y esta vez se trata de una paloma que entra en el vaso donde estaba el agua, allí se baña, después se va. Es la transición que anuncia la segunda pieza, cuyo tema es un debate entre el vino y el agua. Parecería pues que el autor no ha sabido muy bien lo que quería (!). Anuncia un relato de amor ..., y al mismo tiempo piensa en el debate: de allí los dos vasos del huerto;

---

artículo indefinido, como si no se tratara de la fuente sugerida por el verso 31. Supongo que la preocupación por mantener el vaso de agua separado de la fuente ha producido esta ligera falta de lógica.

15. Menéndez Pidal lee en el verso 161: *al agua*, en lugar de: *«vertlos el agua sobre 'l vino»* de Morel-Fatio y Carolina Michaëlis. Puede tratarse simplemente de una errata. El texto que presenta Dámaso Alonso, basado sin embargo en aquél de Pidal, aquí se aparta, y en él figura *el agua*. Con respecto a la enmienda del texto, yo no reconstruiría el verso 100 *«pero se que no me conoçia / que de mi non foyria»* con un *quan* [d]o en lugar de *que no*: yo construiría *«sé que, no* [= "apenas", sentido temporal, cf. esp. mod. *no bien*] me conocía, que... [con *que* repetido después de un inciso intercalado]».

después se olvida (!) de la *donzella* y no encuentra en seguida más que una transición inhábil (!) para volver a la disputa del vino y del agua. Todo esto me ha parecido poco claro.

Carolina Michaëlis nos dice al menos, sin argumentar como yo en favor de la unidad de la poesía, que el «desastre» causado por la paloma provoca el debate entre el vino y el agua (p. 3): una vez declarada la mezcla del vino y el agua, el vino puede, en el debate, tomar la iniciativa pidiendo al agua «que abandone esos lugares» («salit buscar otra posada»).

Creo que el punto de vista expresado arriba, o sea, que la paloma pertenece a un mundo superior y sobrenatural, está confirmado por ciertos detalles simbólicos del relato, a los cuales ninguno de los comentaristas ha prestado atención. Ella debe de ser una mensajera (el detalle de la campanilla atada al pie es significativo en este sentido),[16] la mensajera de una verdad absoluta. Comunica su mensaje al poeta, no por palabras, sino por una acción simbólica que debe ejecutar. La inocente y pura paloma («más blanca que la nieve de las montañas»), tan discreta y púdica que no se atreve a bañarse en la fuente por la presencia del poeta, se contenta con entrar en el vaso lleno de agua y salir lo más rápidamente posible, después de haberse refrescado, sin poder evitar el vuelco del vaso y contribuir así involuntariamente a la mezcla de los dos líquidos. Así, el mensaje, la lección que enseña la paloma (por su acción involuntaria), es la voluntad de Venus: que los dos principios, el agua y el vino, se mezclen. La paloma, que no quería otra cosa que refrescarse en el agua como el joven clérigo —nótese la repetición de la palabra *esfriado* en ambas escenas—, ha provocado el «desastre», querido por poderes misteriosos, de la mezcla de los dos líquidos. He aquí la interpretación, destinada

16.   Aunque la lección que Carolina Michaëlis propone para el verso 153 («*un lazo via li dorado*») deba eclipsarse ante la verdadera lección restablecida por Menéndez Pidal: «*un cascauielo dorado*», la investigadora portuguesa ha advertido, sin embargo, que la paloma, en este mundo de cuento de hadas, debía estar marcada por un «signo». «Como la intervención tiene algo misterioso o caprichoso, no llamaría la atención que, como en tantos cuentos infantiles, la paloma, encantada o no, estuviera marcada con una señal, p. ej., con un lazo dorado».

al poeta y al lector, de la escena amorosa: ¿no mostraría ésta el efecto saludable de la combinación de las dos variantes del Amor, de la pura y de la sensual, que el agua y el vino simbolizan? Así la acción en el plano superior (los dos vasos; la paloma que mezcla su contenido) se superpone a la escena terrestre, que, a su vez, aclara los dos principios opuestos. No hablaremos más de la escena de la paloma como de una «transición inhábil», sino como del punto culminante de la acción. Y el debate que sigue se ajustará perfectamente a la escena de la paloma: todo debate medieval, ¿no se sirve del método dialéctico para conciliar los contrarios, justificar las polaridades, establecer —más allá de los principios adversarios en lucha— una síntesis del pensamiento? Aunque el vino y el agua disputen sin fin, aunque aleguen todos los *pro* y *contra* tradicionales (aun aquellos que se relacionan con la religión: el vino representando el sacramento de la comunión, el agua el del bautismo), queda en pie el hecho de que los dos elementos son igualmente necesarios al mundo, que necesita tanto de la santidad como del desvarío. Asimismo encuentro que lo convencional del debate está aminorado, o mitigado, por el hecho de que el mensaje de la paloma ya ha preparado en nuestro espíritu la reconciliación de los dos principios enemigos.

Advertimos así la originalidad del poeta: no sólo es el único español que ha escrito una *amorosa visione,* sino que ha encontrado el medio de renovar el género, tan popular en España, del debate. Al debate del vino y del agua, ha superpuesto el de la Castidad y de la Lujuria.[17] Habría podido componer un debate de los vicios y de las virtudes en el que las psicomaquias de *So-*

17. ¿No hay acaso un tercer debate en nuestra poesía (el espíritu dialéctico tiene tendencia a proliferar), por lo menos en estado latente, o, más bien, resuelto por adelantado, entre el Clérigo y el Caballero, cuál es el mejor amante?: nuestro poeta hace proclamar, por la *doncela,* que es él, «que es clérigo, no caballero» (111). El testimonio de nuestro texto es importante, porque atestigua, al menos en estado de bosquejo, el motivo del clérigo cortés, comparado con el caballero cortés, en la literatura española. El envilecimiento posterior de este personaje ideal que llega a ser clérigo libertino (y de su amante, que se convierte en *manceba de abad*), tal como se muestra en *Elena y María* (cf. el estudio de Menéndez Pidal, *RFE, I,* 1914, p. 74) no está todavía insinuado en nuestro texto.

brietas contra *Gula,* de *Castitas* contra *Luxuria* serían vecinas. Ha preferido subordinar el debate del vino y del agua tradicionales al debate Castidad-Lujuria, que se desarrolla, no bajo la forma de discurso, sino de acciones simbólicas. Cuando llegamos al torneo de elocuencia que tiene lugar entre el vino y el agua, ya hemos comprendido el misterio del amor carnal, hemos reconocido el principio dualista sobre el que todo goce se basa: deseo de pureza, deseo de éxtasis. Comprendemos los argumentos del agua y el vino en el momento en que sabemos su causa ya juzgada, en el sentido de la *concordia discors,* de la armonía de los contrarios, principio universal. Es evidente que el autor ha desarrollado, de modo muy original, el marco de la visión que generalmente sirve de introducción a los debates medievales y que comporta la descripción de un jardín de placer, evocador del paraíso terrenal, en el que se desarrollará el diálogo entre las abstracciones, también entidades sobrenaturales, según el pensamiento medieval (cf. por ejemplo, la introducción al debate latino *Ganymedes et Helena).* Nuestro autor ha enriquecido el paisaje de la visión, simple decorado, con lo que llamo «un debate en acción» (los dos vasos milagrosos, la *doncela,* la paloma), que domina el debate del vino y del agua. Sin ninguna duda, la primera parte de la poesía es más artística y más original que la segunda, pero no porque se nos relate una historia amorosa con «tintas delicadas», sino porque da a un tema tradicional una superestructura simbólica que amplía su alcance. Este desplazamiento de acentos ha sido indicado por el poeta mismo en el título «razón feyta d'amor», que se hace presente en el término *razón* del final, sin considerarse culpable de ninguna contradicción. En el episodio amoroso la armonía de los contrarios es perfecta, la dialéctica del debate no hará sino exponer separadamente los principios que se fusionan en el amor.[18]

18. Se puede encontrar que la posición y la apariencia física de los debatientes no están claramente definidas: el contenido de los dos vasos se mezcla en virtud del «desastre» producido por la paloma; pero entonces ¿cómo figurarnos que un líquido volcado por tierra tenga una personalidad humana y que los dos líquidos mezclados sean seres separados (Don Vino y Don Agua)? El poeta medieval era capaz de *ver personajes abstractos* en

Si ahora comparamos la marcha de las ideas en los dos episodios, advertimos que es exactamente inversa, aunque el resultado sea idéntico: la paloma ha debido saber que el agua no puede permanecer pura, que debe mezclarse al vino; en el debate, el vino debe saber que el agua no es una compañera inferior, que la mezcla es cosa admisible. Ninguno de los críticos ha señalado que hay un movimiento psicológico netamente marcado en el debate: *Don Vino,* varón petulante, irascible («con sana pleno», 184), egoísta, llevado a la jactancia y al insulto («suzia desberçonçada», 185, cf. los términos *denostar,* 174, *villanias,* 193, con los cuales el agua caracteriza la actitud de su adversario), se comporta, rechazando al agua intrusa, como un verdadero ebrio (180, «no es homne tan senado / que de ti ssea fartado, / que no aya perdio el ssesso y el recabdo», según la definición del agua). El agua, sobria y moderada, prefiere a los insultos la verdad (195, «digamos vos las no verdades) y se muestra altruista (regando con sus «lágrimas» el troncó de la vid destinado a ser quemado, salva a la «madre del vino», la viña; alma cristiana hace bien a sus enemigos) y el vino se siente enternecido y súbitamente, su manera de hablar ya no es tan despectiva como antes (205): «Agoa, entiendo que lo dizes por iuego / Por verdat *placem* de *corazón,* / porque somos en esta razón»; comienza a encontrar placer en la discusión. Y el agua, mujer sin embargo, se regocija con este primer triunfo (216, «Ell agua iaze muerta ridiendo»; la abstracción está enteramente humanizada: pues ¿cómo figurarse al agua fluyendo sobre el suelo «muriéndose de risa»?). Y la actitud del vino llegará a ser muy moderada, encara un posible «acuerdo» (230): «Par Dios ... mucho somos en buena sazón, / si comigo tuuieres *entencion».*[19] Y los dos últimos parlamentos de los enemigos, evidentemente en vías de reconciliarse, pondrán de relieve el hecho de que para los santos sacramentos el agua es tan necesaria como

---

lo que para nosotros sólo sería una mezcla de ingredientes que han perdido su individualidad. La imaginación abstracta o alegorizante se superpone a la realidad vista.

19. Hay que recordar que Baist quería llamar a esta segunda parte «Entención del Agua con el Vino».

el vino. Al contrario del modelo latino *Denudata veritate,* la última palabra se deja al agua.[20] En todo caso, la armonía de los contrarios se restablece aquí como al final del primer episodio y el talento psicológico del autor no se ha mostrado menor en la segunda parte, por supuesto «burlesca». Creo que, en vista de este díptico perfecto, la poesía no nos ha llegado en estado fragmentario.

Para terminar es necesario que consideremos el papel que se da al poeta en la poesía (o, lo que es todavía más gracioso, que se le hace dar por la *doncela*). Aparece como «clérigo, no caballero», experto en amor y en poesía, habiendo viajado al país de la Cortesía, mujeriego, que sabe cautivar los corazones. El matiz de ligera fatuidad [21] que implica un relato autobiográfico de esta naturaleza cuadra bien, como lo ha visto Carolina Michaëlis, con un miembro de la *familia Goliae,* de esta brigada internacional de *vagantes,* que ataca, con el subjetivismo presumido de una juventud turbulenta, los valores aceptados por la Iglesia: no es la humildad lo que distinguirá a estos individualistas fogosos. Por otra parte, es un hecho conocido que el espíritu que inspira al género literario del debate experimenta el influjo del medio (cf. Walther, *passim,* y Menéndez Pidal, *Poesía juglaresca,* véase más arriba): son los goliardos,[22] que resolverán de buen grado el *conflictus* entre los principios contrarios en un sentido opuesto al de la Igle-

20. A menos que, lo cual no creo de ningún modo probable, la laguna indicada mediante la línea ondulada que precede a los últimos dos versos contenga una decisión favorable al vino, como en el modelo latino, que habría sido borrada por un censor eclesiástico.

21. El poeta hace que la joven, en la canción que canta sin verlo, bosqueje un retrato lisonjero de sí mismo (es el perfecto amante, algo voluble, es cierto); él aprecia la buena calidad de los guantes de la joven, que un villano «no hubiera sabido haberlo dado», antes de revelarnos que son un presente que él ha hecho a la *doncela*; encuentra muy natural que, cuando la joven lo vea, por primera vez, «no huya». Cf. también nota 17.

22. Se leerá siempre con placer la caracterización de los *scholares,* tan exacta como artística, que da Ortega y Gasset, *Obras completas,* V, p. 462: «en esos siglos, cualquiera que sea el trivio o encrucijada donde os coloquéis, veréis que chocan cuatro tropeles de hombres dispares: un tropel de soldados que moviliza el poder público, un tropel de mercaderes que empuja el interés, un tropel de peregrinos que va a Compostela o a Tierra Santa y un tropel de los que entonces se llamaban escolares, y hoy llamamos estu-

sia, a la que estos autores pertenecen sin embargo, por profesión
(si no por vocación), por su fervor argumentador y su intelectua-
lismo pedantesco; [23] en uno de esos *Streitgedichte* latinos (Walther, p. 49), los habitantes del cielo aplauden el discurso del vino,
que acomoda a sus deseos el *Gloria in excelsis Deo*; en el «Concilio de Remiremont» (*ibid.*, p. 146), la decisión de la abadesa que
preside es a favor de su dialéctica equilibrada y armonizante, su
castellano no se inclina a senderos tan sacrílegos; pero ¿no se
advierte, a través de su dialéctica equilibrada y armonizante, su
inclinación personal hacia el partido del vino, del goce, del delirio,
de la vida vivida, de las *nourritures terrestres*? Nos dice que el
vaso de vino ha sido preparado por la dueña del huerto y que
es de plata; no encontramos el equivalente de esos dos detalles en
relación con el vaso de agua. De igual modo, el lado platónico de
los amores de la joven pareja está un poco sacrificado frente a la
descripción del amor consumado (a tal punto que ninguno de los
comentaristas lo ha reconocido). Pero el hecho más revelador es

---

diantes. Y no se puede negar que en el concurso de tan vario origen son
éstos los que ponen la alegría, la insolencia, el ingenio, la gracia y —¿por
qué no decirlo?— la pedantería. Y ese tropel de escolares iba a ser el que
ganase la partida a los otros ...».

23. Un detalle lingüístico puede alegarse a favor del origen goliárdico
de un «debate» antiguo español, a saber *Elena y María*: la forma latinizante
o pedantesca *barvirrapado* del verso 102. Se sabe que Baist (*RF*, 1901, página 471) sólo pudo probar la composición con *-i-* en ant. esp. en Berceo
y en un ms. del siglo XIV del *Alexandre* y, que, según su teoría, ese tipo
de formación se debe, no al humanismo como pensaba Munthe, sino al bajo
latín eclesiástico de «Schüler und Vaganten» de la Edad Media: son pues,
según Baist, los goliardos quienes han introducido en español formas vacia-
das en «el latín más bajo posible» (*barbirasus*, etc., el orden clásico de los
miembros se representaba por *longimanus*). Lo que atestigua *barvirrapado*
en un texto relativamente antiguo como *Elena y María* (siglo XIII) nos muestra la opinión bien fundada de Baist, ya que el debate es precisamente un
género amado por los goliardos (en *Razón de amor* sólo encontramos, es
cierto, la forma popular *baruapuñiente*, 115). Me pregunto si en nuestro texto
la expresión (203) *la cinco* para «la hoja de la vid» (que, en efecto, tiene
cinco lóbulos), que Menéndez Pidal reconoció detrás del V del ms., con su
giro netamente de germanía (cf. en germanía *cuatro* 'caballo' al que M. L.
Wagner, *ZRPh*, XXXIV, 1910, p. 529, retrotrae *cuatrero* 'ladrón de caballos'), no es un índice del carácter «vagante» de nuestro autor: los *scholares*
indigentes se mezclaban frecuentemente con el hampa (cf. los rasgos del
latín en argot: fr. *faire un rapiamus*, etc.).

el verso final: «e mandat nos dar uino». Después de haber dejado
prolongarse el debate entre el vino y el agua y haber dado, como
hemos dicho, a ésta la última palabra, el trovador, al modo de
los juglares, pide a su público, como recompensa, un vaso de vino.
Desde luego, el rasgo es tradicional, pero ¿acaso no adquiere aquí
una fuerza singular al término de este particular debate?: es
como si el autor, sutilmente, nos dijera, 'el agua es tan necesaria
como el vino, ¡dadme p u e s vino!' Se sabe hacia dónde se inclina la simpatía del autor, y este poeta es el mismo que se hace
describir por la joven como el *clérigo* más *cortés* del mundo.

Carolina Michaëlis se equivocaba al inferir del *tono* diferente
de las dos partes, la existencia de dos autores (uno aristocrático,
otro popular), que pertenecían a capas sociales diferentes. El tono
está dado, en la Edad Media, por los géneros. Sabemos por Dante
en qué medida implica la elección de un cierto género una especie
de determinismo estilístico, pero también cuánta libertad tiene el
poeta para elegir tal género (y, en consecuencia, tal tono) y no
otro. El mismo poeta puede, pues, ser idealista y delicado en una
visione amorosa, y groseramente realista en un debate: la marca
distintiva de este último es el insulto grosero (el *denostar*) y la ar-
gumentación feroz, por lo demás sujetos a una dialéctica que recuerda el espíritu de las Escuelas; hay estilización aquí como en la
escena amorosa, solamente que aquí en el sentido del pseudorrea-
lismo característico del *conflictus.*

Si me fuera permitido formular una conclusión surgida de mi
trabajo (conclusión que resultara *a posteriori*, por supuesto, pues
¡desdichado el crítico que estudiara un texto para probar una tesis
a priori!), ésta consistiría en que la unidad de un texto medieval,
que se presenta como «uno» en la tradición manuscrita, no debe
ser puesta en duda sin razón perentoria (recordamos el famoso
Episodio de Baligant). Aceptando la unidad de la obra al menos
como hipótesis de trabajo, el filólogo tratará de encontrar los hilos
de ideas o los motivos simbólicos que relacionan partes, a primera vista, inconexas. No podemos rivalizar con la vasta ciencia
de anteriores romanistas, de un Morel-Fatio, de una Carolina Michaëlis, de un Menéndez Pidal, pero quizá pudiéramos aventajarlos
en lo que yo llamaría una 'crítica inmanente' de las obras medie-

vales, mostrando las relaciones íntimas que gobiernan los detalles
e n e l i n t e r i o r de esos organismos artísticos. La preferencia
de Morel-Fatio por los supuestos eróticos le hace descuidar el
simbolismo del autor de *Razón de amor*; el sentido de lo misterioso (la sensibilidad por aquello que emparenta nuestra historia
amorosa con una *Märchen*) que tenía Carolina Michaëlis le hacía
descuidar su construcción intelectual. El comentarista de obras
medievales, creo, debe poseer, de igual modo, el sentido del misterio y el gusto por la arquitectura intelectual. La comprensión del
símbolo debe ir aparejada a la lógica. Sólo una «lógica simbólica»
o un «simbolismo lógico» en que la más libre imaginación esté
encadenada por un rigorismo intelectual quisquilloso, pueden dar
cuenta de ciertas poesías de esta época. No puedo jactarme de ofrecer la explicación decisiva de *Razón de amor,* pero supongo que
discusiones ulteriores en el estilo de la que se acaba de leer, es
decir, *permaneciendo* en el interior de la poesía vinculando las
partes, lograrán esclarecerla definitivamente.[24]

Aurelio Roncaglia, en la introducción a su antología *Poesie d'amore spagnole d'ispirazione melica popolaresca,* ha expresado su adhesión
a mi tesis.

Por el contrario, Alfred Jacob ha publicado un estudio titulado
«The *Razón de amor* as christian symbolism» (*HR*, XX, pp. 182 ss.),
en el que, a pesar de reconocer en mi artículo la calidad de «a valua-
ble overall reinterpretation stressing the human side», considera como
igualmente necesaria una interpretación religiosa. Así, la *doncela* que
viene hacia el poeta, deja caer su manto y le abraza con un fervor
tal que «pierde el habla», sería, en esta literatura medieval, en la cual
«the dream-world of medieval love poetry does not sharply distin-
guish between lady-worship and Mary-worship», ¡nada menos que
la Virgen! Este «dream-world» imaginado por Jacob es un «dream-
world» de su hechura: yo quisiera ver una representación medieval
de la Virgen con guantes y sombrero dejando caer su manto y abra-

---

24. La discusión sobre el *Lai de Chievrefueil* de María de Francia, en
la que están empeñados L. Foulet, la lamentada Schoepperle, Frank, Hatcher
y yo mismo, llega en el trabajo de Hatcher a una comprensión superior a
la de sus antecesores, precisamente por la aplicación, más rigurosa y al
mismo tiempo más libre, del simbolismo lógico.

zando a su amante ¡de tal modo que pierda el habla! Tales aberraciones son posibles en nuestros días, dado que unas tendencias no-filológicas invaden el alma del crítico: él cree hacer obra piadosa al ofrecer una explicación supuestamente religiosa.

P. Wapnewski, *Euphorion* 51, 121, cita un poema anónimo latino del siglo XII, *De somnio*, en el cual por orden de Venus (*nutu Veneris*) una hermosa muchacha se aparece al poeta en un jardín, cantando y besándole, pero todo en sueños.

4. SOBRE EL «LIBRO DE BUEN AMOR»

Nota sobre el «yo» poético y el «yo» empírico en los autores medievales *

El profesor Stephan Kuttner, quien, basándose en V. L. Kennedy, demostró la deuda que Pierre de Roissy, canciller de Chartres y autor de un *Manuale de mysteriis ecclesiae,* había contraído con el *Poenitentiale* de Robert de Flamborough, canónigo penitenciario de San Víctor, demuestra (*Trad,* II, pp. 497 ss.) que Roissy fue tan lejos en su proceder (que hoy día llamaríamos «plagio literario») como para incorporar secciones enteras de la obra de Flamborough, que incluso copió de él, *tel quel,* ciertos datos autobiográficos que, a la luz de la evidencia histórica, en modo alguno son aplicables a él mismo. Por ejemplo, cuando en Roissy leemos «Ego tamen ... a duobus parisiensibus episcopis, Odone et Petro, habui ut ubique eorum auctoritate dispensarem ...», debemos tener presente que este privilegio de dispensa del que habla le fue concedido solamente a Flamborough, del mismo modo que fue solamente Flamborough quien transfirió a la autoridad papal el caso al que hace referencia con las palabras «superstitem, ut ordinaretur, ad papam transmisi». Así, Roissy coloca su propio ego en el lugar que ocupaba el de su fuente. Kuttner se pregunta «cómo conseguiría salirse con la suya tan fácilmente», ya que «la desproporción entre la verdadera categoría de Peter y los aires de experiencia personal

* Artículo publicado con el título «Note on the poetic and the empirical 'I' in Medieval authors», en *Trad.,* IV (1946), pp. 414-422; reimpreso en *Romanische Literaturstudien, 1936-1956,* pp. 101-112. (Traducción castellana de Jordi Beltran.)

que adopta resulta especialmente notable en aquellos casos que sugieren la experiencia y los poderes de un director espiritual de clérigos», es decir, unas calificaciones que Roissy ciertamente no poseía. Al plagiar el pasaje «Ego tamen ... a duobus ...», según Kuttner, se desembaraza de una dificultad cronológica en la biografía del canciller (toda vez que, de ser auténtico, el pasaje habría probado que Peter se hallaba en París en 1208, suposición que se ve desmentida por otros hechos que nos son conocidos).

Este tipo de «plagio» medieval no es desconocido para el filólogo románico. Encontramos un ejemplo notable del mismo en la *Espurgatoire S. Patrice* de María de Francia (siglo XII), que es una traducción casi textual de un *Tractatus de Purgatorio S. Patricii* del monje H. (sólo se conoce la inicial) de Saltrey. Copiaré el principio del texto de María y el del tratado (versión *a*), según la edición de K. Warnke (Halle, 1938), quien ha advertido el hecho de que María sustituye el «yo» del monje por el suyo propio:

Patri suo preoptato in Christo, domino. H., abbati de Sartis, frater. H., monachorum de Saltereia minimus, cum continua salute, patri filius, obedientie munus.

Iussistis, pater venerande, ut scriptum vobis mitterem, quod de Purgatorio in vestra me retuli audisse presentia. Quod quidem eo libentius aggredior, quo ad id explendum paternitatis vestre iussione instantius compellor. Licet enim utilitatem multorum per me provenire desiderem, non tamen nisi iussus talia presumerem.

Vestram vero minime lateat paternitatem numquam me legisse vel audisse quicquam, unde in timore et amore Dei tantum proficerem.

El nun de Deu, ki od nus seit e ki sa grace nus enveit, vueil en Romanz mette en escrit, si cum li livre le nus dit, en remembrance e en memoire, «Des Peines de l'Espurgatoire»; qu'a seint Patriz volt Deus mustrer le liu u l'um i deit entrer.

Uns prozdum m'a pieça requis: pur ceo m'en sui ore entremis de metre mei en cel labur pur reverence e pur s'onur, e se lui plest e qu'il le vueille, —qu'en ses bienfaiz tuz jurs m'acueille!— dirai ço que jo'n ai oï. Beals pere, ore entendez ici! Ja seit iço que jeo desir de faire a grant profit venir plusurs genz e els amender e servir Deu plus e duter, ja de ço ne m'entremesisse n'en estui-

> de ne me mesisse, se ne fust pur
> vostre preiere, ki en mun quer est
> dulce e chiere. Poi en ai oï e veü;
> par ço que jeo'n ai entendu ai jo
> vers Deu greignur amur de Deu
> servir, mun creatur. Pur quei jo
> voldrai aovrir ceste escripture e
> descovrir.

Aquí, María (a quien difícilmente se puede acusar de plagiaria, ya que reconoce haber utilizado un libro, «livre», ya publicado) da a entender que se sintió llamada a escribir sobre la experiencia de San Patricio en el Purgatorio (su *preiere* corresponde al *jussio* del monje); en la versión de Saltrey la llamada proviene de su superior, el abad de Sartis, a quien se hace referencia con las palabras «vestra paternitas»; María la recibe de un «prozdum» anónimo a quien ella trata de «beals pere» (y que, evidentemente, es también una autoridad eclesiástica). Asimismo, allí donde el monje había afirmado que nada de lo que jamás leyera u oyera reforzaba más su creencia en Dios que la narración del caballero de Owein, que le había llegado por mediación de otro monje, María dice que, si bien traduce de un libro y no conoce por propia experiencia los acontecimientos que narra («poi en ai oï e veü»),[1] ningún otro libro consiguió corroborar tan bien su fe en el Creador. Al concluir el prólogo, María se hace eco de las palabras del monje («quam quidem narrationem si bene memini …»); «si j'ai bien eü en memoire ço que j'ai oï[2] en l'estoire». Por último, al final de la historia, tanto el monje como María nombran su fuente

---

1. No acabo de comprender la afirmación de Warnke (p. XLVII): «Daneben spricht sie in eigener Person ... und weiter in den Übergangsversen 29 und 30». María habla siempre «in eigener Person»; somos nosotros, los filólogos modernos, los únicos que podemos descubrir que en los versos 9-24 María se atribuye lo que el monje de Saltrey ya había narrado en primera persona. Dicho de otro modo, el punto de referencia del «yo» de María permanece constante.

2. María nos dice que ha «oído» la historia, mientras que nosotros sabemos que debió de leerla. Tenemos aquí el «topos de la transmisión aural», tan frecuente en la Edad Media, cf. *Trad,* II (1944), p. 447, n. 32, y *RFH,* VI, pp. 176, 283.

última: es decir, el monje Gilbert, quien la había oído del mismo Owein y la había transmitido al monje de Saltrey (María llama «autor» a este último, v. 2.058). Anteriormente, en el verso 297, María había insistido en su actividad como traductora, consistente en hacer que el texto latino sea accesible para la «laie gent».[3]

Así, pues, toda vez que María confiesa que su *Espurgatoire* procede de una fuente ajena, el motivo de la sustitución de su «yo» debemos buscarlo no en el plagio (ingenuo o consciente) sino en otra dirección. Propongo la teoría de que, en la Edad Media, el «yo poético» tenía una libertad y una amplitud mayores de las que tiene hoy día: a la sazón el concepto de la propiedad intelectual no existía, ya que la literatura no se ocupaba del individuo, sino de la humanidad: el «ut in pluribus» era una norma aceptada. La historia de las experiencias espirituales del caballero de Owein en el Purgatorio pertenecía a la humanidad: María de Francia, al igual que el monje de Saltrey, debió de sentirse llamada a narrarlas y ella, si bien no disimula el hecho de que su papel se limita al de traductora, afirmará que a ella (también) le ha llegado la llamada. Y debemos suponer que el público medieval vería en el «yo poético» a un representante de la humanidad, que se interesaría únicamente por este papel representativo del poeta.

3. Se observará que María, al igual que tantos otros autores medievales que traducen del latín al vernáculo, habla de su fuente en términos de «li livre» sin mencionar el nombre del autor del libro concreto que los críticos modernos se han esforzado por descubrir. La existencia de una *fuente* era más importante para aquella civilización encorsetada por la tradición que la especificación de qué fuente se trataba. «Li livre» era una entidad que existía objetivamente, desligada de algún autor determinado. Incluso el lugar donde podía encontrarse era más importante que el nombre del autor: Chrestien de Troyes dice, en sus *Cligès*: «Ceste estoire trovons escrite / ... An un des livres de *l'aumeire*, / Mon seignor saint Peire a Biauvés. / ... Li livres est mout anciens». Foerster, *Kristian von Troyes, Wörterbuch*, página 59, comenta: «Es ist allgemein bekannt dass im M.-A. die Erzählungen ... sich für wahre Geschichten ausgeben, oder doch dafür gehalten wurden, daher denn ihre Verfasser, um das Vertrauen der Leser (zu gewinnen) ... sich gern auf glauwürdige Zeugen berufen ... Solchen Berufungen mögen ja meist ersonnen sein ...». La ficción novelística de una fuente escrita (que debería atestiguar la veracidad del autor, mientras su mente queda libre para fabular) requiere solamente una indicación de la existencia del libro: no hay necesidad de conocer la fuente de una Fuente.

Volviendo al «plagiario» Roissy, su asimilación, más ingenua, de los detalles sacados de la biografía de otro debe, por consiguiente, explicarse en virtud de la costumbre medieval de la asimilación literaria: toda vez que, en la Edad Media, el «yo poético» gozaba de una libertad del control biográfico que hoy día resulta insólita, el canciller pudo «salirse fácilmente con la suya» sustituyendo los papeles de modo que se nos presenta como un director espiritual de clérigos. Además, dada la tendencia medieval a rendir culto a todos los libros, tendencia que nacía del temor reverencial que inspiraba el Libro de los Libros, nada escandaloso podía haber en el hecho de copiar otros textos, siempre y cuando se hiciera para fines edificantes. El concepto de la propiedad literaria no podía existir habida cuenta de que el Libro iba dirigido a Todos los Hombres; lo importante en los pasajes que Pierre tomó prestados de Robert era la cuestión del uso correcto de los poderes de dispensa ejercidos por las autoridades de la Iglesia: el toque autobiográfico no hacía más que añadir cierta intensidad a la presentación. Quién era en realidad la persona empírica que se ocultaba detrás de este «yo» resulta un detalle insignificante.[4]

El ejemplo más sobresaliente que del «yo poético» hay en la literatura medieval se encuentra, como es obvio, en la *Commedia* de Dante: después de que Dante, en la *Vita nuova,* diera una descripción aparentemente autobiográfica (pero en realidad ontológica) del desarrollo y curso del sentimiento amoroso, accesible a todos los hombres, procedió, en la *Commedia,* a escribir el relato épico de la exploración del Más Allá por parte del hombre; y este Odiseo del Más Allá que dice «yo» pretende haber emprendido un viaje sin ofrecer pruebas de autenticidad recurriendo a evidencia trasplantada de otras fuentes: él es su único testigo. ¿Cómo pudo el público medieval aceptar como auténtico el relato de un supuesto testigo ocular (en este poema «en el que el Cielo y la

---

4. En lo sucesivo tendremos que revisar la fraseología de afirmaciones sobre los escritores medievales tales como la formulada por B. Malcr, *StN,* XVII, p. 48: «nous sommes en présence d'un de ces cas où, *en donnant l'apparence* de connaître de première main les autorités qu'il cite, Jean de Meun [en el *Roman de la Rose*] ne fait que reproduire des passages empruntés à d'autres» (la cursiva es mía).

Tierra colaboraron») sobre el mundo supramundano, a menos que el «yo poético» de Dante representara, para esta comunidad medieval, el alma humana como tal, con toda su capacidad para llegar al Más Allá y remontarse en el espacio hacia su Creador? Todos los errores de interpretación cometidos por los comentaristas modernos que se han ocupado de la escuela que utiliza el «enfoque biográfico» se deben al hecho de que confunden el «yo poético» con el «yo» empírico o pragmático del poeta, quien, en los primerísimos versos de su poema, ha puesto cuidado en presentar su «yo poético» como representante de la humanidad: «Nel mezzo del cammin di *nostra vita* / *Mi ritrovai* per una selva oscura ...». Al mismo tiempo, sin embargo, Dante no permite que nos olvidemos de que su personalidad empírica (su personalidad sensible, hablante, gesticulante) también se halla incluida en este «yo»,[5] como él mismo nos muestra, ora viéndose empujado a codazos en una procesión de demonios, ora ascendiendo hacia el Cielo atraído magnéticamente por los ojos de Beatrice. Para la historia que Dante quería contar, eran necesarios ambos aspectos de su «yo» compuesto: por un lado, debía superar las limitaciones de la individualidad con el fin de adquirir una experiencia de la experiencia universal; por otro lado, el ojo individual es necesario para percibir y fijar el sujeto o tema de la experiencia. En efecto, a diferencia de Milton, quien se dio por satisfecho escribiendo sobre el Cielo y el Infierno al dictado de la Musa, Dante trata de mostrarnos a un ser humano que realmente está experimentando las verdades del Más Allá. Y esta personalidad que retiene Dante el contemplador, el experimentador, se halla en correspondencia directa con el carácter personal de la divinidad: según San Agustín, la personalidad de Dios es lo que determina el alma personal del hombre; solamente a través de la personalidad de Dios posee el hombre un alma personal, cuya característica es la búsqueda de

---

5. Este mismo yo empírico-universal es doble en otro respecto: Dante el protagonista es completamente distinto de Dante el narrador, quien lleva a cabo la tarea de recontar (*ridire*) lo que ha visto; es este Dante quien ha incluido muchos detalles de su autobiografía personal (una lista de los cuales puede encontrarse fácilmente en el *Concise Dante dictionary,* s. v. «Dante», de Toynbee).

Dios. Así, Dante, al dar cuenta de su búsqueda, ejecuta artísticamente el empeño básico del cristiano: buscar una relación personal con la divinidad. Y esta divinidad, cuando finalmente es conocida por percepción, se muestra como un individuo divino ante la individualidad de Dante: (*Par.*, xxxiii, 124-126) «O luce eterna che sola in te sidi, / Sola t'intendi e da te intelletta / E intendente te ami ed arridi»; justamente del mismo modo en que, en todos los demás peldaños de la escalera jerárquica, las almas que habitan en el Más Allá han retenido su personalidad (aunque no su carne terrenal). Dante, a fin de cuentas, no hace sino aplicar a su extraordinaria experiencia en el Más Allá el precepto general predicado por San Agustín: «noli foras ire, in interiore animae habitat veritas»: halla en su propia alma las formas visibles de su visión.

Por lo tanto, Dante debe poner cuidado en que su propia personalidad quede establecida en la *Commedia*: su propia figura no puede quedar retratada de modo menos gráfico que las sombras vigorosas de Ugolino o Catón o San Bernardo. Esta es la razón, la única razón, de que, en esta obra de arte objetiva, se inserte material autobiográfico (ej. en *Inf.*, xix, cf. *RR*, xxxiv, p. 249) en un grado que no tiene parangón en la Edad Media: debe dar a su figura la corporeidad y el relieve necesarios en su sistema de representación imaginativa.[6] Dante no se interesa, poéticamente, por

6. Cf. E. Auerbach, *Dante als Dichter der irdischen Welt*, Berlín, 1929, y E. Frank, *Philosophical understanding and religious truth*, Londres-Nueva York, 1945. En el transcurso de este poema, que trata de la percepción gradual de la divinidad, el perfil personal de Dante se hace cada vez más definido. Es bien sabido que, aunque desde el principio Dante habla en primera persona, no es hasta el canto xxx del Purgatorio cuando oímos el nombre de «Dante» pronunciado (en la escena en que, después de haber desaparecido Virgilio, Beatriz predecirá nuevas tribulaciones para el poeta así como la necesidad de arrepentimiento profundo y regeneración espiritual: siendo el arrepentimiento el medio gracias al cual el cristiano puede convertirse en una personalidad genuina, cf. Frank, p. 158). Mientras el poeta sigue inmerso en su congoja por la partida de Virgilio oye de pronto las palabras consoladoras (que le hacen saber de la presencia de Beatriz: «Dante, perché Virgilio se ne vada, / Non pianger anco, non pianger ancora»; y el poeta prosigue su narración del modo siguiente: «Quando mi volsi al suon del nome mio, / Che di necessitá qui si registra, / Vidi la donna ...». Algunos comentaristas, al mismo tiempo que ponen de relieve el valor poético de esta súbita alocución dirigida a Dante, la justifican solamente como un artificio poético (Beatriz, de esta manera, llama la atención del lector sobre

sí mismo *qua* sí mismo (como haría Petrarca y, después de él
Montaigne y Goethe), sino *qua* ejemplo de la capacidad general
mente humana para conocer lo supramundano, que puede ser co
nocido solamente por lo más personal que hay en el hombre.[7] Sola

---

ella misma o, quizás, hace énfasis en su estrecha relación con el poeta); otros
(especialmente Torraca) se dan por satisfechos con señalar que, debido a la
extraordinaria situación, se puede exculpar a Dante por infringir el principio
retórico en virtud del cual el autor no debería mencionar su propio nombre
en la narración. Ninguno de ellos parece haberse dado cuenta del valor
dogmático de la alocución que Beatriz hace a Dante, valor que se ve subrayado por «di necessità qui sí registra» (y del que Torraca no se percata en
su paráfrasis: «per l'esattezza del racconto»). Desde el principio Dante había
estado hablando con el «yo poético»; pero ahora que el principio del arrepentimiento le va a ser presentado por Beatriz ahora que va a transformarse en una verdadera personalidad cristiana, es interpelado con su nombre objetivo, como si los poderes supremos reconocieran por medio de ello
su entrada en esta fase final.

7.   La idea de la accesibilidad de lo divino para el hombre nos da la
explicación del truco literario medieval de la visión o el sueño: el escritor
que deseaba enseñar alguna verdad trascendental a la que el hombre tiene
acceso podía hacerlo imaginando un «yo» soñador o visionario. El «yo no
velesco» de los escritores modernos es indudablemente una consecuencia del
«yo visionario» de la Edad Media. Werfel, en su libro póstumo *Star of the
unborn,* ha tratado de rehabilitar el «yo visionario» medieval; en el prólogo
escribe que el «yo» de su propia historia «no es un "yo" engañoso, novelístico supuesto y ficticio, más de lo que la historia en sí es un simple fruto
de la imaginación especulativa ... Me sucedió a mí, debo confesarlo, muy
en contra de mi voluntad ... Una noche me hicieron salir a explorar ...»
(es decir, en una visión profética vio el mundo de un futuro muy lejano).
Los comentarios adversos que recibió este libro de un crítico (en *The New
Yorker,* 2 marzo 1946), quien, al parecer, puso reparos por principio a las
visiones proféticas de un «historiador del futuro», hace que uno se pregunte
por qué será que los críticos son tan reacios a poner en tela de juicio ese
artificio tan corriente en la novela histórica por medio del cual el autor
pretende ser un «profeta del pasado», atribuyéndose un conocimiento no
sólo de situaciones en las que él no estuvo presente, sino incluso de los
pensamientos íntimos de personajes, pensamientos a los que no podría haber
tenido acceso directo aun en el caso de haber estado presente. En ambos
casos, tanto si el autor asume el papel de «historiador del futuro» como el
de «profeta del pasado», por fuerza dependerá de su visión privada. Huelga
decir que me es imposible estar de acuerdo con la afirmación de C. S. Lewis
quien escribe (*The allegory of love,* p. 118): «él [el autor del *Roman de la
Rose*] prácticamente suprime al héroe, en tanto que una de sus *dramatis
personae,* reduciéndolo a la condición de neutral narrador de cuentos. Toda
la historia está en primera persona y miramos a través de los ojos del
amante, en vez de mirarle a él». El «yo poético» medieval no es «neutral»
se utilizaba para dar un tono de verdad a la fantástica historia de amor
arrebatado.

mente cuando ya no puede darse por sentado que la búsqueda de
lo supramundano une al autor y al público, solamente entonces la
insistencia del «yo» individual se convierte sencillamente en una
cuestión del «yo empírico»: de (como Proust ha caracterizado
ligeramente el papel del narrador moderno) «un monsieur qui ra-
conte et qui dit "je" ... qui est Je et qui n'est pas toujours moi».[8]

El juego entre el «yo» poético y empírico podemos estudiarlo
en otra obra medieval, ésta escrita en tono jocoso. Me refiero a un
libro gracioso, caprichoso y que se contradice a sí mismo: el *Libro
de buen amor,* del arcipreste de Hita, Juan Ruiz, contemporáneo
de Boccaccio. Los críticos modernos y los amanuenses antiguos se
han escandalizado por un igual ante el carácter mundano de este
Boccaccio español vestido de cura. Los amanuenses, al titular los
capítulos del libro, fueron los primeros que pensaron que los inci-
dentes que en él se narran le habían ocurrido realmente al autor:
el amanuense del manuscrito *S,* por ejemplo, interpreta biográfica-
mente los pasajes en que el arcipreste invoca a Dios y a la Virgen
para que lo liberen «desta prison» (= la prisión de esta vida de

8. Una civilización en la que el «yo» poético en su función representativa sea reconocido por el público no expone a sus escritores a las com-
plicaciones que tuvieron que afrontar Rousseau y Goethe al escribir sus auto-
biografías: cuando el lector se cree en el derecho de identificar el ego empírico del escritor autobiográfico, entonces éste debe recurrir al subterfugio
o, de lo contrario, arrostrar un desenmascaramiento sumamente penoso. A decir verdad, incluso cuando un autobiógrafo moderno decide esconderse detrás
de la tercera persona, este «Él» novelesco es susceptible de quedar eclip-
sado, en la mente de sus lectores, por el «Él» empírico. Hay que tener presente que la autobiografía de Rousseau es una versión mundanal de las
Confesiones de san Agustín. El Padre de la Iglesia escribió sus confesiones, por así decirlo, para Dios, en presencia de Dios; las dirigió a Aquel
que está siempre dispuesto a escuchar a sus hijos pecadores. Y el eslabón
entre este escritor de confesiones y Dios, su confesor, se ve subrayado por
el *Tú* que continuamente utiliza san Agustín en las numerosas plegarias y
apóstrofes que jalonan su obra. Por el contrario, Rousseau, quien escribe
sobre «moi seul», escribe únicamente para sus semejantes, de modo que
su apóstrofe: «j'ai dévoilé mon intérieur tel que tu l'as vu toi-même, Etre
Eternel» es pura retórica. La desaparición del artificio literario del «yo
poético» trae consigo la desaparición del «Tú omnipresente». (Un poeta
religioso medieval como Gonzalo de Berceo fue capaz, en medio de una
larga narración, de dirigir súbitamente un apóstrofe *a ti, Virgo Maria,*
evidentemente porque creía que la Virgen había estado presente todo el
rato mientras él escribía sus *Milagros.)*

pecado; cf. mi artículo en *ZRPh*, LIV, p. 237), y se ve inducido a pensar que el arcipreste estuvo realmente encarcelado (a causa, evidentemente, de su poesía licenciosa) por orden del cardenal de Toledo. Hay que reconocer, sin embargo, que el arcipreste no da facilidades a sus lectores para que desechen por completo lo que su libro parece tener de biográfico, ya que repetidamente se presenta en calidad de protagonista de los relatos, en los que a menudo aparece representando un papel no muy decente que digamos. Me atrevería a afirmar que, al utilizar este procedimiento autoacusador, el arcipreste pretendía pintarnos al pecador en potencia que llevaba dentro de sí mismo y que llevamos todos los seres humanos: se nos revela, no como alguien que haya cometido los pecados que describe, sino como alguien que, llevado por su flaqueza humana, es capaz de haberlos cometido. En cierto modo nuestro poeta prefigura a Villon, aquel pecador de las postrimerías de la Edad Media, mucho más problemático, ingeniosamente sibarítico, penitente e impenitente a la vez; pero el suyo es todavía el «yo» poético de la tradición medieval, que habla en nombre del hombre en general.[9] El autor del *Libro de buen amor* está enseñando el «buen amor», la caridad cristiana, aunque a menudo parezca demasiado indulgente en su actitud hacia el pecador que se aferra al «loco amor»: esta pecaminosidad la ejemplifica ofreciéndose, con excelente humor, como el autor real de aquello de lo que se creía capaz en potencia.

Esta tendencia hacia la autorrevelación no solamente puede estudiarse en los casos evidentes en que el autor narra los hechos en primera persona, o cuando intercala en la conversación una referencia a «el arcipreste» (cf. las palabras de Trotaconventos en

9. Los eruditos no reconocen suficientemente el hecho de que el *Grand testament* de Villon no es más que un *cancionero* seudobiográfico, comparable al *Libro de buen amor*, y que el tratarlo como un documento biográfico en vez de una obra de ficción es una injusticia para la obra de arte. Los documentos que arrojaron luz sobre la vida personal de Villon, y que fueron descubiertos por Longnon y otros, más bien han oscurecido el asunto: el protagonista de los *Testaments* habla con su «yo poético», e incluso cuando existe una concordancia parcial entre los hechos comprobados de la vida privada de Villon y los hechos que narra en su obra artística, no se nos permite utilizar los dos grupos de hechos como entidades intercambiables.

la estrofa 1.345) en calidad de protagonista, casos en los que el recurso escogido por el autor parece ya cristalizado y estático: con el fin de encontrar el génesis de tal recurso, resulta más instructivo volver la atención a los pasajes en que el mismo se halla *in statu nascendi*. Por ejemplo, cuando Doña Cuaresma, la personificación alegórica de dicho tiempo litúrgico, envía una carta de desafío a su adversario, Don Carnal, juntándola con otra carta dirigida a «todos los pecadores, todos los arciprestes y clérigos enamorados» (estrofa 1.069: «a todo peccador, a todos los arçiprestes e clérigos con amor»); está claro que incluso en esta referencia hecha de paso el autor pretende incluirse a sí mismo como pecador en potencia entre «todos los peccadores» (entre quienes, por alguna razón, se destaca a los arciprestes). De hecho, es a él (a «yo») a quien llega la carta en un momento en que, como él nos dice, se halla «sentado con *Don Jueves Lardero*». Ahora bien, el hecho de revelarnos que está comiendo tocino en el día (el jueves anterior a la Cuaresma) en que todavía es lícito hacerlo no implica ni la más mínima acusación para la persona del autor. Es solamente el hecho de que reciba la carta (con su alocución condenatoria) lo que tal vez podría ser indicio de determinada flaqueza propia de él. Es esta una forma sumamente sutil de insinuar la pecaminosidad «potencial» del autor. Deberíamos recordar, además, que, al escoger siempre para sí mismo el papel de «clérigo con amor», Juan Ruiz se mueve dentro de los límites de una antigua pauta literaria, un género tradicional de la Edad Media (ya Andreas Capellanus había escrito: «quod magis in amore clericus quam laicus est eligendus») que no debería reducirse a una referencia personal explícita.

Encontramos también en Juan Ruiz (al igual que en María de Francia) la apropiación de material narrativo de otras fuentes, que nos es presentado en forma de experiencia personal. En su narración pretendidamente autobiográfica el arcipreste incorpora acontecimientos sacados de una obra en latín del siglo XII, *Pamphilus sive de amore,* sin hacer mayor esfuerzo del que hace María de Francia por ocultar su procedencia (estr. 891: «si villanía he dicho, haya de vos perdón, / que lo feo de la historia diz / Pánfilo y Nasón»). Se nos pide que creamos que es el arcipreste quien

tuvo una visión en la que conversó con Venus y aprendió de ella
cómo conquistar a la noble y rica viuda Doña Endrina (el nombre
«vegetal» es invención de Juan Ruiz); es él quien, tras una conversación con la viuda en la que ella se muestra evasiva, se ve
obligado a recurrir a la correveidile Trotaconventos (este nombre,
otra invención de Juan Ruiz, sugiere un fondo eclesiástico).[10] Es
más, aunque Trotaconventos, en sus pláticas con Endrina, se refie-

10. Cuando digo «Trotaconventos» soy plenamente consciente del problema de identidad que este nombre acarrea. Anteriormente he demostrado
(*ZRPh*, LIV, p. 237) que el personaje de Trotaconventos (al igual que algunos de los demás personajes del *Libro de buen amor*) está dotado de individualidad sólo de forma secundaria: en el episodio de Pánfilo, brota de la
frase: «busqué trotaconventos» y durante el resto del episodio lleva esta
designación en calidad de nombre propio. En la aventura que viene inmediatamente después, donde vuelve a intervenir una correveidile, una vez más
nos encontramos con las palabras «busqué trotaconventos». Cejador y Frauca imprimió la última palabra con mayúscula y Lida de Malkiel, en su
edición, la interpreta como nombre propio que se refiere al mismo personaje que Juan Ruiz nos había presentado en el episodio de Pánfilo. Sin embargo, diríase que esto se contradice con la estrofa 919, en la que se hace
referencia a la mujer con las palabras «esta vieja, por nombre ha *Urraca*».
¿Son Urraca y la individua llamada Trotaconventos una misma persona? Si
es así, ¿por qué le parecería necesario a Juan Ruiz volver a describirla en
el siguiente episodio? (Cierto es que se la describe en términos idénticos a
los empleados para Trotaconventos [937-938 = 699-700], pero esta descripción es puramente genérica: en ambos casos la correveidile es «una de esas
mujeres que ...».) Y esta repetición es deliberada y no se debe a un desliz
de la memoria, como demuestran las palabras de Juan Ruiz (estr. 938):
«*otrosi ya vos dixe* qu'estas tales buhonas ...»). Por otra parte, cabría ar-
güir en favor de identificar a Urraca con Trotaconventos, debido al hecho
de que Juan Ruiz contrasta a Urraca, no con su predecesora inmediata, Trotaconventos, sino con un tal Ferrand García, un correveidile del sexo masculino de un episodio más anterior todavía, quien había resultado ser un tram-
poso; aunque también podríamos preguntarnos, si *Urraca* es Trotaconventos,
¿por qué no se nos ofreció este contraste cuando Trotaconventos salió por
primera vez (a menos que podamos dar por sentada una yuxtaposición indis-
criminada de episodios que datan de distintos períodos de composición)?
Juan Ruiz agrava aún más la confusión al jugar con la posibilidad de dar a
Urraca más de cuarenta epítetos malsonantes, todos los cuales son rechazados
por la «vieja» en favor del «buen amor». El mismo problema de identidad
se plantea más adelante cuando, después de varias aventuras más, en la
primera de las cuales aparece una correveidile que conocemos solamente
como «una vieja», volvemos a presenciar la aparición (más allá de la menor
duda) de Trotaconventos; después de servir fielmente a Juan Ruiz en
nuevas aventuras, la mujer encuentra una muerte prematura, después de lo
cual él compone una larga invocación a «La muerte» e implora el perdón

re siempre a su patrón empleando un nombre ficticio —que también en este caso es «vegetal»: Don Melón de la Huerta (posible alusión a un clérigo rechoncho)—,[11] Doña Endrina en ningún momento (estr. 845) habla de «mi amor de Fyta» (la antigua grafía española de *Hita*).[12] Así, pues, diríase que su identidad queda establecida más allá de toda duda, hasta que, sin advertencia previa al lector, Don Melón y «yo» se separan: Don Melón, con su perso-

---

divino para los pecados de la muerta, a quien invariablemente se refiere con el nombre de Trotaconventos. Pero en el epitafio, en el cual se permite que ella, desde la sepultura, se dirija al transeúnte, la mujer empieza con las palabras: «Urraca soy yo».

¿Cuál es la clave de este conflicto de identidades? Quizá consista (con la *posible* excepción de la «vieja») en que desde el principio hemos tenido que ver con una sola mujer y en que «Trotaconventos» es un nombre propio genérico, derivado de la profesión, mientras que «Urraca» es el nombre propio personal: el nombre de esa individua que, si bien permanece sumergida temporalmente en su oficio, sobrevive en la muerte. Pero es el nombre genérico, la naturaleza genérica de esa mujer pecadora, lo que el poeta quería poner de relieve. Porque es el tipo lo que es eterno, susceptible de llevar muchos nombres como la zorra (estr. 927), y eternamente significativo de la *cupiditas* humana (y esta *cupiditas* básica del hombre explica también el carácter algo estático de todo el *Libro,* que una y otra vez ofrece la misma situación básica de aventuras ligeras, levemente cambiadas cada vez).

11. Es cierto que, en el autorretrato que el arcipreste ha insertado en su poema (estrs. 1.486-1.489: Trotaconventos describe al arcipreste a uno de sus amores), se hace énfasis en los rasgos vigorosos y varoniles del protagonista, y no en su «rechonchez»: si nos fiáramos de la veracidad realista del retrato de Trotaconventos (¡aunque obsérvese la ausencia en él de cualquier sugerencia de tonsura!), el mismo no concordaría con el cuadro que evoca el nombre del avatar de Juan Ruiz: «Don Melón». Tal vez estas descripciones aparentemente contradictorias hayan sido introducidas deliberadamente con el fin de desdibujar los rasgos individuales del autor-protagonista (como un anticipo, por así decirlo, de la moderna técnica fotográfica de sobreponer retratos de tal forma que se aniquilen mutuamente): que se quiere hacerlo aparecer solamente en calidad de tipo compuesto lo sugiere la estrofa (1.321) en la que Trotaconventos lo llama «Don Polo», donde lo que tenemos no es *polo* = «el polo en torno al cual giran los pensamientos de ella» (como pretende Cejador y Frauca), sino sencillamente una variante de *Pablo,* nombre muy corriente en España, en la acepción de "fulano". (*Melón* también podría significar "estúpido", cual es el caso en el español popular que se habla en nuestros días.)

12. *Fyta* está en el verso, por lo que no es posible dar por sentada una alteración textual, como tampoco hay la menor posibilidad de suponer que se trata de un «descuido» por parte del autor, como pretende el comentarista Cejador y Frauca.

nalidad independiente recién adquirida, se une en matrimonio a Doña Endrina (estr. 891: «Doña Endrina y don Melón en uno casados son»), lo cual, como es obvio, resulta imposible para un eclesiástico; mientras que el «yo» poético (ya concluido el tema de Pánfilo) parte en busca de nuevas aventuras (en algunas de las cuales Trotaconventos vuelve a intervenir en su nombre): con varias chicas montañesas, con una monja (que sigue fiel a sus votos), y con una doncella morisca, todas las cuales ofrecen numerosos temas literarios y pretextos para la introducción de poesía lírica. (Menéndez Pidal ha dicho que el *Libro de buen amor* es un cancionero enhebrado en un hilo autobiográfico; a ello yo añadiría que la materia autobiográfica responde a la necesidad de ilustrar los diversos géneros líricos.) [13]

Como si quisiera poner sobre aviso a sus críticos modernos, al final del episodio de Pánfilo (estr. 909) el poeta escribe: «Entiende bien mi historia ... dijela por te dar enjiemplo, no porque a mi avino». Dicho de otro modo, el arcipreste insiste en el «yo» poético o en el «yo» didáctico del autor medieval. El hecho de que tan a menudo se revelara a sí mismo como el pecador protagonista de sus historias (aunque lo hiciera como si jugase al escondite) se debe a su convencimiento básico, mantenido juguetonamente, de la solidaridad de la humanidad en la flaqueza de la carne; al mismo tiempo, el autor recuerda al público («por te dar enjiemplo»), para su propio bien, que existe esta solidaridad: su «de me fabula narratur» puede interpretarse también como «de te fabula ...» (recordemos que en *Jeu d'Adam,* el antiguo auto religioso francés, el diablo baja del escenario y cruza la platea, con lo que hace que el público entre en su reino potencial). Y a Juan Ruiz le cabía esperar que su público extrajera esta moraleja (podía «salirse con la suya» en lo que respecta a su coqueto juego autobiográfico) porque, en la Edad Media, como hemos dicho, la costumbre de confundir el «yo» empírico con el poético era, en general, desconocida.

---

13. ¿De qué otra forma podríamos explicar el hecho de que Juan Ruiz pretenda haber corrido aventuras, una tras de otra, con distintas *serranas?* Seguramente sería porque el autor deseaba presentar una ramillete de *serranillas.*

Desde sus respectivas atalayas, Dante y Juan Ruiz predican el *ordo caritatis* introduciendo sus personalidades en sus poemas; el uno lo hace mostrando de qué modo el hombre puede tener acceso a «l'amor che muove il sole e l'altre stelle»; el otro, iluminando la debilidad básica del hombre que es propenso a olvidarse del ideal del *buen amor*.[14]

Después de escribir este artículo, recibí, gracias a la amabilidad del profesor Werner Krauss (Marburgo) una separata de un artículo suyo (que no sé dónde se ha publicado) en el que señala la actitud determinista básica de Juan Ruiz («die Anerkennung der kreatürlichen und gottgewollten Bedingtheit, die unlösbare Verstrickung durch die irdische Liebe») que requiere, como complemento lógico, la creencia de que la única acción contraria posible contra la flaqueza de la naturaleza humana es la gracia divina, de ahí que Juan Ruiz esté abierto a todas las experiencias humanas y moralice continuamente («Das Leben ist ein fortgesetztes Experimentieren und insofern auch ein fortgesetztes Moralisieren»). Krauss se ocupa del problema del «yo poético» cuando describe «das Widerspiel der Selbsterlebnisse und eines sich verlierenden Ich, das nur noch Sinnträger des *exemplo* ist und zuweilen an den Rand des epischen Geschehens als eine blosse Zuschauerfigur gedrückt wird». Me gustaría modificar levemente las palabras referentes a un «yo» que se suelta y es empujado a la periferia por la narrativa épica: en mi opinión, hay en la obra de Juan Ruiz un «yo» omnipresente, siempre dispuesto a incluirse en la narrativa experimentadora y moralizante debido a la creencia del autor en el

14. El Boccaccio español, Juan Ruiz, difiere de su contemporáneo italiano (con quien tiene en común el interés por todas las cosas humanas: «Provar todas las cosas, el apóstol lo manda») en que, en su caso, las flaquezas de la carne son contempladas por un alma humilde y caritativa que conoce su propio potencial para el pecado, mientras que en el *Decamerón* el desfile de mundanalidad transcurre ante los ojos, impersonales y regocijados, de un grupo socialmente sofisticado que desea distraerse de los horrores de la peste mediante la narración de *novelle*. Boccaccio introduce un «marco de sociedad» que sirve para enlazar el anárquico material narrativo, mientras que, para Juan Ruiz, el «marco» era solamente su propia alma en busca de Dios («escoge el alma el buen amor que es de Dios»). La sustitución en la literatura del «yo poético» por el «ellos» de la sociedad constituye un paso importante hacia la secularización de la mentalidad occidental.

«Kreatürlichkeit» del hombre, y en el recurso necesario a la gracia. La personalidad de Juan Ruiz aparece y desaparece en su poema, del mismo modo que lo hace su pecadora Trotaconventos. ¿Acaso no son ambas cosas tipos omnipresentes de *buen amor* maldirigido?

5. EL ROMANCE DE «ABENÁMAR» *

... La *explication de texte* parte del ejemplo concreto de un pasaje particular y lo trata como paradigma de la obra total de un autor, de un género, de una época, posiblemente de la nación, ensartando el pormenor en el conjunto y ascendiendo de grado en grado desde lo materialmente dado hacia más altas categorías espirituales. Hay aquí un espléndido ejercicio de observación inmediata de producto humano, contemplado en primer lugar como si fuese un objeto material (un mineral, etc.) para después extraer de este material concretizado su valor humano. Los ojos aguzados para percibir lo visible abren paso a lo que San Agustín llamó los «ojos del espíritu».

Tantas veces oigo decir a colegas demasiado superficiales para sumirse en un texto, que no hay nada que decir sobre los textos de Racine o Victor Hugo —el alumno así como así comprende su hermosura y si no la comprende es inútil hablarle de ella—. Pero hay hermosuras arcanas que no se abren al primer ensayo (como sabe cada confesor), y es el caso que cada observación es ya un comienzo de teoría. Formular observaciones, intentar definiciones del ser de un fenómeno es ya investigar sus causas, y esta es la razón por la cual no es tan fácil describir un fenómeno estético. Los adversarios del análisis estético de obras poéticas a veces afec-

   * Texto de la conferencia dada en la escuela de verano de Middlebury College en 1944. Es una reelaboración de un artículo escrito en alemán en *Stilstudien*, II (1928); publicado posteriormente en *Asomante*, I (1945), pp. 7-29, y reimpreso en *Romanische Literaturstudien, 1936-1956*, pp. 694-716, y en *Sobre antigua poesía española*, pp. 59-84.

tan también una sensibilidad de mimosa ¡es por cariño a las obras poéticas, por castidad, por lo que no querían desflorar con fórmulas intelectuales lo virginal y aéreo de las mariposas poéticas! Al contrario, yo sostendría que la formulación de las observaciones en palabras no evaporiza la hermosura artística en vana intelectualidad, sino que ensancha y profundiza el goce estético: todo amor, el amor a Dios, al hombre, al arte, puede sólo salir ganando por el esfuerzo del intelecto humano para hallar razones a sus emociones más sublimes, para formular el porqué de tal amor. Son los amorcillos los que no pueden sobrevivir a la definición intelectual, los grandes amores prosperan más después de entendidos.

Hace un momento usé el verbo 'ensartar' que evoca la metáfora de las perlas. ¿Y qué mejor muestra de una entidad poética que se integra en un conjunto poético y cultural se puede encontrar, que un *romance español*? Sobre los romances escribió precisamente Hegel en su *Estética* este encomio:

> Los romances son un collar de perlas; cada cuadro particular en sí es acabado y completo, y todos se ajustan tan bien que forman un conjunto armónico; todo es concebido en el espíritu caballeresco, pero al mismo tiempo en el espíritu nacional de España ... Todo ello tan épico, tan plástico que los asuntos, en su significación más sublime y pura, aparecen a nuestros ojos con una riqueza en la pintura de las más nobles escenas de la vida humana y un despliegue de las más grandes proezas; todo ello formando una tan bella y graciosa corona poética que nosotros los modernos podemos oponerlo audazmente a lo más bello que produjo la antigüedad clásica.

O, para decirlo con las palabras españolas atribuidas a Lope: «El Romancero es una Ilíada sin Homero».

El romance-perla que escogeremos para comprender la beldad del romancero-collar será uno de los llamados «fronterizos», el romance de Abenámar en la versión transmitida por Pérez de Hita (romance después parafraseado por Chateaubriand) que canta el momento histórico, cuando el rey español Juan II, acompañado del infante moro Abenalmao, llegó a la vista de Granada el 27 de junio de 1431, y cuando los caballeros cristianos pudieron contemplar por primera vez el panorama de la codiciada ciudad, cautiva de los moros. El romance no presenta más que el momento fugaz de esta contemplación alucinada de Granada como de un espejismo, no más que un episodio en la multisecular Reconquista, que podrá librar a Granada definitivamente sólo sesenta años más tarde, por medio de los Reyes Católicos:

El rey don Juan ante Granada

—¡Abenámar, Abenámar
moro de la morería!
el día que tú naciste
grandes señales había;
estaba la mar en calma,
la luna estaba crecida,
moro que en tal signo nace
no debe decir mentira.—
Allí respondiera el moro,
bien oiréis lo que decía:
—No te la diré, señor,
aunque me cuesta la vida;
porque soy hijo de un moro
y una cristiana cautiva;
siendo yo niño y muchacho
mi madre me lo decía
que mentira no dijese,
que era grande villanía;
por tanto, pregunta, rey,
que la verdad te diría.
—Yo te agradezco, Abenámar,
aquesa tu cortesía.
¿Qué castillos son aquéllos?
¡Altos son y relucían!—
—El Alhambra era, señor,
y la otra la mezquita;
los otros los Alixares,
labrados a maravilla.
El moro que los labraba
cien doblas ganaba al día
y el día que no los labra

> otras tantas se perdía.
> El otro es Generalife.
> huerta que par no tenía;
> el otro Torres-Bermejas,
> castillo de gran valía.—
> Allí habló el rey don Juan,
> bien oiréis lo que decía:
> —Si tú quisieses, Granada,
> contigo me casaría;
> daréte en arras y dote
> a Córdoba y a Sevilla.
> —Casada soy, rey don Juan,
> casada soy, que no viuda;
> el moro que a mi me tiene
> muy grande bien me quería.

La primera cosa que observamos en esta breve composición es que está formada casi en su totalidad por un diálogo; cuatro versos únicamente (concebidos en el estilo de los juglares medievales que cantan ante un público sumariamente entrevisto, cuya colaboración mental presumen de antemano): «Allí respondiera el moro ..., allí habló el rey don Juan, bien oiréis lo que decía» constituyen toda la narración épica. Y es narración épica en fórmulas épicas consagradas desde el *Poema del Cid*, que no tienen nada de original, pero que bastan para añudar nuestro romance al conjunto de la epopeya y para asegurar el contacto entre el juglar que canta el romance y el público. A no ser por esos pocos versos, que sitúan el romance en el género épico, podríamos hablar de una escena dramática cuya interpretación se deja por completo al oyente. Es él quien tiene que desprender del diálogo la situación histórica: con las palabras dirigidas por el rey cristiano a Abenámar: «moro de la morería», todo el fondo de la lucha del cristianismo y de la morisma es rápidamente indicado; para los contemporáneos debía evocar la situación concreta del rey don Juan, acompañado de Abenámar, ante Granada —este nombre bastaba para evocar toda la historia como el verso «bien oiréis lo que decía» evocaba toda la poesía épica—. El ritmo del nombre Abenámar, solemnemente invocado, con su efecto de síncope musical tan española, basta también para hacer-

nos inferir la disposición de ánimo del rey que habla: deslumbra-
miento extático, suspensión ansiosa.

Escuchando el diálogo de gente que desconocemos, nos sentimos, por el hecho mismo de tener que conjeturar, atraídos dentro
de la situación misma. Las dos primeras líneas, con su ataque brusco y su escorzo violento, nos agarran y cautivan. El arte del romance es violento, convulsivo, nos impone una ilusión vertiginosa.
Si nuestra atracción dentro de la órbita de la poesía es innegable,
menos claro sentimos al principio el centro hacia el cual camina-
mos. Parece que presenciamos en los primeros veinte versos un
cambio de cortesías y cumplimientos: 'tú, moro, nacido bajo una
coyuntura extraordinaria, no puedes mentir', 'yo, rey, como hijo
de un moro y de una cristiana, siempre te diré la verdad'. El poeta
mismo nos indica el carácter de cortesía que tiene esta primera
parte («Yo te agradezco, Abenámar, aquesa tu cortesía»). El rey
cristiano y el moro semicristiano han encontrado una base común
de confianza, las viejas recriminaciones contra la falsedad de los
moros están momentáneamente olvidadas. Parece como si, al menos en representantes extraordinarios, las dos civilizaciones pudieran entenderse. El diálogo que se desarrolla en un ambiente hasta
ahora no definido, nos trae una vaga atmósfera de leyenda en la
cual lo sobrenatural (las grandes señales) no es nada inaudito y en
la cual rige una etiqueta tan rigurosa como aérea.

La segunda parte de la poesía, más corta que la primera (dieciséis versos), que contiene una pregunta del rey y la respuesta del
moro, nos coloca ante el sitio concreto, también él bañado de
leyenda: el panorama mágico de Granada la bella: «¿Qué castillos son aquéllos? ¡Altos son y relucían!», «El Alhambra era, señor, y la otra la mezquita...». Nada de color local romántico o de
sentimentalismo nostálgico a lo Washington Irving para evocar ese
paraíso musulmán donde la naturaleza se ha vuelto un ensueño
humano de la infinitud materializado con rigor geométrico; no clásica economía de dibujo con pocos rasgos (los castillos «altos son
y relucían»), enumeración seca (la otra — los otros — el otro) de
los edificios de Granada vistos en su valor o función prácticos: los
Alixares que han costado tanto; Torres-Bermejas, «castillos de
gran valor», sin otra individualidad que la de la ejemplaridad («la-

brada a maravilla», «huerto que par no tenía»), como en tantas
descripciones medievales que a nosotros modernos, que preferimos
lo individual a lo ideal, nos parecen poco expresivas. Aquí de
nuevo hay fórmulas épicas antiguas, esta vez insertadas en la
conversación —es como si el moro se volviese juglar, un Per Abbat
cantando, no la patria del Cid, sino la Andalucía— y cantando
con objetividad y tranquilidad épica, salvando sus emociones (y
las nuestras) como si debieran ser reservadas para la audición de
un poema del tamaño del *Poema del Cid*. ¿Debemos considerar,
pues, la descripción épica de la ciudad como del todo destacada
de los protagonistas? No, hay un vínculo casi imperceptible de
cortesía que ata juntos los dos discursos: los imperfectos en la pregunta
(«altos son y *relucían*») y en la respuesta («el Alhambra *era,*
señor») que llamaría de cortesía (como cuando se dice hoy *quería
decirle* por *quiero decirle*),[1] la transformación de una acción presente
en acción pasada quita lo que ella pueda tener de brusco. Así
los imperfectos sugieren que la conversación continúa en un nivel
de cortesía. Y, además de ese tono que une el diálogo, hay una
evolución psicológica en el rey. Claro, no podemos saber los pensamientos
del rey mientras escucha la descripción de Granada, pero
podemos inferir que, a medida que el moro va nombrando los edificios,
el rey ve con sus ojos los milagros de la ciudad encantadora
que nosotros no podemos más que adivinar, y que estos milagros
han suscitado en él un amor apasionado que después estallará en
una petición de matrimonio de la ciudad personificada. Nosotros
los oyentes estamos, pues, en una posición muy complicada: somos
oyentes, no espectadores, y no vemos al rey que ve Granada, y
no vemos a Granada —pero gracias a las palabras oídas, podemos
suponer la beldad de la ciudad y su efecto sobre el alma del
rey— y, cuando oímos la petición de matrimonio, sentimos que
nuestras conjeturas anteriores han sido confirmadas y creemos ha-

---

1. El imperfecto de cortesía se encuentra, traspuesto en discurso indirecto,
en el *Poema de Mio Cid,* verso 1.481: «Fabló Muño Gustioz, non
speró nadi: / "Mio Cid vos saludava, e mandólo recabdar ..."». Siento
mucho el error de mi interpretación de estos versos en *PMLA,* 59, 1944,
347, error que don Américo Castro me indicó cortésmente.

ber sido espectadores cuando no éramos más que oyentes —ilusión
que debemos a la técnica evocadora del romance—.

La petición de matrimonio forma la tercera y última parte del
romance, la más corta (ocho versos), porque las energías históricas
acumuladas ahora se contraen rápidamente para eyacular una acción que ya no será incluida en el romance. Esta parte final, que
se termina en la punta incisiva de la acción y que el resto de la
poesía ha preparado, está introducida y subrayada por los versos
narrativos. «Allí habló el rey don Juan; bien oiréis lo que decía»,
y ¡en verdad que lo que oiremos es deslumbrante! Sin hacer caso
al moro, con el ímpetu fervoroso del amor, Juan II dirige su petición sin más a la mujer Granada —con otro vocativo que no sólo
evoca un ambiente como el vocativo inicial «Abenámar», sino que
crea una personificación—. El lingüista sabe que el vocativo es el
caso creador *par excellence*; es el caso mediante el cual una presencia real es reconocida, una presencia que quizá sea creada por
el acto mismo de denominarla: el nombre del dios romano *Júpiter*
y el nombre de *Dios* en español son vocativos. El vocativo creador es un escorzo aún más violento que los que ya encontramos en
el romance, el escorzo propio de la pasión, puesto que la pasión
no es sino un cambio abreviado, un atajo de la razón, la contracción de las fuerzas creativas en el acto generador. En este escorzo
podemos medir el camino que la imaginación del rey ha recorrido
mientras estaba escuchando la descripción de la ciudad. Después
de creada la personalidad femenina de Granada, no hay gran distancia, para una imaginación mediterránea, en desear poseerla;
pero, como verdadero español disciplinado, el rey no habla de pasión y posesión, sino de casamiento y dote —los oyentes podemos
inferir su pasión, que queda casi subcutánea—. El rey reviste la
petición de matrimonio apasionado con el estilo tradicional de la
cortesía: «si tú quisieses, Granada, contigo me casaría», y es el
non plus ultra de la cortesía ofrecer a la mujer solicitada lo más
grande satisfacción posible para una hija de Eva, la de triunfar
sobre las rivales de su sexo: ofrece a Granada, promovida a personificación, en dote, y como si fueran alhajas transferibles, dos ciudades igualmente poderosas que podrían pretender al mismo honor
de la personificación. La tenacidad de la pasión del pretendiente

estalla en el cambio de tiempo: ya no dice *daría-te,* sino *daréte en arras y dote.* La negativa epigramática subsiguiente de Granada, en cuatro versos como los de la petición, golpe sobre golpe, es, vista desde la superficie, cortés también (nótese otro imperfecto de cortesía: «el moro que a mí me tiene muy grande bien me *quería*»), pero emplea una fórmula épica tradicional objetiva: «casada, que no viuda». Es que la Granada mora que rechaza al pretendiente cristiano no es ya la creación de la imaginación amorosa del rey, ya se ha vuelto voz del pueblo autónomo, es un plebiscito, un acto de voluntad objetiva democrática: si según Renan el sentimiento nacional es un plebiscito de todos los días, claro está que al menos aquel día 27 de junio de 1431 el plebiscito de Granada ha decidido en favor de los moros de la morería. Ahora, llegados al fin del romance, nos damos cuenta que los dos diálogos que presenciamos no eran los de tres personas particulares, sino los de fuerzas históricas vivientes en razas y naciones. Detrás de las tres levadas de esgrima de los tres lances dialogados, con sus cortesías y etiqueta —primero el ruego de lealtad y la profesión de lealtad subsiguiente, luego el inventario de las hermosuras de Granada y, finalmente, la petición de matrimonio y la negativa—, hay la lucha secular de las tres civilizaciones: cristiana, morisca y mora, con sus oscilaciones posibles entre éxitos contrarios —lealtad caballerosamente cortés, unión íntima y vital, extrañeza radical—, y el péndulo histórico, en el momento inmortalizado por el romance, oscila hacia la última en contra del curso que tomará la historia de la península sesenta años más tarde. El romance es, además de una obra de arte inmortal, un documento histórico imperecedero, o, mejor dicho, un documento histórico que aparece en forma artística. El romance es historia que llega a ser arte, etremecimiento histórico hecho beldad.

Hasta ahora yo he insistido en el carácter artístico de la poesía, alegando para la comprensión sólo el mínimo necesario de la historia subyacente. Es lo que hay que hacer ante todo en una *explication de texte*: tratar de coger el hálito y brillo particular de la obra de arte, antes que se desvanezca, sin admitir la sobrecarga de una erudición mal empleada. El historiador que quiera usar la obra de arte para su documentación tiene que hacer lo opuesto;

nosotros como filólogos, o simplemente como lectores, tenemos que defendernos de preocupaciones históricas impertinentes. Pero *ahora,* después de haber tratado de abarcar el alma de la poesía, estamos inmunizados contra el virus historicista, ahora podemos sin peligro clavar la vista en la elaboración de los hechos históricos en nuestro romance.

Dos eruditos españoles han puesto en claro estos elementos históricos: Menéndez Pidal y Erasmo Buceta. Menéndez Pidal escribe:

> este romance es de espíritu musulmán, pues la ciudad mora desprecia los requerimientos del rey cristiano, y así el romance de *Abenámar,* cantado primeramente en árabe, o en lengua castellana por un moro latinado, nos revela un aspecto de la épica muy curioso: su tardío contacto con la poesía arábiga ... no es morisco sólo el que podíamos llamar su espíritu histórico, sino también su inspiración artística. Los poetas árabes llaman frecuentemente al señor de un país «el esposo» de ese país; y la ciudad sitiada vista poéticamente como una novia a cuya mano aspira el sitiador, es una concepción bien oriental que en el occidente, en la Edad Media, no tiene ejemplo más que en España ... En otro curioso pormenor revela el romance de *Abenámar* un recelo moruno contra los vecinos cristianos. Contiene el romance una ponderación singular de la riqueza de los Alijares granadinos: el moro que los trabajó ganaba cien doblas al día, y así que hubo acabado su obra le mató el rey de Granada, para que no labrase otros palacios como aquellos «al rey de Andalucía»; es decir, al rey de Castilla y Andalucía, el cual ya se había hecho edificar en Sevilla un alcázar morisco que quería vencer en esplendidez a la Alhambra.

El pormenor al cual alude aquí Menéndez Pidal, el incidente de la muerte mandada dar al arquitecto de los Alixares «porque no labre otras tales al rey de Andalucía», pertenece a otra versión de nuestro romance, conservada en los cancioneros desde 1550; en la misma se encuentra una divergencia en cuanto a la conversación del rey con el moro, mezclada, aquí, con amenazas y también en cuanto al fin, en el cual vemos que, después de la negativa de

Granada, el rey don Juan conquista la ciudad con su artillería y entonces,

> El rey moro que esto vido
> prestamente se rendía,
> y cargó tres cargas de oro
> al buen rey se las envía;
> prometió ser su vasallo
> con parias que le daría.

Es, pues, una versión inspirada en la simpatía por la causa cristiana en Granada. Buceta encontró un texto que deja inferir que hubo un formal tratado de vasallaje entre Abenalmao y el rey don Juan, en el que el primero se obligó a pagar anualmente, después de su entronización en Granada, efectuada con la ayuda del rey, una suma parecida a las «tres cargas de oro» de la variante. Un segundo documento de Buceta muestra que, no obstante los deseos del monarca árabe subido al trono de Granada merced a la ayuda del rey don Juan, el tratado no se efectuó porque el espíritu de la ciudad repudió las estipulaciones («non se podieron sofrir sus corazones un'ora», como dice el texto). Por consiguiente, la versión de Pérez de Hita, que nosotros hemos estudiado, ha recogido la realidad del sentimiento popular granadino en aquella época, mientras que la otra versión, menos poética, en que el vasallaje es aceptado por Granada, corresponde a un momento efímero, históricamente atestiguado, en las relaciones diplomáticas entre el rey don Juan y Granada. El país, el «país real» está detrás de la primera. Tenemos que concluir que la versión más poética es también la más verdadera desde el punto de vista histórico —no hay escisión entre poesía e historia, el velo del arte más bello recubre la más honda verdad—. Ese resultado no es raro: las más hondas aspiraciones del pueblo francés hacia la unidad nacional están cristalizadas en la *doulce France* de la *Chanson de Roland,* es decir, en la poesía, muchos siglos antes de la realización política de esa unidad —¿por qué la poesía popular andaluza del siglo xv no habría podido corregir los extravíos de una política opuesta a su sentimiento?—. Vemos ahora que estábamos justificados en dejar de un lado los llamados hechos históricos antes de habernos dado cuenta de la esencia poética de nuestro romance. Para estudiar la elaboración de la historia habríamos debido estudiar desde el principio, y a la vez, dos versiones de nivel artístico desigual; de empezar así, no habríamos podido atacar enérgicamente la apercepción artística de la versión más perfecta y nuestra mirada habría sido distraída; la apercepción artística es como la unión mística: el místico no puede unirse con dos seres a la vez. Había que tratar de abarcar primero sólo *un* fenómeno artístico, y, en caso de duda, el fenómeno más perfecto. ¿Diremos con Menéndez Pidal que la primera versión debe ser obra de un musulmán y fue cantada primeramente en árabe o en lengua castellana por un moro latinizado? La teoría de Pidal sería equivalente a decir que un poeta español cristiano no hubiera podido identificarse con la causa de los moros; que un verdadero poeta cristiano, en esta España medieval que ha absorbido tantas influencias mahometanas y en la cual la idea de la monarquía católica no había todavía cundido como bajo los Reyes Católicos, Carlos V y Felipe II, no habría podido despreocupadamente escribir desde el punto de vista musulmán; no habría podido ponerse, después de acabada la Reconquista, poéticamente en el lugar de los musulmanes que estaban por perder la ciudad-milagro que ellos mismos habían edificado. Los historiadores profesionales —y Menéndez Pidal es sustancialmente uno de los más grandes historiadores— se inclinan fácilmente a admitir parcialidad de parte de los poetas, mientras que la grande poesía es en sí un acto de conocimiento imparcial. Napoleón y sus sentimientos han sido glorificados por poetas cultos y populares alemanes, es decir por poetas de la nación que fue vencida por Napoleón. Y la balada popular francesa del siglo XVIII, *Malbrough s'en va-t-en guerre* no es de ningún modo una poesía escrita por un inglés. La creación del género de los romances fronterizos es un acto de justicia histórica y poética. La poesía popular, más aún que la poesía culta, ve los acontecimientos históricos con ojo desapasionado, como peripecias o vicisitudes de la vida humana en general. Por eso puede desdoblar una victoria en dos cuadros dialécticamente opuestos: el del triunfo y el de la derrota posible. Visto en el collar del romancero, uno de los romances nos da no sólo el espíritu de partido promusulmán exultante en un momento histó-

rico, sino la idea de la autarquía posible de una civilización sarra-
ceno-cristiana perfecta que se traduce en la metáfora oriental de
Granada la bien casada; el otro romance nos da no sólo el punto
de vista procristiano, sino la idea de la conquista por la fuerza,
matizada de compasión. Si en un romance la decisión de seguir
siendo mora se realiza a través de la cortesía de las conversaciones, en el otro la cortesía es acallada por el estruendo de los caño-
nes. Fuerza en la gracia allá, la fuerza luchando contra la gracia
aquí. Dos motivos humanos, ontológicamente distintos. Y en los
dos casos la fatalidad histórica se revela inevitable: Granada se
libra del moro merced a su dialéctica evasiva, Granada cae en las
manos de los cristianos a pesar de su fuerza graciosa. Cada romance inmortaliza una situación ontológica, y el conjunto de todos
los romances da una totalidad humana, una Ilíada.

El nuestro no es el único ejemplo en que una misma situación
ha sido elaborada según ideas distintas: el caso más famoso es
el romance del *Conde Arnaldos* que existe en dos versiones: una
más corta, la continental, en que el conde, que va a la caza, oye
el canto del marinero de una galera, canto que, como el de Orfeo,
tranquiliza la naturaleza y los animales, y la poesía termina así:
«Allí fabló el conde Arnaldos, bien oiréis lo que dirá: / —Por
Dios te ruego, marinero, dígasme ora ese cantar. / Respondióle el
marinero, tal respuesta le fue a dar: / —Yo no digo esta canción
sino a quien conmigo va». En la otra versión, más larga, que fue
desenterrada por Menéndez Pidal entre los judíos de Tánger, el
conde, «muchacho y para casar», se embarca con el sonido de la
canción cuyo texto nos revela esta versión, y muy pronto: «alzan
velas, caen remos, comienzan a navegar; / con el ruido del agua
el sueño le venció ya». El sueño parece volverlo a la cautividad y,
en el último momento, su rescate es efectuado como en un sueño.
El tema ontológico de uno de los romances del *Conde Arnaldos*
—tema que ha inspirado la imitación de Longfellow— es, como
parece indicar el aforismo del marinero con que termina («Yo no
digo esta canción sino a quien conmigo va», las relaciones entre
la poesía y la vida, el encanto sobrenatural de la poesía que el
mar inspiraba. El tema ontológico de la otra versión es, no la
canción inspirada por el mar, sino el mar mismo con sus encantos

y ensueños arrulladores (uno de los cuales es la canción del marinero), el sueño de la vida marítima, el juego del azar y de las olas; no la relación entre *vida y poesía,* sino la relación entre *vida y sueño.* Dos relatos legendarios que tratan de misterios que rodean y arrullan la vida humana; dos temas ontológicos que tratará más ampliamente y más tarde la poesía barroca. Ahora Menéndez Pidal ha probado que la primera versión debe su creación a un corte, a un truncamiento de la segunda, a la sustitución de la «canción no dicha» por la «canción expresada». Pero de nuevo es el caso de valorar las técnicas y las ideas artísticas distintas, encarnadas, según un criterio ontológico inmanente, en cada una de las dos poesías.

Y ahora ha llegado el momento de preguntarnos: ¿cuál es la esencia de un romance español? Ustedes habrán notado que, cuando interpretaba nuestro ejemplo, yo usaba los términos siguientes: dramático, épico, lírico, epigramático, histórico, todos juntos, sin el menor miedo a que se contradijesen. Y ¡en verdad que el romance es todo eso a la vez! El romance español es, según una definición sobrecargada que no dejará de ser un verdadero *tour de force* porque el fenómeno mismo es un *tour de force,* «una composición épica que evoca el conjunto de la epopeya, que aísla en un momento de la historia nacional un aspecto ontológico del hombre en general, y que presenta en concentración epigramática, con la ilusión de una vida abreviada, con supresión del lirismo interior de los protagonistas, lo dramático inherente en la objetiva fatalidad, creada por el destino o el hombre mismo, de la historia». Es una escena relatada que sugiere una Ilíada, que tiene el empuje dramático de un Esquilo, y que es concebida con la claridad intelectual de un Marcial; representa un género mixto y tardío que pudo nacer, no en los orígenes de la poesía española, sino sólo en el período transitorio en que termina la Edad Media y que precede al Renacimiento.

Ahora, para entender lo que significa nuestra definición, contrastemos con ellas las teorías de los eruditos acerca del género del romance. Menéndez Pidal, el historiador del género, lo explica genéticamente así: ya que la mayoría de los romances más viejos que aparecen desde el siglo XIV tratan los mismos asuntos que los poemas épicos anteriores de dos siglos, los cantares de gesta, como por ejemplo la leyenda del Cid, de los Siete Infantes de Lara, de Fernán González, de Bernardo del Carpio, de Carlomagno, etc., Pidal cree que los romances surgieron en el tiempo de la decadencia de la poesía heroico-épica, causada por la desorganización en los siglos XIV y XV de la nobleza para quien se escribían los cantares de gesta y en cuyos solares solía ser recitada; cuando juglares, dispuestos a cumplir con los deseos de un público más extenso y más democrático, se aplicaron a renovar la envejecida epopeya, sacando fragmentos de ella que ya se habían fijado en la memoria de este público nacional:

> Los oyentes de una larga recitación épica se encariñaban con algún episodio más feliz, haciéndolo repetir a fuerza de aplausos, y luego que el juglar acababa su largo canto, se dispersaban llevando en su memoria aquellos versos repetidos, que luego ellos propagaban por todas partes. Pues bien, esos breves fragmentos, desgajados de un antiguo cantar de gesta y hechos así famosos y populares, son, ni más ni menos, los romances más viejos que existen.

Así, un romance sería en su origen como una tirada asonantada de un cantar de gesta y el verso de dieciséis sílabas del romance (que imprimimos hoy generalmente como dos versos de a ocho) no sería otra cosa que el verso del cantar de gesta regularizado. En un episodio desgajado del tronco de la epopeya, dice Menéndez Pidal, «no se trata para nada de explicar los antecedentes de la acción, ni de indicar su desenlace; la situación es todo; son pues tan sólo parte de una escena, cuyo conjunto se suponía recordado por los primeros recitadores y oyentes». Así Menéndez Pidal explicó la génesis del romance del cerco de Zamora en el cual un zamorano avisa lealmente al rey sitiador de la ciudad, don Sancho, la traición que estaba preparando Vellido Dolfos, instigado por la hermana del rey, la infanta doña Urraca (conspiración que resultó en el asesinato del rey); Menéndez Pidal reconstruyó la génesis de este romance, probando su concordancia textual con una antigua epopeya cuyo texto nos es conservado sólo en una obra histórica, la *Primera crónica general*. Con el mismo método, Menéndez Pidal pudo reconstruir, a base de un fragmento de un viejo cantar español y de varios romances como el del rey Marsín y el de doña Alda, una epopeya antigua castellana paralela en asunto y extensión a la *Chanson de Roland* francesa. Los juglares que habían tenido éxito con la fragmentación de antiguos cantares en romances habrían, según Pidal, ensanchado la esfera de los asuntos, incluyendo otros temas que pudiesen agradar al público ya no aristocrático de los siglos xiv y xv, por ejemplo la aventura novelesca de que tenemos ejemplo en el conde Arnaldos, y también las hazañas contemporáneas como el episodio de don Juan ante Granada, o los romances del ciclo de Pedro el Cruel que se basan en la historia contemporánea del siglo xiv y para los cuales ya no hay modelo épico anterior. Así para Pidal los romances antiguos son la parte más interesante por ser la más vieja del Romancero, la cual se nos presenta, dice, «así como las ruinas de un gran foro [romano], donde una columna rota, un zócalo o un torso, representan un palacio, un templo desaparecido o una estatua destruida. Esos fragmentos nos llegan a parecer ... obras artísticas completas; pero no lo son, y nada pierden por no serlo, pues muchas veces lo mismo que les falta añade encanto a lo que conservan». O, como un romanista alemán, Heinrich Morf, formuló la tesis de Menéndez Pidal, la poesía de los romances españoles es un «campo de ruinas épicas» (*ein episches Trümmerfeld*).

Ustedes ven que Menéndez Pidal, como historiador, no puede ver en los romances nada más que un género derivado del épico, que tiene gracia, sí, pero no una gracia propia, sino más bien adicional o adventicia, y un género debido al acaso, a una selección por el público anónimo ratificada por los juglares. Contra esta actitud negativa protestó otro profesor alemán, Karl Vossler, en su carta española a Hofmannsthal:

Nueva hermosura no se suele originar de la mera ruina de vieja hermosura; el estilo del romance es algo nuevo en comparación del cantar de gesta ... Lo oscuro, brusco y caprichoso, el carácter a saltos que aparece particularmente en el principio y el fin de ciertos romances, no viene de ser fragmentos de entidades épicas o leyendas, sino de su querer aparecer como tales, de su intención de hacer la impresión de tales. Para decirlo sin rodeos: se trata de ruinas artificiales, no de edificios desmoronados que

se podrían restaurar ... No se le ocurriría a nadie reconstruir
a base de las heroidas de Ovidio unos poemas épicos en los
cuales podríamos ensartarlas como fragmentos despedazados. La
poesía de los romances es una especie de poesía de las heroidas ..., por eso incluso un género más literario de lo que común-
mente se cree.

Antes de Vossler ya Hegel había insistido en el carácter intelectual de los romances, cada uno de los cuales tiene su centro en
una sola idea.

Estoy por completo de acuerdo con Vossler cuando pondera el
estilo *nuevo* de los romances. Su brevedad, su concentración de
una situación e idea deben ser apreciadas como un carácter positivo de esta poesía. Vossler no lo dice expresamente, pero la
consecuencia lógica de sus palabras es que la teoría naturalista y
sociológica de Menéndez Pidal no es suficiente ni para la descripción ni para la explicación del origen de los romances: no pudo
el público llegar a la creación de una forma técnica tan sutil por
selección automática y anónima de trozos de la epopeya, no pudo
el juglar crear un género nuevo sólo por adaptación al gusto novelesco de su público. Ya que Pidal mismo insiste en la contemporaneidad de los romances históricos más antiguos, los del ciclo de
Pedro el Cruel, una teoría basada sobre la fragmentación de epopeyas anteriores no puede mantenerse, al menos para este ciclo. El
autor del romance del cerco de Baeza fue un revolucionario político y artístico que convirtió inmediatamente en arte datos de la
historia contemporánea, tan presentes para él como para su audi-
torio, que puede emplear el demostrativo cuando llama al rey «ese
traidor, el traidor de Pero Gil», el traidor que todos conocemos.
Este romance ciertamente no es un escombro. Es una nueva voluntad artística consciente de parte de intelectuales cuyos nombres no
conocemos, voluntad que se manifestó en un estilo nuevo, la que
debe de haber presidido la creación del género. Hemos visto
comprobada esta nueva actitud poética en los truncamientos que
dieron enfoque nuevo, alma nueva a organismos poéticos ya cons-
tituidos; el truncamiento no es acto negativo, es acto creador que
da un sentido misterioso a una agregación material, como la muer-

te es creadora de distintas vidas humanas cuando trunca una vida
de héroe en la época de Alejandro Magno o de César. Concluire-
mos, pues, que Américo Castro tiene razón cuando escribe, mani-
fiestamente dirigiéndose contra su maestro Pidal: «Los viejos poemas [épicos] no se desmoronan por sí mismos; lo que ocurre es
que se desplaza el polo de la sensibilidad poética y humana». La
crítica literaria positivista erró cuando, hipnotizada por la igualdad de los asuntos tratados en la epopeya y en parte del romancero, cerró los ojos a la diferencia radical entre los dos géneros que
distan tanto el uno del otro como las variaciones de Brahms sobre
un tema de Haydn distan de Haydn.

Pues bien, ¿en qué consiste el desplazamiento de enfoque que
se refleja en un estilo nuevo? Vossler cree que sea la inmediatez
ilusionista: un romance sería como una voz del poeta, de narrador que hubiera querido asistir a esta escena, o, considerándolo del
otro lado, sería como si el rey y el moro hubieran querido pro-
longar y extender su voz hacia nosotros. No creo en la definición
del estilo de los romances sólo como un estilo inmediato de ilusio-
nismo; no hay ruinas artificiales porque no hay pretensión de hacernos creer que haya ruinas antiguas —a la manera de los arquitectos neogóticos del siglo XIX y XX que quieren hacernos creer que
el gótico de un colegio moderno americano es el gótico de Ox-
ford—. No hay tal falso arcaísmo en los romances porque lo ar-
caico que contienen es simplemente lo humano eterno que nunca
cesa de ser moderno. Y no creo tampoco en el análisis vossleriano
del imperfecto que para mí se explica desde el imperfecto de cortesía. La extensión de ese tiempo en el discurso directo subordina
el diálogo a lo sobrepersonal de una etiqueta cortés, como ya dijimos. Además, hay que fijarse en el hecho de que el imperfecto
predomina también en la narración: *bien oiréis lo que decía* (dos
veces en la narración del poeta y también en la de los protagonistas: *el día que tú naciste, grandes señales había*, no *hubo*).
¿Por qué ha sido usado un tiempo tan poco dramático, tan poco
inmediato, más bien descriptivo y pictórico como el imperfecto?
¿No es esto un síntoma de que lo pictórico alterna con lo dramático, que hay por lo menos *dos* corrientes contrarias que se com-
baten: la dramática inmediatez y la pictórica mediatez? Además,

si pensamos en la frecuencia del asonante -*i-a* en los romances, reconoceremos un esquema preestablecido en el cual se encuadra el tema particular; lo contrario de un estilo inmediato. ¿Cuál es, en efecto, el valor estilístico de la tirada asonantada monorrima del romance? ¿No es el de una tensión continua, de un martilleo monótono que nos hace esperar con ansia un aflojamiento, una relajación, y que, en efecto, en la mayoría de los romances termina en una explosión epigramática o un efecto final como un estallido? La monotonía de la rítmica del romance y su explosión final son en verdad solidarias e interdependientes. Por habernos reducido los asonantes a un vértigo poético, es por lo que el estallido de cohete debe despertar nuestras facultades intelectuales al fin, o, para decirlo de otra manera, la idea intelectual que aparece en el fin brota del embotamiento anterior de nuestros sentidos. La relativización de los tiempos (del imperfecto pero también del pluscuamperfecto en *respondiera el moro*) sirve para producir el mismo efecto que la monotonía de los asonantes: se paraliza así el sentimiento del tiempo real en el oyente y simultáneamente se siente subyugado por un formalismo inherente al género (nótense las fórmulas épicas: *moro de la morería, niño y muchacho*; los paralelismos: *la otra — los otros — el otro; casada soy, rey don Juan, casada soy; el moro que los labraba — y el día que no labra*), formalismo que erige una arquitectura propia por encima del relato. Junto a lo brusco y a lo repentino, que dan realce dramático a los sucesos, hay elementos en el romance que introducen entre la materia bruta y los oyentes una mediación de índole artística. Y, lo más importante según mi opinión, hay en el poeta como una conciencia de la importancia que tiene *el tiempo* en la poesía y de las posibilidades artísticas de que el poeta puede aprovecharse cuando construye su composición en vista de él; claro, ahora no hablo ya del tiempo gramatical (*tense*), sino del tiempo (*time*) que dura una poesía. En el lapso de tiempo más breve posible el romance debe desarrollar sus efectos, hipnotizarnos y despertarnos, trasportarnos a un clima histórico y producir una impresión supratemporal, darnos un todo y dejarnos perplejos ante lo fragmentario de la vida, evocar el drama de la vida y a la vez resolverlo en un contenido intelectual epigramático. El harpa eólica del poeta popular se transforma aquí en un reloj que con su tictac riguroso escande el tiempo, lo cronometra, y la terminación de la unidad de tiempo que es el romance es señalada como por la brusca llamada de un despertador. El tiempo de que el poeta nos hace conscientes es como un elemento que da forma a la materia bruta de los acontecimientos, los tamiza, les quita su inmediatez. Cuando, como hoy todavía ocurre tan frecuentemente (p. ej. en el *Romancero gitano* de García Lorca, o en el romancero de la última guerra civil que se ha publicado), hechos contemporáneos son relatados en forma de romance, el efecto no es el de una *newsreel* cualquiera, porque el «tiempo supratemporal» propio al romance ha sido aplicado a la materia bruta.

Hacer intervenir el tiempo en la arquitectura formal e ideal de una poesía es un procedimiento bastante reciente en la historia literaria de Europa; aunque ya San Agustín, anticipando los descubrimientos modernos de Bergson y William James, haya comparado el decurso del tiempo con la escansión de una poesía, la poesía de la Edad Media no hace del tiempo una fuerza reguladora. Los cantares de gesta tienen tiempo, mucho tiempo; no piensan en ahorrarlo, pues llevan 4.000 versos para agotar su materia; de vez en cuando, especialmente en las obras francesas, repiten la misma escena tres veces con ligeras alteraciones sin sentirse apretados por ningún precepto a lo de *time is money*. La lírica de los trovadores, aunque conozca la unidad de tiempo que son las estrofas, tampoco es construida con atención al tiempo; sus poesías en general no tienen un principio, un medio y un fin acordados entre sí; no hay progresión en sus estrofas monótonas, sino que marca el paso: la dama querida persevera en ser una estatua, sin evolución. El arcipreste de Hita y Villon, por grandes poetas que sean, raramente han logrado una poesía en la cual un devenir interior se encontrara traducido en la progresión en el tiempo de las estrofas de una poesía. Con los sonetos de Dante y de Petrarca es cuando una composición poética refleja microcósmicamente el decurso del tiempo; en verdad, el soneto, con su coraza más estrecha que la del romance y su verso final sintético, a veces de carácter aún más intelectual, es para mí el precursor más evidente del romance español. Es Dante, el descubridor de la *vita nuova*

que hay en cada sentimiento hondo, es decir, de la autonomía del
sentimiento humano, el que simbolizó por primera vez en las literaturas románicas el decurso de una emoción interior, con su principio, su medio y su fin, mediante una unidad de tiempo como es
una poesía lírica: Beatriz camina, saludando a la gente a través
de un soneto y al fin suspira, y la poesía termina con ese suspiro
en que se exhala su alma suave. ¿Por qué el descubrimiento del
tiempo en la poesía tardó en realizarse 1.000 años después de San
Agustín? No lo sé. Quizás el principio reiterado, después de Aris-
tóteles, por Santo Tomás de Aquino: «forma dat esse rei» (la
forma da el ser a la cosa), haya cundido sólo en la cumbre de la
Edad Media; durante la parte «naïve» de la Edad Media no se
había aplicado a los sucesos la forma del tiempo, ya que el tiempo
es una forma dada a la materia bruta de los hechos que se suce-
den. Escribe A. Castro, comparando la prosa del historiador medieval Alfonso X con la del canciller López de Ayala, contemporánea del nacimiento de los romances y de Petrarca: «Para Alfonso X el suceso histórico carece de marco estricto; el observador lo contempla ... como aspecto de un cosmos natural y moral,
presente siempre como totalidad eterna». En contraste, el canciller Ayala ha encontrado el marco en el cual poner los sucesos
que relata «en una prosa no enmadejada y difusa como la medieval, sino clara y evocativa de la persona humana». Castro subraya
más lo humano prehumanístico en Ayala; yo insistiría aquí en el
descubrimiento del marco del tiempo, tan indispensable para el
historiador moderno. Ahora, volviendo a la poesía, no parece un
azar que los italianos, más sensibles a la forma supraindividual y
en esto herederos de la antigüedad, hayan sido los primeros en re-
descubrir la forma del tiempo agustiniana: son ellos los que han
dado a las otras literaturas las más de las formas estróficas usadas
aún hoy. Los cancioneros de Dante y Petrarca dan biografías interiores en trozos sueltos; cada unidad poética refleja el drama de
una cierta emoción concebida como autónoma, pero subyugada a
la forma del tiempo. Los romanceros son, *morfológicamente,* los
sucesores de los cancioneros italianos. Los romances también son
trozos sueltos, autónomos, sometidos al tiempo. Pero hay tres diferencias con los sonetos italianos: 1) la medida de tiempo no es

estandardizada como en el soneto; cada unidad emocional en el romancero tiene su tamaño propio; 2) la inspiración es épica, es decir, los hechos exteriores están en el primer plano y no hacen más que reflejar las emociones interiores que hay que adivinar a través de los diálogos; 3) los romances se inspiran en la visión dramática de la vida; no tratan tanto lo dramático interior de la emoción, sino la dramaticidad de todo acontecer en el cual dos fuerzas luchan y una vence fatalmente. Es la fatalidad y la dramaticidad de la vida lo que informa los romances. Presenciamos, en el lapso de tiempo contenido en sus rápidos versos, el decurso fatal de un acontecer cuya necesidad sentimos aun cuando en cada romance haya necesidad fatal distinta de vez en cuando, una necesidad fatal creada por un protagonista: es tan fatal en una de las versiones del romance de *Abenámar* el que Granada se niegue al moro enamorado como es fatal en la otra que, a pesar de la negativa, Granada sea conquistada por los cristianos; es tan fatal en una de las versiones del romance del *Conde Arnaldos* que el mar ejercite su fascinación, como lo es en la otra que sea la naturaleza la que «encanta» al conde. La fatalidad a veces es traidora: el rey don Sancho, sitiador de Zamora, tiene que morir a manos del traidor Vellido Dolfos —agravios y entuertos, que son enderezados y vengados en el cuento popular, que son despreocupadamente juzgados en los refranes populares, son aceptados en el romance— y el sueño soñado por doña Alda, que su dueña interpreta como presagio de la reunión de los novios, se revela como traidor:

> Otro día de mañana, carta de fuera le traen,
> tintas venían de dentro, de fuera escritas con sangre,
> que su Roldán era muerto en la caza de Roncesvalles

«Otro día de mañana, carta de fuera le traen»: no se sabe el autor ni el porqué de este viraje brutal, debido a una fuerza del destino anónima y crujiente —es así, fatalmente así—; en el lapso de tiempo reducido de treinta versos asistimos al desenlace predestinado. La fatalidad se ha encarnado en la forma del tiempo en el romance. De ahí todas las características formales de este género: la coraza estrecha del verso asonantado, la tiranía gramatical de los

tiempos, las fórmulas homólogas que se corresponden, el paralelismo sintáctico y métrico que es como una armadura, un uniforme
fatal; finalmente, los diálogos que ocupan tanto espacio en los romances, pero que no sirven en primer lugar para una afirmación
del individuo; al contrario, es como si el destino se realizara a
través de ellos, frecuentemente por, y más frecuentemente contra
las palabras humanas: Granada dice que se niega al moro porque
el destino, encarnado esta vez en sentimiento popular, lo quiere
así. Y en la otra versión Granada es conquistada, a pesar de su
negativa, porque otro destino, el de la violencia, lo quiere así.
Y las dos decisiones se realizan en el breve rato otorgado por el
romance. Es por algo por lo que los diálogos obedecen a la estilización que es como una fatalidad impuesta al género. Nótese
que la fatalidad puede también ser risueña, como lo saben todos
ustedes los que canten el romance de la *Misa de Amor*; la hermosura de la dama que entra en la iglesia tiene un efecto sacrílego
«fatal», condensado en estos versos finales: «El abad que dice la
misa, / no la puede decir, non / por decir: amén, amén / decían:
amor, amor».

La visión de la vida que deben haber tenido esos poetas es
la de una vida fraccionada en momentos dramáticos, graciosos o
trágicos, cada uno con su autonomía respectiva, pero todos regidos
por una fatalidad objetiva; lo que han sentido más hondamente
es la relación de la fatalidad con las unidades del tiempo que podemos aislar en la historia. No hay en ningún romance un paralelo
a la serenidad del verbo oratorio y predicante de un poeta-filósofo
contemplador de la historia como Jorge Manrique:

> Recuerde el alma dormida
> abive el seso y despierte,
>   contemplando
> cómo se passa la vida,
> cómo se viene la muerte
>   tan callando
>
> . . . .
>
> Pues si vemos lo presente
> Como en un punto se es ydo
>   y acabado,

> si juzgamos sabiamente,
> daremos lo no venido
> por passado.

Aunque Jorge Manrique tenga conciencia del aspecto filosófico del tiempo y haya construido su poesía de acuerdo con la estética agustiniana, puesto que su poesía tiene un principio, medio y fin como una de Dante o Petrarca, habla del tiempo como de fuera o de por encima de él, lo juzga, lo contempla, considera el presente como ya pasado, ve «lo presente como en un punto se es ydo y acabado»; ahora bien, los romances nos transportan precisamente en ese presente cuando está a punto de irse y acabarse, nos dan el momento fugaz con su ilusión de momentaneidad. La visión dramática de la vida, aunque estilizada, prevalece; la visión contemplativa será excluida del romance. No cabe en el romance un personaje fuera de la acción que juzgue los sucesos: en oposición con los cantares de gesta antiguos y también con las baladas inglesas y escocesas, el juglar nunca se introduce a sí mismo en el romance, deja que los sucesos obren directamente, parecido a un relojero que deja moverse las ruedas del reloj autónomo fabricado por él. Son los romances los que reflejan el verdadero espíritu dramático de la época, no la famosa tragicomedia *La Celestina* que es más bien un *Lesedrama* o una novela dramatizada renacentista, a lo Séneca, en la cual los personajes hacen reflexiones morales sobre sí mismo y sobre la vida, y no interviene el autor-relojero para cortarles la palabra. No encontramos, pues, analogías a los romances populares en la poesía culta española del siglo xv, pero sí las encontramos en las baladas populares de otros países, Francia, Alemania, Inglaterra; en todos estos países los historiadores de las literaturas respectivas han reconocido en la poesía popular —que, como se sabe, brotó en todas partes en rica flora sólo desde el siglo xv— un estado intermedio entre la poesía lírica de la Edad Media, aderezada a clases sociales, y la lírica individualidad moderna que expresa lo más íntimo del individuo: la concepción en la mayoría de los cantos populares del siglo xv es fatalística, el «yo lírico» es el simple «yo» humano general que acepta su puesto en la naturaleza, no juzga la fatalidad, pero le da cuerpo artístico.

Todos los que gustamos de cantar una poesía popular, o una poesía culta que ha sido aceptada por el pueblo, en nuestras respectivas lenguas, ya sea *Old man river,* la *Lorelei,* o aun *Au clair de la lune,* participamos por medio de ella de aquella capa en nuestra alma moderna que ha permanecido popular, de lo que en nosotros aún es «pueblo del siglo XV» y se sabe unido con misteriosas fuerzas intramundanas aceptadas por nosotros. La muerte repentina inmotivada, «porque sí», del novio heroico Roldán que debe aceptar doña Alda en el romance, es la misma que trunca la felicidad de la muchacha anónima en el canto popular francés del siglo XV o XVI, que consiste sólo en un diálogo sobrepujado por la fatalidad:

> «Gentilz gallans de France,
> qui en la guerre allez,
> je vous prie qu'il vous plaise
> mon ami saluer.»
> «Comment le saluroye quand point ne los connais?»
> «Il est bon a connaître; il est de blanc armé.
> Il porte la croix blanche, les éperons dorés
> Et au bout de sa lance un fer d'argent doré.»
> «Ne pleurez plus, la belle,
> car il est trépassé,
> Il est mort en Bretagne,
> les Bretons l'ont tué.
> J'ai vu faire sa fosse l'orée d'un vert pré
> Et vu chanter sa messe
> a quatre cordeliers.»

Y en todos los cantos populares históricos de los siglos venideros la vida de los grandes héroes se desarrollará según las leyes fatales del universo: el gran general duque de Marlborough también morirá al sonido de alegres e impersonales músicas militares, y la noticia de su muerte llegará a la duquesa del Rococó, estilizada a lo medieval en su torre, con la misma brutalidad que a doña Alda:

> Mironton mironton mirontaine!
> Quittez vos habits roses et vos satins brodés,
> Monsieur d'Malbrough est mort, est mort et enterré.
> Mironton mironton mirontaine!

Y en la balada alemana *Prinz Eugen,* a la cual Loewe puso música, el príncipe conquistador de Belgrado desaparece detrás de la figura del que cuenta la conquista a la vivandera —en un nivelamiento de los hados, querido por una fuerza intramundana—.

Ahora bien, la dramaticidad fatal de los momentos fraccionados de la vida es el principio unificador, el hilo en que se ensartan las perlas del collar del Romancero. El fraccionamiento y fragmentarismo es un rasgo tan esencial como en la totalidad de la vida que abarca el Romancero. La vida del Cid del poema era rica en peripecias dramáticas, pero no era considerada desde el punto de vista de unidades de tiempo; por consiguiente una tirada del poema no es equivalente a un romance y no hay tampoco en el poema la subyugación del héroe por la fatalidad sobrepersonal; al contrario, el poema del Cid es la glorificación del héroe; por consiguiente no hay el sometimiento del relato a la construcción sobrepersonal de una forma rígida. Es el estallido o epigrama final de los romances los que incluso nos hace sentir la diferencia sustancial con la tirada épica que carece de ese efecto final: si la tirada épica es como una letanía (y hay sabios que la derivan de la letanía litúrgica), el romance es una letanía más un epigrama —lo que equivale a decir que *no* es letanía—. Pero el romance conserva lo bastante de la libertad formal de la vieja epopeya para adaptar la forma individual de cada poesía al organismo particular que constituye: un romance será más extenso o más breve según su constitución orgánica; el extremo de coacción ejercido por el soneto, forma supraindividual, cincelada una vez para siempre, no puede encontrarse en un género en el cual cada unidad artística afirma su independencia con respecto al conjunto. Las concepciones de la fatalidad de la vida fraccionada, de la fatalidad distinta en cada poesía, y del rigor formal-fatal, sitúa los romances en el alba del Renacimiento: no hay ya el candor de la fe religiosa de la Edad Media que lo abarcaba todo, que trata el tiempo como si no existiera y que ve en la forma temporal algo de poca cuantía —el fatalismo de los romances es algo distinto de la creencia firme en una sola providencia divina—; otras fuerzas, que se han emancipado de la tutela de la divinidad, pueden ahora dominar al hombre —p. ej., la naturaleza, el amor, la poesía, la

nación, o un destino inanalizado—; el hombre no es ya sólo el
héroe ejemplar que fabrica su suerte. Granada puede declinar
las requerencias de un rey poderoso. Y aun cuando el rey tome
Granada, hay algo fatal, irreversible en esa toma; una fatalidad
intramundana encarnada en el conquistador brutal, no ya alguna
fuerza moral dirigida por la divinidad. Cada romance es un momento fatal y su fatalidad queda inmanente en él. Hay, para decirlo así, una divinidad particular para cada romance —estamos
en las vísperas del panteísmo renacentista—; es este panteísmo
el que se populariza en los cantos populares de todos los pueblos
modernos. Porque se han multiplicado las fuerzas activas en el
mundo, pululan los organismos poéticos microcósmicos que encuentran su regla artística en sí mismos. Ahora podemos explicarnos por qué los romances, tan propensos al epigrama, pudieran desarrollarse al mismo tiempo que los aforismos tan favore-
cidos por los pensadores del Renacimiento, cuando las *sumas* medievales ya eran abandonadas en favor de reducciones microcós-
micas que podían reflejar el macrocosmo de un pensamiento. Los
romances tienen algo de epigramático y de fraccionado también
porque se inspiran en la conciencia de que la forma más pequeña
refleja la arquitectura total. Pero, en los romances, la vida del
hombre se fracciona en momentos todavía ejemplares; claro, fal-
tará lo trágico de la vida de todos los días como en Flaubert y
Maeterlinck, pero estos cuadros momentáneos ya tienen algo de
la fotografía instantánea, de la variación, de lo impresionable, del
capricho imprevisible y de la tensión nerviosa del hombre moderno. Por eso el romance pudo sobrevivir en la poesía barroca
del Siglo de Oro, que suele expresar polaridades vitales; reflorecer
en los romances artísticos de Góngora y Quevedo; sonar en las
tablas de la comedia del Siglo de Oro como un himno nacional
que recuerda a los oyentes la totalidad de lo español, y revivir
en agregaciones modernas en los romances gitanos de García Lorca. Los romances son la más pura expresión del carácter poético
español, con su lirismo represado por el afán intelectual del poeta,
con su visión trágica y su ilusión de vida, con su abarcar del
momento para trascenderlo, con su imposición de la forma (de la
forma del tiempo) al flujo de los sucesos y de la palabra humana.

Coger el momento en un *momento musical* (para decirlo con una reminiscencia de Schubert no inapropiada, ya que el romance se canta), y a la vez evocar la música del universo, es lo nuevo y lo moderno en esta Ilíada española sin Homero. El romancero no es sólo un collar de perlas, sino una colección de conchas marinas, innumerables como la arena de la playa, variadísimas en color y tamaño, cada una de las cuales permite oír, en el rato que las aplicamos a nuestros oídos, la música del mar del mundo.

6. PERÍODO PREVIO FOLKLÓRICO DEL ROMANCE DEL «CONDE ARNALDOS» *

Menéndez Pidal ha reconstruido ingeniosamente (primero en un breve pasaje del artículo «Poesía popular y romancero», *RFE*, VI, 1919, p. 281; más explícitamente en el artículo «Poesía popular y poesía tradicional en la literatura española» que se halla en el volumen *Los romances de América*, Buenos Aires-México, 1939) el romance español original del *Conde Arnaldos* subyacente en la llamada versión corta que despertó el entusiasmo de tantos críticos y poetas. Según Menéndez Pidal la versión breve —que podemos llamar *a*— tal como se halla en el *Cancionero de romances*, Amberes, 1545:

¡Quién hubiese tal ventura sobre las aguas del mar
como hubo el Conde Arnaldos la mañana de San Juan!
Con un falcón en la mano la caza iba a cazar;
vió llegar una galera que a tierra quiere llegar:
las velas traía de seda, la ejarcia de un cendal;
marinero que la manda diciendo viene un cantar
que la mar facía en calma, los vientos hace amainar,
los peces que andan nel hondo, arriba los hace andar,
las aves que andan volando nel mastil las faz posar.
Allí fabló el Conde Arnaldos, bien oiréis lo que dirá:

* Artículo publicado con el título «The folkloristic pre-stage of the romance *Conde Arnaldos*», en *HR*, XXIII (1955), pp. 173-187, y «Addenda», en *HR*, XXIV (1956), pp. 64-66; reimpreso en *Romanische Literaturstudien, 1936-1956*, pp. 717-731, con una breve adición no incluida en la versión castellana (de F. Weber de Kurlat), *Sobre antigua poesía española*, pp. 87-103.

—Por Dios te ruego, marinero, dígasme ora ese cantar.
Respondióle el marinero, tal respuesta le fue a dar:
—Yo no digo esta canción sino a quien conmigo va.

debe completarse con dos fuentes más alejadas, una el pliego
suelto del siglo XVI —versión *b*— en la que se llama a Arnaldos
no *conde,* sino *infante* y en la que se reproduce textualmente el
canto del marinero:

Allí habló el infante Arnaldos bien oiréis lo que dirá:
—Por tu vida, el marinero, vuelve y repite el cantar.
—Quien mi cantar quiere oír en mi galera ha de entrar,

la otra, las versiones judías halladas por Menéndez Pidal en Marruecos —versión *c*— que continúan más allá del estadio *b*:

Tiró la barca el navío y el infante fue a embarcar;
alzan velas, caen remos, comienzan a navegar;
con el ruido del agua el sueño le venció ya.
Pónenle los marineros los hierros de cautivar;
a los golpes del martillo el infante fue a acordar.
—Por tu vida, el buen marinero, no me quieras hacer mal:
hijo soy del rey de Francia, nieto del de Portugal,
siete años había, siete, que fui perdido en la mar.
—Allí habló el marinero: Si tú me dices verdad,
tú eres nuestro infante Arnaldos y a ti andamos a buscar.
Alzó velas el navío y se van a su ciudad.
Torneos y más torneos, que el conde pareció ya.

Si juntamos estas tres partes diferentes, nos dice Menéndez Pidal, reconoceremos la unidad original del poema, aunque, en su
opinión, éste es decididamente inferior en belleza artística a la
versión *a:* el texto del canto del marinero preservado en *b* y *c*
alude a los peligros del mar, a las tormentas en el Mediterráneo y a los raptos por piratas de los que Arnaldos sería víctima,
y la alusión del primer verso, inexplicada en *a, «ventura sobre
las aguas del mar»,* se aclara en la narración completa, y la particular *ventura del infante Arnaldos* (al que sólo al final de *c* se
le permite aparecer ante nosotros como *conde Arnaldos*) viene a

consistir en «la extraña ventura de hallar, dentro de la galera raptora, a sus propios familiares que lo andaban buscando por el mar» (con la extraña coincidencia que la galera de los cautivadores es idéntica a la de los rescatadores). Pero, mientras el poema más largo ofrece una historia coherente, acabada, de la cual la versión más breve es sólo un fragmento, la misma fragmentación o truncamiento del poema completo después de las palabras del marino: «*Yo no digo esta canción / sino a quien conmigo va*»; truncamiento que, según Menéndez Pidal, debió de ser la obra de un anónimo «poeta» que por derecho propio dio al romance un nuevo valor poético de misterioso sortilegio: sólo esta versión breve merece el título de Longfellow «The secret of the sea».

Si bien estoy convencido de la exactitud, en general, de la reconstrucción que hace Menéndez Pidal del poema original (con excepción de su aceptación de un pasaje que parecerá controvertible), me siento menos inclinado a pensar que su comparación de las versiones *a* y *c* es enteramente justa con respecto a *c*, como lo señalé años ha en la *RFE*, XXII (1935), p. 158. En este ensayo discutiré la posibilidad de ir más allá de la reconstrucción de Menéndez Pidal basada en textos existentes (canciones, pliegos sueltos, versiones marroquíes modernas) y de encontrar en el romance una estructura anterior a todas las versiones existentes. Para esta nueva reconstrucción usaré: 1) evidencia deducida de la propia reconstrucción de Menéndez Pidal o de una revaluación del poema reconstruido; 2) evidencia originada en muestras vernáculas de la balada europea; y 3) evidencia derivada del nombre del protagonista *infante* (*conde*) *Arnaldos,* habiéndome sugerido los puntos 2 y 3 la reciente publicación de una concienzuda monografía del erudito finlandés Ivar Kemppinen (Helsinki, 1954), acerca de la vieja balada conservada en muchos países «La señora Isabel y el falso caballero».

Por lo que toca al punto 1 debo confesar que el análisis bosquejado por Menéndez Pidal de la versión original *c* no me parece destacar suficientemente el carácter básico del poema. Su definición de *c* como «un sencillo romance de aventuras y reconocimientos, hermoso sí, pero que nada tiene de extraordinario», no llega a reconocer su relación con lo demoníaco o sobrenatural en la naturaleza, el aspecto folklórico o de *Märchen*. Además, Menéndez Pidal cree, como hemos visto, que la extraordinaria *aventura* de Arnaldos era encontrarse a bordo de una galera que era al mismo tiempo la de sus raptores y la de sus rescatadores. En mi opinión la galera en que fue raptado no es la misma que lo rescató. La primera escena —versión *a*— nos muestra a Arnaldos abandonando la caza a la que estaba entregado, y atraído a la galera por el mágico canto del marinero; allí se queda dormido bajo la mágica influencia del mar mecedor, tras lo cual es encadenado por la tripulación. Este último detalle no puede atribuirse a la tripulación del barco de rescate —¿se comportarían acaso como piratas?—. En segundo lugar, ¿qué decir de la alusión de Arnaldos, al despertarse, a los siete años en que estuvo «perdido en el mar»? ¡Cuando se inicia nuestro poema lo encontramos cazando en tierra firme! Debe de ser, entonces, que el Arnaldos al que vemos caer en un sueño profundo en el navío pirata, se despierta luego de siete años de encantamiento en el navío de sus salvadores; el *pathos* del romance consiste en ese deslizarse de un verso a otro, sobre un largo período de tiempo: el tiempo ha quedado abolido mientras dura el encantamiento.

> Pónenle los marineros los hierros de cautivar;
> [ahora una pausa de siete años]
> a los golpes del martillo el infante fue a acordar.

El *buen marinero* [1] al que dirige la palabra Arnaldos al despertar no es el «mal» marinero que lo atrajo al navío, sino uno del grupo de rescate, y la especial habilidad del poeta nos retrata al joven Arnaldos al despertar, justamente en el momento en que está a punto de ser salvado y, todavía semiinconsciente, aun sin llegar a diferenciar entre los dos «profesionales del mar»,

---

1. El epíteto *bueno* está usado aquí en dos sentidos: al mismo tiempo como término corriente al dirigirse en forma propiciatoria a un desconocido (como en muchas otras lenguas, cf. la balada alemana «Gut Reuter» citada en el texto y también en fórmulas propiciatorias de la lengua corriente tales como esp. *¿adónde bueno?*, al. *was machen Sie Schönen* [*Gutes*]?, etcétera) y como término verdaderamente descriptivo, que merece el segundo marinero en oposición al primero.

el marinero que le hizo daño (de lo que se da cuenta poco después) y el buen marino (al que ruega que no le haga más daño). Si mi nueva interpretación (que no había llegado a encontrar en 1935) es correcta, el romance original nos muestra dos cuadros: Arnaldos cautivado por el tentador demoníaco (el primer marinero) y su liberación (por el marinero enviado para su rescate por la familia); en otras palabras, el triunfo final de relaciones humanas normales (prueba de ello el casamiento al final) sobre las fuerzas sobrenaturales del mal. Corroboración a mi teoría ofrece la versión judía de Tánger (desenterrada por Menéndez Pidal en su «Catálogo», *CuEsp*, V, 1907, p. 198), la que, después del detalle del despertar de Arnaldos por los martillazos, tiene los siguientes versos:

> —¿Quién es ése, cuál es ése —que a mí quiere cautivar,
> siendo yo el conde Fernando— muchacho y para casar?

(para este detalle ver más adelante mi observación sobre *mañana de San Juan*).

> Otro día de mañana —su resgate fue a llegar,
> llegar vio siete navíos — todos en su busquedad.

Fue esta la versión que impulsó a Menéndez Pidal en 1916 a escribir acerca de una «interrupción» de la captura de Arnaldos por el anuncio de su rescate.[2] Para mí esta variante es una indi-

---

2. En la primera publicación de esta variante en su «Catálogo» de *CuEsp* declaró «un postizo extraño» a los dos últimos versos. Puede ser que tenga razón, ya que en esta versión publicada por Bénichou (*RFH*, VI, 1945, p. 268), al ruido de las cadenas el infante se despierta y pregunta: «Quién es ése o cuál es ése ...?», y es el marinero del barco que va en su búsqueda quien revela que ha estado buscando a Arnaldos por el mar durante siete años («siete años hazían, siete, que por ti ando por la mar»). Nuevamente no comprendo cómo Bénichou, siguiendo aquí a Menéndez Pidal, puede hablar de «el rapto del héroe y su reconocimiento final por los mismos marineros raptores, que precisamente lo iban buscando como hijo de su rey», versión que comienza con una escena en tierra en la que el infante desde su castillo mira el mar (que traerá a los piratas). Ambas derivaciones secundarias del original (los rescatadores aparecen al día siguiente, los rescatadores hablan de los siete años de búsqueda) pueden deberse al hecho de

cación de que no hay identidad, en el romance original, entre el barco pirata y el de los que le rescatan.

El pasaje que, en oposición con Menéndez Pidal, yo excluiría del prototipo de nuestro romance, a pesar de figurar en las variantes del pliego suelto y las judías, es el texto del canto del primer marinero. ¿Por qué el marino que intenta atraer al infante a su navío le advierte de los peligros del mar? Este detalle no sólo se opone al carácter del tentador demoníaco, sino que también resulta superfluo para la economía de la tentación misma: ¿Cantaría el seductor un canto (de advertencia) y luego diría los versos inmortales. «Yo no digo esta canción / sino a quien conmigo va», en la redacción básicamente idéntica de la versión *c*: «Quien mi cantar quiere oír / en mi galera ha de entrar», sólo cuando se le pide un *da capo* —muy inartístico— («...vuelve *y* repite el cantar!»)? Estos versos sólo pueden presentarse en primer término y solos. La atracción del seductor será más fuerte si no pronuncia palabras inteligibles para el infante y permanece envuelto en el misterio del elemento con el que se identifica: el secreto del mar no tiene, ciertamente, palabras. Además, ¿qué sentido habría en la contestación del marinero: «Yo no digo esta canción / sino a quien conmigo va», si ya ha cantado su canción una vez a un extraño con el que acaba de encontrarse? Aun si el autor de la versión original *c* era, como piensa Menéndez Pidal, un poeta muy inferior al autor de *a*, no pudo haber sido tan chapucero como para contrarrestar los más elementales efectos inherentes a su narración. Así el poeta de *a* que suprimió el resto del poema, debió de haber encontrado en su modelo el significativo epigrama «Yo no digo mi canción...» sin la compañía de la redacción textual de la canción tal como *b* y *c* la presentan.

En mi opinión —y paso ahora a los puntos 2 y 3 de mi demostración— el marinero que con su canto mágico atrae a Ar-

---

que los juglares que recitaban el romance entendían tan poco el detalle del sueño mágico de siete años como algunos de nuestros críticos literarios, detalle disimulado en la redacción original que pasaba sin solución de continuidad del sueño al despertar.

naldos a su barco debe de haber sido originariamente uno de aquellos *Elementargeister* del tipo del tritón (o la sirena), Loreley, los elfos en la balada *Elvershöh* (*Erlkönig*), el genio de las aguas en la balada de Goethe, *Der Fischer*, y, entre las baladas de los Pirineos, la *Infantina* o el *Conde Niño* o la *gentil dona* del romance catalán, que Ezio Levi (en *Motivos hispánicos*, 1933) y yo (en *RFE*, XXIII, 1936, p. 153) hemos analizado, es decir, uno de los seres demoníacos (esta vez de sexo masculino) que viven en la naturaleza y, con su poder sobrehumano contra el cual el hombre debe congregar todas sus fuerzas, lo atraen a la perdición. Nuestro romance tiene ciertos elementos (inclusive el nombre del protagonista) en común con el comienzo de una típica balada acerca de un *Elementargeist*, «La señora Isabel y el falso caballero», el poema estudiado por Kemppinen; esta balada que, aunque tiene representantes en casi todas las literaturas europeas, debe de haberse originado, de acuerdo con el área formada por los ejemplares mejor conservados, en la región del bajo Rhin, encuentra su centro en Alemania y Holanda en torno a un *Zauberkönig Halewyn* o *Heer Halewijn*, en Francia en torno a *Jean Renaud*, en España en torno a *Rico Franco el aragonés*, y su protagonista es un jinete nocturno (a veces un cazador o un marinero) que (a menudo cantando o silbando),[3] atrayendo a la hija de un rey, la aleja de su hogar y la lleva a otras tierras con promesa de matrimonio, pero —y de aquí en adelante la historia se desvía de la del *Conde Arnaldos*— durante la marcha manifiesta su intención de matar a la muchacha, así como ha matado a otras de sus mujeres, al modo de Barba Azul; la muchacha, poseedora de fuerzas suficientes para desafiar al seductor sobrehumano, inventa una manera ingeniosa de matarlo y vuelve, como una segunda Judit, con la cabeza cortada a su casa. Así describe Kemppinen una de las primeras elaboraciones del tema del agente demoníaco de la naturaleza en las baladas (p. 260):

---

3. La equivalencia entre el silbido mágico (tañido) y el canto se encuentra también en romances españoles: cf. *El chuflete* (Menéndez Pidal, *Los romances de América*, p. 72).

El primero de estos temas míticos occidentales de la batalla es quizá *Le roi Renaud,* en el cual el caballero encuentra en el páramo una hueste de elfos que bailan. La hija del rey de los elfos pide al caballero que se sume a la danza bailando con ella. Él rehúsa, diciendo que va al encuentro de su novia (o a sus devociones matinales) porque es el día de sus bodas. La princesa de los elfos dice al caballero que debe elegir entre tomar parte en la danza, contraer una enfermedad que dure siete años o la muerte (cf. las tres elecciones de muerte en la balada del falso caballero); el caballero escoge la muerte y el elfo le toca en la barbilla y los hombros. Dentro de los tres días el caballero, su novia y su madre mueren (otros puntos de comparación entre *Le roi Renaud* y *Halewijn* son: en *Le roi Renaud* los principales personajes son un caballero y la hija del rey de los elfos, en *Halewijn* el falso caballero y la hija del rey; el punto de partida de cada balada es la tentación de un ser humano por un espíritu; en ambas la acción ocurre de noche o al amanecer).[4] Pero, aunque estas dos baladas tienen tan estrechos puntos de contacto, difieren completamente en su principio rector: el caballero de *Le roi Renaud* está totalmente bajo el poder de la princesa de los elfos y de su influencia sobrenatural, en tanto que la hija del rey en la balada del falso caballero es, por contraste, un ser humano de épocas más tardías, que, confiando en su propio discernimiento, domina al espíritu. Es esto lo que me decide a considerar la balada del falso caballero como más moderna.

---

4. Que la atracción del *Elementargeist* está, por así decirlo, más allá del sexo, puede probarse no sólo por el papel vicario de tritones y sirenas en baladas populares, sino también dentro de una sola y única balada: cf. el pasaje en el *Conde Niño* donde el canto del conde oído por la infanta es considerado por ella primero como de una sirena —el raptor es un *hombre* en el romance de *Rico Franco* (siglo XVI) analizado por Kemppinen, páginas 78 ss.—, pero no ha quedado vestigio de su carácter sobrenatural en las versiones que nos han llegado. Como dice Kemppinen (p. 264): «La versión española de *Rico Franco* ... es el resultado de una modificación importante, y la balada original debe de haber sido considerablemente más antigua». El motivo del baile —bien conocido desde *Elvershöh*— es sólo una variante del motivo del canto. En *Mélanges de linguistique offerts à Albert Dauzat,* París, 1951, pp. 307-323, mostré que la danza macabra (francés, *danse Macabré*) es también una variante de la persecución de la Hueste Salvaje (en este caso concebida como una «persecución de Judas Macabeo»).

En vista del paralelismo obvio entre el Falso Caballero, las baladas del *Roi Renaud* y nuestro romance del *Conde Arnaldos* se nos permitirá considerar la forma narrativa original del último como perteneciente a las elaboraciones más recientes del motivo, en las cuales se consideraba posible subyugar las fuerzas naturales: debió de centrarse en torno al hijo de un rey a punto de casarse («muchacho y para casar», en la versión de Tánger), atraído por un demonio marino y sumido en un sueño de siete años (cf. los siete años de enfermedad a los que se alude en *Le roi Renaud*), pero finalmente rescatado, aunque no por su propia fuerza, sí por el irresistible poder de sus parientes más próximos («siete barcos» en una variante). Kemppinen, basándose en tres razones: que las variantes escocesas de la balada del Falso Caballero se cantaban en las celebraciones del Día de Mayo; que en algunas variantes la acción ocurre «al alba de una noche de verano» y que la versión de *Halewijn* se cantaba con la música del *Credo* en la Misa, piensa que el prototipo de la balada refleja fielmente el espíritu medieval, en el cual, por una parte, las creencias populares en espíritus demoníacos paganos todavía permanecían vivas, y, por otra, la fe cristiana había alentado la esperanza de que el hombre podía dominar el antiguo hechizo, y señala los fuegos, originariamente de carácter de sacrificio, que se encienden por toda Europa en primavera o en la época del verano para alejar los malos espíritus. En forma similar, la mención del día de San Juan (24 de junio) en el romance acerca de Arnaldos, «muchacho y para casar» (lo mismo que en la balada del *Conde Niño*) podría sugerirnos que era precisamente el temor de los demonios en la época del apareamiento [5] (que también motiva los fuegos prendidos en ese día) lo que explica la composición de nuestro romance (con su final feliz) que, como en el caso de la balada del Falso Caballero, pudo haber tenido por finalidad el ser cantado como parte de un ritual estacional dedicado a la expulsión de los malos espíritus.

5. Cf. *Meistersinger* de Wagner («Una luciérnaga no encontró a su hembrita, eso es lo que produjo el daño») y un pasaje de Herder citado en el *DWF*, s.v. *Johanniswürmchen*: «La época actual romántica del florecimiento de las habas y de los bichitos de San José».

Ahora bien, el nombre germano-flamenco de *Halewyn* (*Halewijn*) tanto como el nombre francés Renaud, del protagonista de la balada del Falso Caballero en sus versiones más conservadoras, han sugerido al erudito finlandés la comparación con ciertas investigaciones etimológicas recientes de Kemp Malone, Flasdieck y mías acerca de los nombres populares de los miembros de la Hueste Salvaje de Woden: dado, por una parte, francés antiguo *mesnie Hellequin* (*Herlequin, Hernequin*) y latín medieval (siglo XII) *familia Herlechini* (analizado por Malone como *Herle-King* 'Rey Herla', el nombre perifrástico de Woden) y por otra el latín medieval (siglo XII) *milites Herlewini* (según Malone 'amigos de Herla = Woden', *win* = 'amigo'), yo indiqué que la expresión similar neolatina (siglo XII) *filii Hernaudi* (*Arnoldi*) refleja otro nombre de la Hueste Salvaje, derivado por variación de sufijo de la variante del francés antiguo (*mesnie*) *Hernequin*. En mi investigación en torno a esta última familia de palabras encontré en la balada catalana *Comte l'Arnau* (en la que un jinete nocturno, escapado del Infierno, visita a su mujer en la tierra para confesarle sus pecados de antaño) el eslabón que faltaba entre la *familia Herlechini* / *milites Herlewini* por una parte, y por otra parte las numerosas formas *Arnauld, Ernout, Renaud* que se presentan en los dialectos romances o lenguas populares con significados fácilmente derivables, a partir de menciones primitivas tales como 'miembro de la Hueste Salvaje', 'habitante del infierno', 'alma que vaga de un lugar a otro sin hallar paz después de la muerte'.[6] El nombre *Halewyn* en la balada del Falso Caballero debe ser idéntico al de los *milites Herlewini,* los seguidores de Woden, y en forma semejante deben relacionarse *Renaud* con *l'Arnau,* el fantasma del infierno en la balada catalana.

En mi artículo sobre *Arnaud* (en *Mélanges ... offerts à Er-*

---

6. La Hueste Salvaje ha dado a menudo su nombre a pájaros (que surcan el aire, silban o cantan y hacen daño a los seres humanos o a los animales): *seven whistlers* y *snallygaster* (< al. *schnelle Geister*) y a otros animales (*Gabriel's hounds*), nombres a los que me referí en *AS,* XXVII, pp. 237-238 y XXIX, p. 85; cf. también el artículo acerca de *Snolly Goster* de Hans Sperber, *AS,* XXVIII, p. 142.

nest Hoepffner, Estrasburgo, 1949), escribí: «hay que observar que el romance español conocido con el nombre de *El conde Arnaldos* no tiene nada que ver con el romance catalán del *comte l'Arnau*», afirmación de la que hoy debo retractarme en vista de la evidencia arriba presentada. Originalmente, en un estado cronológicamente anterior a todas las versiones existentes, ¿no fue llamado nuestro *Arnaldos* precisamente con ese nombre, porque había llegado a ser de *l'Arnau,* un miembro de la Hueste Salvaje (*familii Hernaudi*), atraído, como lo fue, por otro miembro de la Hueste Salvaje (cuyo lugar tomó el marinero en nuestras versiones existentes del romance)? Ciertamente, «*las huestes de Harlequin* también seducen a la gente con música encantadora, maravillosa» (Kemppinen, p. 246, cf. también p. 23). Si se quisiera objetar que es el marinero demoníaco y no el inofensivo infante quien debiera ostentar el nombre *Arnaldos,* señalaría una analogía en la balada del Falso Caballero; como lo muestra Kemppinen, el epíteto 'rojo', originariamente atributo del diablo o de un demonio, se transfiere ocasionalmente del seductor (*Rotlinger*) al reducido (*Rot Ännchen*); quien una vez ha sido seducido por un mal espíritu de la naturaleza, se vuelve él mismo un *Elementargeist*.

Bajo la sugerente influencia del más grande de los maestros, don Ramón Menéndez Pidal, la atención de todos los críticos se ha fijado hasta ahora exclusivamente en el *desarrollo* del romance del *Conde Arnaldos,* no en su *génesis*. Sólo la versión abreviada *a* atrajo el interés del gran erudito español porque le ofrecía un caso ejemplar para su concepto de poesía tradicional y para el proceso de acortamiento básico en su teoría del desarrollo de romances (cortos) a partir de cantares de gesta (largos). Aquí ciertamente encontró un poeta anónimo de genio, que seleccionando sus materiales de una balada previa supuestamente vulgar, logró distinción artística, que «concibió la *canción no dicha* como mucho mejor que la *canción expresada,* y se le ocurrió valorarla y encarecerla con un encanto sobrenatural». Sin embargo, mi investigación de la balada original derivada del acervo internacional de motivos legendarios ha mostrado que el mérito de no ofrecer textualmente el canto del marinero debe de haber pertenecido ya al prototipo del romance y que la canción expresada es un rasgo secundario. Ciertamente la afirmación epigramática —que indudablemente adquirió una significación nueva por la separación del resto del poema en la versión *c*—: «Yo no digo esta canción / sino a quien conmigo va» (o en la variante judía: «Quien mi cantar quiere oír / en mi galera ha de entrar») es, aunque por diferentes razones, una realización extraordinariamente artística alcanzada por el romance original, ya que por este epigrama la atracción (mágica) y la acción (real) se soldaron milagrosamente. Es el pronombre generalizador *quien* el que transforma una admonición trivial limitada a la situación particular ('si tú quieres escuchar este canto ven conmigo') en una verdad general definidora del misterio del elemento (se pueden comparar los versos enteramente «limitados a una situación determinada» que se intercambian entre el seductor y la muchacha en la versión alemana del Falso Caballero «Gut Reuter»: [La muchacha] «Pero, quién es el que canta, con ése quiero irme» / [El seductor] «Oh, doncella, si queréis partir conmigo / os enseñaré a cantar, / hasta que resuene contra el castillo»). El «poeta-continuador» que cortó el poema después de los versos epigramáticos no era eminentemente superior al «poeta-creador» que elevó la redacción expositiva al nivel de una verdad general epigramática; la realización de aquél está basada indudablemente en la de éste. Y, por cierto, debe señalarse aquí que Menéndez Pidal, al insistir en la superioridad de la versión breve (en la que el epigrama queda separado de su contenido intencional: atraer a Arnaldos al navío), se mueve en el marco de la estética romántica de Longfellow, Berchet y Geibel para quienes el canto del marinero era el foco de interés por el problema de la relación entre vida y arte, entre naturaleza y *Naturpoesie* (problema que preocupó a una serie de poetas desde Herder a Wordsworth). Así Menéndez Pidal, el sobrio filólogo, que aparecerá identificado para siempre con el método histórico, se permitió ser, no sólo un crítico literario, sino un crítico que abrazó la estética particular del romanticismo (que dejó su huella en todo el historicismo del siglo xix); [7]

7. Intenté descubrir esos vestigios de romanticismo, subyacente, incon-

el tema de la *Naturpoesie* fue probablemente más grato a los románticos que la relación misma entre el hombre y lo sobrenatural encarnado en los elementos. Es sorprendente que Menéndez Pidal vea, arbitrariamente, «encanto sobrenatural» solamente en la versión breve cuyo centro es el canto y no en la versión original cuyo tema es el conflicto del hombre con las fuerzas sobrenaturales de la naturaleza (para él la versión larga es un trivial «romance de aventuras y reconocimientos»; no llega a mencionar el carácter *sobrenatural* del encuentro de Arnaldos con el Hombre del Mar).[8] Ya en la *RFE*, XXII (1935), p. 159, expresé un pensamiento parecido: «La versión más reciente trata de la canción inspirada por el mar antes que del mar mismo, ese mar que es cabalmente el protagonista del poema primitivo». Intenté probar entonces que la forma de la versión más larga está en armonía con su tema particular. La atmósfera de seducción está dada por el doble efecto del canto del marinero y la influencia adormecedora del mar que mece (efecto de arrullo o ensoñación del mar excelentemente retratado en los versos: «alzan velas, caen remos, comienzan a navegar, / con el ruido del agua el sueño le venció ya»). Es el mar misterioso el que produce esa atmósfera de *vida es sueño* en la que todas las «fortunas» o «venturas» son posibles; es este *jeu de la mer et du hasard* el que hace pasar al protagonista del sueño al cautiverio y nuevamente a la libertad, sin que nunca se tracen las líneas de demarcación entre el sueño y la realidad (ver arriba). He señalado ya la omnipresencia de ensoñación de la palabra *marinero* en la mente de Arnaldos en su duermevela: la frecuente repetición de palabras de la familia *mar, marinero* teje en torno a la balada una realidad

---

fesado, en la crítica literaria de la escuela histórica también en el caso del tratamiento de Jeanroy de la poesía trovadoresca (*L'amour lointain de Jaufré Rudel,* North Carolina, 1944).

8. Bénichou, después de describir el cambio de énfasis implicado por el acortamiento del relato, escribe en la vena de Menéndez Pidal: «ya no se trata de una aventura del mundo real, sino de maravillas y secretos del mar evocados por el canto mágico y que intenta en vano conocer el que no comparte la vida del enigmático cantor» sin tener en cuenta que la «aventura del mundo real» en *c* es una experiencia de Arnaldos en el mundo de lo sobrenatural.

con aspecto de sueño. En resumen, nuestra versión más larga no es artísticamente inferior ni a la versión breve ni a las famosas representaciones del encuentro entre Hombre y Elemento tales como *Elvershöh* o *Der Fischer*.

La actitud de Menéndez Pidal en su comparación de las versiones *a* y *c* del *Conde Arnaldos* me parece que corresponde exactamente a la descripción general que Pierre Le Gentil, en su cortés artículo polémico «La notion d'état latent» (*BHi,* LV, 1953, pp. 127 ss.), presenta del concepto de «tradicionalidad» de Menéndez Pidal, aplicado a los romances:

> Poseemos a menudo muchas versiones de un mismo romance y ello nos permite seguir el trabajo anónimo de retoque y colaboración de que nos habla Menéndez Pidal. Ese trabajo es, por otra parte, bastante limitado. Se desarrolla en el interior de un esquema ya trazado y prácticamente fijado de una vez por todas, por lo menos en regla general; se ejerce sobre detalles o matices que quizá cambien la naturaleza de los efectos buscados, pero no alteran la armazón del relato. Ahora bien, el momento importante en la génesis de un romance, sin salir de las tesis de Menéndez Pidal, es aquel en que el romance se separa del conjunto más vasto del cantar de gesta, camino de la dislocación y la partición. Se opera entonces una elección y sobre todo ocurre una trasposición a fin de asegurar al episodio, hasta entonces solidario de un todo, vida independiente y autónoma. Los modestos retoques posteriores no podrían de ningún modo asimilarse al acto doble y decisivo del que acabamos de hablar. Utiliza quizá materiales ya elaborados, pero los elabora de nuevo; es creador y ordena las modificaciones que seguirán, imaginadas por otros. En esas condiciones, el romance, como cualquier otro poema, es ante todo la obra de una primera *iniciativa individual*; la obra de un artista que no se confunde con multitud de otros, aunque obedezca a las mismas tendencias que sus émulos, y en caso necesario, acepte, al guardar el anonimato, que aquellos corrijan o ajusten el texto a su modo. ¿Y qué decir, si, como se llega a comprobar en ciertos casos, el romance procede, no de un cantar, sino de una crónica en prosa, por ejemplo de obras tan individuales como la *Crónica sarracina* de Pedro del Corral? Nadie negará que en tal eventualidad, el hecho de versificar por primera vez, con el esfuerzo de adapta-

ción que supone, no tiene nada de común con el proceso de colaboración sucesiva que tan en cuenta tiene Menéndez Pidal.

Menéndez Pidal señala bien lo que separa su *tradicionalismo* de un *romanticismo caduco*; pero no por ello abandona su posición *antiindividualista*. Pues, en verdad, aun dando su importancia al acto creador del poeta, insiste sobre todo, por lo demás de modo muy feliz y pertinente, sobre lo que *prolonga* ese acto creador. En otros términos, explica muy bien cómo el romance, una vez creado, se transmite transformándose en *estado latente*; sobre la creación en sí es más lacónico; por lo menos tiende a disminuir la parte de iniciativa y de invención personales que ella permite suponer, puesto que, según él, los romances no son, por regla general, sino fragmentos de cantares de gesta promovidos a vida autónoma.

«Sobre la creación en sí es más lacónico», y en relación con la génesis de nuestro romance don Ramón es por cierto bastante reticente. Seguramente este romance no puede derivar de poemas épicos previos (o crónicas); pertenece al acervo internacional folklórico en torno a los espíritus sobrenaturales, que como sabemos está representado en forma relativamente pobre en la poesía española (¿quizá por la más fuerte influencia del catolicismo español?) y cuya génesis, en consecuencia, interesó menos al espíritu de tendencias históricas del autor de *La España del Cid*.

¿Qué antigüedad pudo tener el prototipo español del *Conde Arnaldos*? Para la balada del Falso Caballero, cuyos textos en las literaturas europeas (incluyendo los romances de *Rico Franco*) son del siglo XVI, Kemppinen supone, sin embargo, como fecha el siglo XII, en gran parte porque la tradición (lingüística) de *Halewyn* alcanza esa época lejana. Puesto que la tradición lingüística de *filii Harnaudi > Arnaldos* se retrotrae también al siglo XII, ¿nos atreveríamos a fechar el prototipo del romance como perteneciente a ese mismo período? Es demasiado pronto para decidir la cuestión, pero podemos recordar que sólo de la gran cantidad de romances conservados derivados de cantares de gesta, ha podido inferir don Ramón lo que ahora parece haber llegado a ser *communis opinio*: que los romances no pudieron existir antes del siglo XV. Pero ¿por qué no pudieron haber circulado por España «poemas folklóricos» (prefiero este término al de *romances novelescos o líricos viejos*) antes de la época en que los cantares se transformaron en romances? ¿No es el diálogo del Hombre con la Naturaleza (o el Destino) un tema eterno de poesía popular, y no podría ocurrir que este diálogo temático explicara la forma dialogada de los romances? El rasgo de la brevedad característico de este género ¿no se da como consecuencia inmediata de la forma dialogada usual en todas las «baladas sobrenaturales»? La única motivación ofrecida por Menéndez Pidal, el acortamiento de cantares más largos, es seguramente de naturaleza secundaria.[9] Tengo plena conciencia de volver con esto a las observaciones presentadas por Pío Rajna hace muchos años en su artículo «Osservazioni e dubbi concernenti la storia delle romanze spagnole» (*RR*, VI, 1915), a lo que contestó Menéndez Pidal escribiendo su artículo «Poesía popular y romancero». Las *dubbi* de Rajna todavía me parecen pertinentes. Precisamente, romances como *Arnaldos* y *La Infantina* desempeñaron un papel primordial en la discusión de Rajna acerca de la semejanza de comportamiento entre los romances castellanos y la poesía popular de otros países.

Teniendo en cuenta el nombre del protagonista Arnaldos (por mucho que se haya alejado del significado original de cazador salvaje y jinete nocturno, miembro de la Hueste Salvaje), me gus-

---

9. En mi análisis del *Romance de Abenámar* (*supra,* pp. 119 ss.) intenté formular una teoría de la génesis de los romances opuesta a la de fragmentación puramente mecánica de cantares, que es la de Menéndez Pidal; me parecía ya entonces que una intención artística más positiva debió de haber inspirado el surgir de semejante género: es decir, un nuevo concepto del tiempo, de acuerdo con el cual el destino de un ser humano, en contra de los hábitos cronísticos de los cantares, se apretuja en un momento crucial dramático y se resuelve en un diálogo, en último término, el diálogo entre el hombre y el destino. ¿Cómo se podría pensar que una poesía que culmina en la estrofa que pronuncia Granada personificada como una dama de sangre real: «Casada soy, rey don Juan, / casada soy que no viuda...» pueda jamás haber nacido de una misteriosa «voluntad de fragmentación»? Ahora bien, la concepción del destino del hombre resuelto dentro de una breve entidad poética no necesita ser característica de una época determinada: teóricamente, pudo ser contemporánea de los cantares cronísticos. La teoría de Menéndez Pidal está basada en el hecho nunca discutido de que no existen *textos* de romances anteriores al siglo xv.

taría sugerir que nuestra balada refleja, lo mismo que el romance de *Rico Franco* (!) *el aragonés,* origen francés: *Renaud* (*Arnaud*) > *Arnaldos* (con la terminación *-os* que refleja el nominativo de nombres propios franceses: *Carlos, Gaiferos, Valdovinos,* etc.). Del mismo modo las palabras españolas vulgares del tipo *arrenquín* que han sido discutidas por Corominas, *RFH,* VI (1945), p. 122, y por mí, *RFH,* VII (1946), p. 281, señalan para el español el préstamo de una variante (*Hernequin*) de la familia francesa de palabras de *mesnie Hellequin.*

ADDENDA

Un artículo del señor Giovanni B. Bronzini en *CuN,* XIV (1954), pp. 157-158, llevó mi atención al tipo de canciones populares italianas y francesas, llamadas respectivamente *Il Corsaro* o *La fille aux chansons* que (aunque la protagonista es una muchacha) muestra íntima relación con el romance español del *Conde Arnaldos.* He aquí la traducción italiana de la versión piamontesa, según Nigra, *Canti pop. del Piemonte,* p. 106:

— O marinaro della marina, oh cantatemi una canzone. (A fior dell'acqua a fior del mar.) — Montate, bella, sulla mia barca, la canzone io la canterò. — Quando la bella fu in barca, bel marinaro si mette a cantare. Han navigato cinquecento miglia, sempre cantando quella canzone. — Quando la canzone fu finita, la bella a casa ne vuol tornare. — Siete già lungi cinquecento miglia, siete già lungi da vostra casa. — Che dirà la mamma mia che stò tanto a ritornare? — Non pensate più alla vostra mamma, oh pensate, bella, al marinaro. — Se ne viene la mezza notte, ne viene l'ora d'andare a dormire. — Oh spogliatevi, oh scalzatevi, corcatevi qui col marinaro. — M'allaciai tanto stretta, chè il cordoncino non posso piú slacciare. — O marinaro della marina, oh prestatemi la vostra spada; prestate, galante, la vostra spada, chè il mio cordoncino possa tagliare. — Quando la bella ebbe la spada, in mezzo al cuore se la piantò. — Oh maledetta sia la spada, e quella mano che gliela prestò. — Ma se non l'ho baciata viva, morta la voglio baciare. — La prese per le sue mani bianche, nel mare la gittò. (A fior dell'acqua, a fior del mar.) *

De los paralelos franceses sólo citaré (cf. Smith, *Ro*, VII, 1878, pp. 68-69, pero también Doncieux y Tiersot) la primera parte de una versión cuyo final muestra contaminación con el motivo del zambullidor, que es el tema principal del señor Bronzini (el marinero joven que halla la muerte en las olas al sumergirse en busca del anillo perdido por la muchacha, símbolo de su virginidad perdida):

> C'est la fille d'un prince,
> tant matin s'est levé,
> tant matin s'est levé,
> sur le bord de l'isle,
> tant matin s'est levé',
> sur le bord de l'eau,
> tout auprès du vaisseau.
> Nen voit venir une barque,
> trente soldats dedans.
> Le plus jeune des trente
> chantait une chanson.
> «La chanson que vous dites,
> je la voudrais savoir.»
> «—Entrez dans notre barque,

---

* — Oh marinero de la marina, oh cantadme una canción. (A flor del agua, a flor del mar.) — Sube, hermosa, en mi barca, yo cantaré la canción. — Cuando la hermosa subió a la barca, el hermoso marinero se pone a cantar. Han navegado cincuenta millas, siempre cantando aquella canción. Cuando se terminó la canción, la hermosa quiere volver a su casa. — Estáis ya alejada cincuenta millas, estáis ya alejada de vuestra casa. — ¿Qué dirá mi madre que tanto tardo en volver? — No penséis más en vuestra madre, hermosa, pensad en el marinero. — Ya cae la medianoche, viene la hora de ir a dormir. — ¡Oh! desventuros, ¡oh! descalzaos, acostaos aquí con el marinero. — Me ceñí tan apretadamente que no puedo ya desatar el cordoncito. — ¡Oh marinero de la marina! — prestadme, galán, vuestra espada para que pueda cortar mi cordoncito. — Cuando la hermosa tuvo la espada, se la clavó en medio del corazón. — ¡Oh maldita sea la espada y la mano que se la prestó! Pero si no la he besado estando viva, muerta la quiero besar. — La tomó de sus blancas manos, al mar la arrojó. (A flor del agua, a flor del mar.)

> belle, nous vous l'apprendrons.»
> Nen fut dans la barque,
> le chant l'at endormi.
> Quand la belle se réveille,
> elle s'est mise à pleurer.
> «Que pleurez-vous, la belle,
> que tant vous chagrinez!»
> «—Hélàs! ce que je pleure,
> y a bien de quoi pleurer: ...» *

Ya Nigra había señalado la relación entre estos cantos populares franceses e italianos y el tipo internacional de baladas que tratan de la atracción de lo sobrenatural (la holandesa *Heer Halewijn,* etc.). En el trágico final de *Il Corsaro,* tan diferente en esto del *Conde Arnaldos,* reconocemos el estadio secundario de la imaginación popular, señalado por Kemppinen, en el que se considera como posible la subyugación de las fuerzas sobrenaturales por la fuerza del carácter (aunque aquí, en verdad, a costa de la vida). No puede caber duda de que el canto que hace que la joven suba al barco y, dormida verdadera o ensoñadoramente, olvide el tiempo y el espacio, era cantado originariamente por un *Elementargeist.*

El reciente intento del doctor Hart (*MLN,* 1957) de explicar la balada mediante una alegoría religiosa (¡con la suposición imposible de que el Rey de Francia y el Rey de Portugal representan a dos de las personas de la Trinidad!) me parece que fracasa debido al presupuesto, habitual en la crítica norteamericana de los últimos tiempos, de que en la alegoría no se trata de que una cosa sea descrita con objeto de indicar (con claridad) «otra» cosa, sino que cualquier cosa puede significar cualquier otra.

---

* Es la hija de un príncipe, / muy de mañana se levantó, / muy de mañana se levantó, / a la orilla de la isla / muy de mañana se levantó, / a la orilla del agua / muy cerca del barco. / Entonces ve venir una barca / treinta soldados en ella, / el más joven de los treinta / cantaba una canción. / «La canción que decís / yo quisiera saberla.» / «—Entrad en nuestra barca / hermosa, os la enseñaremos.» / Entonces entró en la barca / el canto la ha adormecido. / Cuando la hermosa se despierta / se pone a llorar. / «¿Por qué lloráis, la hermosa, / por qué os entristecéis tanto?» / «—¡Ay!, lo que yo lloro / hay motivo de llorarlo: ...»

7. DOS OBSERVACIONES SINTÁCTICO-ESTILÍSTICAS A LAS «COPLAS» DE MANRIQUE *

I. El posesivo patético de Jorge Manrique

En las famosas coplas de Jorge Manrique a la muerte de su padre encontramos muchas veces el tipo de posesivo expresado por una frase de relativo (*que tenemos*, etc.), en vez del pronombre, o también con el pronombre posesivo (o demostrativo) añadido pleonásticamente. Han aducido ejemplos de esta construcción Diez, *Rom. Gramm.*, III, p. 78, Meyer-Lübke, *Rom. Gramm.*, III, p. 89, Henry R. Lang, *Cançoneiro d'el rei Dom Denis* (v. 1.550), y yo mismo en *ZRPh*, XXXV (1911), p. 208. He aquí la lista completa de los ejemplos sacados de las *Coplas*:

Estr. XII: «Los plazeres e dulçores / desta vida trabajada / *que tenemos*»; estr. XVI: «¿Qué [fué] de tanta jnuincjón / *que truxeron*?»; estr. XVII: «¿Qué se hizo aquel trobar, / las músicas acordadas / *que tañían*?»; estr. XXIII: «E las sus claras hazañas / *que hizieron* en las guerras / i en las pazes»; estr. XXIX: «I en las lides *que venció* / quántos moros e cauallos / se perdieron, / i en este officio ganó / las rentas e los vasallos / *que le dieron*»; estr. XXX: «Después que fechos famosos / fizo en esta mjsma guerra / *que hazía*, / fizo tratos tan honrosos, / que le

---

* Artículo publicado en *NRFH*, IV (1950), pp. 1-24, con motivo de la publicación del libro de Pedro Salinas, *Jorge Manrique, tradición y originalidad*, Buenos Aires, 1947.

dieron haun más tierra / que tenja»; estr. xxxi: «Estas sus viejas estorias / *que* con su braço *pintó* / en jouentud»; estr. xxxii: «Pues nuestro rey natural, / si de las obras *que obró* / fué seruido»; estr. xxxvii: «E con la fe tan entera / *que tenéys*».

Puesto que los romanistas mencionados no dan ninguna explicación psicológica del tipo *un hijo (el hijo) que tenía,* en vez de *mi hijo,* ni del pleonasmo *(un) su hijo que tenía, este hijo que tenía,* habrá que establecer claramente la naturaleza de estas construcciones, antes de proceder a una valoración estilística de su empleo en la poesía de Jorge Manrique.

La construcción *un hijo que tenía* se distingue, claro está, de *mi hijo* (o *un hijo mío*) por su carácter verbal, lo que implica una reconstrucción del hecho de la posesión ante nuestros ojos en el acto de poseer: *un hijo que tenía* es dinámico, *mi hijo* estático. Y, además, esta reconstrucción se hace para el interlocutor, pues el hablante se coloca en el sitio del oyente, no presupone la evidencia de la posesión propia, ya lograda, sino que la reconstruye para beneficio del público: *un hijo que tenía* es más explicativo, más expansivo, más «social» que *mi hijo.*[1] El intento natural de todo hablante sería expresar como cosa evidente el hecho de la posesión: el hecho de que hay un ser llamado *mi hijo* no debería admitir ninguna duda o discusión. Por consiguiente, decir *un hijo que tenía* representa un esfuerzo de objetividad, un refinamiento, una victoria sobre el egoísmo nativo.

Ahora bien: cuando sustituimos con el artículo definido el indefinido *un hijo que tenía > el hijo que tenía,* algo paradójico ocurre: el sustantivo se presenta como conocido por el interlocutor: *el hijo.* Parecería que la oración relativa *que tenía,* donde se construye la posesión como fenómeno que se desenvuelve a los ojos del interlocutor, no fuera la indicada: ya se sabe de la existencia del hijo. Claro está que este uso redundante tiene un matiz

---

1. Diez cita la frase, encontrada en cantos populares españoles, *una madre que tenía.* Aquí hay una estilización excesiva de parte del pueblo, una especie de hiperurbanidad o *préciosité,* fenómeno conocido incluso en lingüística; para aparecer urbano y ponerse en el sitio del interlocutor, el locutor parafrasea la expresión espontánea *mi madre* según el molde *mi hijo > un hijo que tenía,* cuando tampoco diría el interlocutor **una madre suya.*

retórico: *el hijo que tenía* hace «nacer» la posesión del hijo, conocido por el interlocutor, a quien se toma como testigo simpatético
de su existencia: 'el hijo (que tú sabes) que tenía'. No cabe duda
de que hay mucho énfasis emocional, mucho *pathos* en tal manera
de hablar, y por eso he escogido el título del «posesivo patético».
Ejemplos españoles como los de Diez: *el deseo que tenía de verla,
la vida que tenía,* son paralelos a otros italianos, como *il gran
piacere ch'avea*, ant. franceses: *la paour qu'ele a*, alemanes *Gieb
sie dem Kanzler, den du hast* (Goethe, *Der Sänger*), en los cuales la construcción se ha trasladado a la segunda y tercera persona
sin disminución de su fuerza conjuratoria. Por ejemplo, en el caso
del verso de Goethe, *Da la cadena al canciller que tienes*, palabras
dirigidas al príncipe por el poeta que no exige paga material para
su canto, es como si dijera el hablante: 'sé que tienes canciller;
dale a él la cadena que yo, poeta, no quiero'. Aquí es el hablante
(no-poseedor) quien reconstruye el acto de poseer para beneficio
de su interlocutor (poseedor); si dijera: *¡da la cadena a tu canciller!*, el hecho de la posesión de un canciller (tan importante por
contraste con la situación del poeta, que no puede ser posesión
de ningún príncipe) no resaltaría con igual énfasis. 'El canciller
que tienes' implica una simpatía cortés, una «proyección sentimental» que se identifica con el interlocutor. De la misma manera, no
es casual que el fiel Minaya Álvar Fáñez en el *Poema de Mio Cid*,
v. 1.111, cuando ha recobrado la familia de su señor, diga a los
mensajeros que manda al Cid, en estilo reiterativo:

> Dezid al Canpeador —que Dios le curie de mal—
> que *su mugier e sus fijas* el rey sueltas me las ha ...
> de aquestos quinze días, si Dios nos curiare de mal,
> 1.411   sermos i yo e su mugier e sus fijas que él a
> y todas las dueñas con ellas quantas buenas ellas han,

lo que es repetición del v. 384:

> Al abbat don Sancho tornan de castigar [Minaya y los
>   otros vasallos]
> cómmo sirva a doña Ximena e *a las fijas que ha,*
> e a todas sus dueñas que con ellas están.

Se ve cómo en forma repetida las *fijas que ha* y *sus fijas* se trueca en *sus fijas que él a*, es decir, en una expresión más calurosa.[2] Compárese también el tono solemne de los dos ejemplos portugueses de Lang: «Ay velho, oje perdiste o teu nome que avias em todo Europa» y «Senhor, porque desemparaste e moviste mea nobreza e mea honra que eu havia sobrelos Reis d'Africa!».

La insistencia enfática y emocional resulta aún más fuerte cuando el artículo definido se sustituye por un demostrativo, con el cual insistimos en el carácter conocido del objeto poseído y pedimos al interlocutor que atestigüe la posesión: Diez cita un ejemplo sacado de Corneille: «avec cette soif que j'ai de la ruine (*cette soif* = 'la sed que conocéis vosotros'), que coincide también con el carácter didáctico y retórico de la *tragédie classique*. Pero también en ambientes artísticos menos elevados podemos encontrar esta actitud de hacer del público un colaborador simpático: «Yo haré que a este buen señor le disminuyan esos carrillos de monja boba que tiene» (Trueba).

¿Cómo explicar la frecuente contaminación de los dos tipos *un (el, este) hijo que tengo* y *un hijo mío (mi hijo)*, que Diez y

2. Quizás el concepto medieval de la familia y de los vasallos era distinto del moderno, y el verbo *haber, tener*, subrayaba ese modo de posesión: cuando un padre moderno dice *mi familia, mi mujer, mi hija*, no quiere decir que la familia, etc., le pertenecen, sino sólo que él y la familia están en relación «familiar», que él es «un yo que pertenece». En la Edad Media el *pater familias*, quizá, *posee* a su familia. Se ve esto en la expresión paralela *los que ha*, en vez de *los suyos*, en relación con los vasallos: «Alegre era el Campeador con todos los que ha» (v. 1219), frase que no se emplearía hoy en situación paralela, porque un general no posee su ejército. En verdad, cabe en los tiempos modernos cierto equívoco: no se puede saber, por ejemplo, si un presidente de universidad en los Estados Unidos cuando dice «mi universidad», piensa feudalmente en su universidad, en una *President's university*, o si emplea el posesivo *mi* en el sentido en que le entendería cualquier miembro de la universidad, «la universidad a la cual yo pertenezco». La Edad Media era más sincera; tener vasallos era señal de poder, como lo era el tener riquezas. Es muy frecuente en el romancero la alternancia de *averes que tenía* y *vasallos que tenía*. También encontramos esta equivalencia en nuestro poema:

> i en este officio ganó
> *las rentas e los vasallos*
> *que le dieron.*

Meyer-Lübke documentan en las lenguas románicas, en latín medieval y en medio alto alemán? Cf. ant. fr. *sa prouece que il avoit, vostre vair qu'avez*; esp. *un hermano suyo que tenía* (Patrañuelo); ant. port. *era un meu soo filho que tiinha*; lat. med. *de filio vestro quem habetis* (capitular carolingio); m. a. al. *sîne liste, die er hât.* Si hay contaminación de dos tipos, algún provecho habrá que el hablante saque de este procedimiento: no se contaminan dos modismos sólo por ignorancia, sino porque el hablante quiere combinar los efectos de ambos, no perder el uno sumiéndolo en el otro. Incluso en las contaminaciones «ignorantes» del tipo *cminzipiá* (alto it.) = *cominciare* + *principiare* se combina el efecto popular del primero con el efecto culto del segundo miembro de la pareja. La contaminación por sí sola nunca basta como *razón de ser* psicológica. Lo que obtiene, pues, el individuo hablante al decir *un hermano suyo que tenía* es combinar la reconstrucción dinámica del hecho de la posesión (... *que tenía*) con el sentimiento natural y tranquilo de la posesión ya existente (*un hermano suyo*), según el pesimista proverbio inglés *you can't eat the cake and have it too* (en español se diría «repicar y andar en la procesión»). Los dos efectos contrarios deberían aniquilarse mutuamente, pero el hablante logra así representar la posesión a la vez como hecho estable y como dinámico, con expresión a la vez espontánea y adaptada al público. Tal actitud contradictoria es evidentemente popular e irracional, y por eso no será frecuente encontrarla en las civilizaciones modernas. Por el contrario, hallamos el mismo cruce, esta vez sin oración de relativo, en ant. it. *aveva un suo unico figlio* (= *aveva un unico figlio* + *un suo figlio*); el hablante empieza por contar objetivamente *aveva un...*, pero luego se siente obligado a injertar el posesivo *suo*, porque quizá no puede considerar términos de parentesco *in abstracto*; solamente los ve como poseídos; no existe un 'hijo', sólo 'el hijo mío', 'el hijo de' (sabido es que en húngaro la palabra *amigo* no se emplea a secas, sólo *mi amigo, tu amigo*; que hay en ant. irlandés un uso regular redundante del posesivo, «que yo corte *su* cabeza del impúdico»; que en ciertas lenguas de primitivos no hay *casa, cerdo*, sino *mi, tu, su casa* o *cerdo*. Cf. Havers, *Handbuch der erklärenden Syntax*, p. 111. Schuchardt habla en estos ca-

sos de *nomina finita*, porque los posesivos de uso obligado con el
sustantivo forman una especie de flexión: *mi-, tu-, su- amigo* como
quiero, -es, -e). Conozco a un norteamericano, de origen griego,
que a menudo dice incorrectamente *I had a friend of mine*, exactamente paralelo al ant. it. *aveva un suo figlio*, no sé si inspirado
por el griego moderno. Aquí debemos enumerar también los casos
de pronombre posesivo redundante que trae Meyer-Lübke en el
mismo parágrafo que el tipo *un hijo mío que tenía*: ant. esp.
*Félez Muñoz, so sobrino del Campeador; antes de la noche en
Burgos dél entró su carta.*[3] También aquí, como en el ejemplo del
ant. irlandés, habrá compromiso entre la representación de la
posesión espontánea (*so sobrino*, el sobrino a quien no se puede
imaginar sino como sobrino poseído) y la representación objetiva
(*el sobrino del Campeador*). El poeta adopta la manera «en-
dopática», el sentimiento que debe tener el Cid mismo: *mi sobrino*, que el poeta traspone en *su sobrino* (del Campeador). Claro
está que en todos los casos arriba citados la construcción natural
y espontánea es la del posesivo: *suo figlio, a friend of mine, su
sobrino*, etc., y que la construcción ampliatoria (*aveva, I had, del
Campeador*) es un posterior compromiso con el punto de vista del
interlocutor; pero el sentimiento espontáneo prorrumpe indebi-
damente e introduce los posesivos espontáneos al lado de las frases expositivas.

La oración de relativo ...*que tengo*, claro está, puede variarse
en ...*que hago*, si el objeto poseído es una acción: los lingüistas
dan ejemplos como it. *lo troppo dimandar ch'io fo,* ant. fr. *pur le
mesfait qu'il fist,* ant. port. *de seus pecados que fiz,* ant. esp.
saliólos reçebir con grant gozo que faze (*Cid*, v. 1.478), a los

---

3. También se combina la construcción con *de* y la oración de relativo:

> Cessem *do* sábio Grego e *do* Troiano
> as navegações grandes *que fizeram;*
> calle-se *de* Alexandro e *de* Traiano
> a fama das victórias *que tiveram...*
>
> *Lusíadas*, I, 3.

Nótese aquí también el paralelismo de los posesivos patéticos de acción (*que
fizeram*) y de posesión natural (*que tiveram*).

cuales añadiré el m. a. al. *diz sehen daz ich in hân getân* (H. Paul, *Prinzipien der Sprachgeschichte,* p. 114). La acción puede expresarse o por un *nomen actionis* o por el infinitivo sustantivado (que es, por lo demás, el *nomen actionis* por excelencia, como que, en las lenguas que lo poseen, puede formarse de todo verbo). Aquí no encontramos tan a menudo el pronombre posesivo redundante (pero hay el ejemplo ant. port. del tipo 'mi pecado que hice'), esto es, yuxtapuesto a la oración de relativo. Es que aquí la oración de relativo ...*que hago* no se debe tanto a motivos de cortesía, que en fin de cuentas el hombre puede obedecer o no, cuanto a un sentimiento íntimo de que nuestras acciones no nos pertenecen como posesiones materiales (*mi casa*) o ideales del tipo de las de parentesco (*mi hijo*); *mi preguntar, mis hechos,* no son «míos» como aquellas otras posesiones; no pueden separarse del yo, son el yo, el yo en cuanto agente, y por lo tanto deben presentarse en la forma dinámica que construye la posesión ante nuestros ojos. En el *Poema del Cid, saliólos recebir con grant gozo que faze* [4] es uno de los procedimientos familiares al juglar que recita su narración para un público (al cual puede también dirigirse con un ¡oíd!), y casi equivale a otro verso, *Hy yacen essa noche y tan grand gozo que fazen* (= 'y [ved] tan grand gozo que fazen'), exclamación que introduce al público en el ámbito de la narración. En el tipo *el pecado que hizo* el sustantivo es un objeto interior que pertenece al verbo de la oración de relativo.

---

4.   Hasta cierto punto cabe dudar si ese *hacer* es un verdadero *verbum vicarium*: *hacer gozo* en ant. esp. equivale al ant. fr. *mener joie,* que es «manifestar gozo», y esa manifestación exterior del sentimiento, ese gesto del gozo es lo que el juglar, como tantos poetas medievales, quiere expresar. Como veremos más adelante, también el tipo *el hijo que tenía* admite variantes que no equivalen al verbo de la posesión simple. Por consiguiente, tiene posibilidades de mayor expresividad que el pronombre posesivo.
    Se notará el presente histórico *grant gozo que faze,* aunque el verbo de la oración anterior aparezca en el pretérito (*saliólos reçebir*), lo que significa que el juglar construye un medallón para el público: ¡*grant gozo que faze!,* como un comentario personal, un aparte que dirige al público. La contemporaneidad que finge el juglar medieval con los acontecimientos relatados (ésa es la base del empleo del presente histórico; cf. A. G. Hatcher, «Tense usage in the *Roland*», *SPh,* XXXIX, 1932, p. 597) es también un expediente para atraer al público a la órbita de su relato.

Ahora me encuentro convencido de que *lo dimantar ch'io fo, le mesfait qu'il fist,* etc., no son las construcciones primitivas, sino que fueron precedidas de construcciones con «figura etimológica»:[5] **lo dimandar ch'io domando, *le mesfait qu'il mesfist, *de seus pecados que pecou,* que son las que encontramos en Jorge Manrique: *obras que obró, hazañas que hizieron.* El objeto interior apareció primero con igualdad de temas (nominal y verbal) en lenguas más primitivas que, por principio, no evitaban la repetición de temas idénticos, porque esa repetición producía un efecto mágico de insistencia, de solemnidad, etc.: Reckendorf escribió un libro sobre la paronomasia en las lenguas semíticas, hebr. «morir una muerte», «ensoñar un sueño»; esta segunda forma, a través de la Biblia, ha pasado a las lenguas modernas.[6] Actualmente la figura etimológica pura se emplea sólo con intención poética, es decir, arcaizante (*ensoñar un sueño*); en prosa lógica, por una especie de disimilación temática, o bien se varía el verbo (*tener un sueño* en vez de *ensoñar un sueño*), o se añade un adjetivo (*ensoñar un sueño encantador*). Es decir: la lógica moderna de las grandes lenguas mundiales[7] permite el objeto interior sólo en el caso de que se ofrezca algo nuevo, no algo ya implícito en el verbo, de manera que las construcciones con objeto interior aparecen muy semejantes a las de objeto exterior: *tener un sueño,* a la par que *construir una casa.* El tipo más común es sin duda el que lleva *verbum vicarium,* ilustrado por los ejemplos *lo troppo*

---

5. Un caso paralelo sería el de la respuesta afirmativa en romance: en todas estas lenguas se encuentran vestigios de un lenguaje-eco: *Venitne pater?* —*Venit,* luego sustituidos por (*Venitne pater?*) —(*Hoc*) (*sic*) *facit,* y más tarde por las partículas afirmativas *sí, oui, oc.*

6. Cf. *VoxR,* II (1938), p. 49, y *AILing,* II (1942), p. 40.

7. Lenguas menos intelectualizadas conservan aún, en nuestros días, la figura etimológica, que era la expresión predilecta en ant. francés, español, etcétera: por ejemplo el rumano *avisá un vis* 'soñar'. Claro está que el objeto interior (con o sin paronomasia) es una creación tardía con respecto al objeto exterior. Admitiendo con Schuchardt que la oración primitiva era una oración consistente en *una* palabra, y que las raíces originales eran verbales, la oración-palabra original era un verbo intransitivo. Sólo cuando el predicado y su modificación, el objeto, se desarrollaron, es decir, sólo cuando el hombre hubo aprendido a limitar el verbo por el objeto exterior, la limitación pudo extenderse también al objeto interior: *construir una casa — soñar un sueño.*

*dimandar ch'io fo, le mesfait qu'il fist, de seus pecados que fiz,
diz sehen daz ich in hân getân*, que sustituyen a las construcciones paronomásticas primitivas. En los casos con infinitivo sustantivado se ve que la construcción con *hacer* puede emplearse, al
menos hoy, sólo en oración relativa: no se dice en italiano moderno *faccio (troppo) domandare* (sólo *faccio una domanda*, y
quizá en frases estereotipadas *faceva un gran lavorare, il cuore
faceva un gran battere*), ni tampoco en alemán moderno **ein Sehen tun ** 'hacer un ver', tipo que subsiste muy fuertemente en
italiano moderno cuando tenemos una oración de relativo: [8] *Maria
non era contenta di tanto scriver che faceva la mamma; il mormorare che facevano di fuori dimostrava chiaramente che ...; il
guardare che egli ha fatto qui dentro; narrando ... i lunghi soli-
loqui ..., gli pasimi atroci dell'impazienza ..., l'acconciarmi, che
tratto tratto facevo alla necessità inesorabile*. Esta construcción se
ha mantenido gracias a la aversión que los italianos sienten contra la presentación de actos humanos como poseídos de una vez
por todas (**dello scrivere della mamma, *il loro mormorare, *il
suo guardare, *il mio acconciarmi*, construcciones que el alemán
no objetaría), y, por otra parte, a la comodidad que ofrecía el
infinitivo sustantivado para la presentación de esa actividad como
hecho conocido, con todas sus particularidades del momento (*il
troppo dimandare, di tanto scrivere, il guardare qui dentro, l'acconciarmi tratto tratto alla necessità inesorabile*), comodidad que comparte el italiano con el alemán (*das Zu-viel-Fragen, mit so viel
Schreiben, das Sich allmählich-an-die-unerbittliche-Notwendigkeit
anpassen*). En dialecto siciliano (cf. *Aufsätze*, p. 139) hay también una construcción paralela con gerundio: *in cantando che fa*
(= *cantando + nel cantare che fa*), que tiene similitud con las
construcciones populares españolas *al volver que volvió, en lle-
gando que llegue, en dando que den las doce, en trayendo que le
trajese buen despacho*, que a su vez pueden compararse con el
hebr. «lo protegió del invierno cuando invernaba».[9] Obviamente,

8. He dado muchos ejemplos en mis *Aufsätze zur romanische Syntax
und Stilistik*, p. 138, nota 1.
9. Cf. mi artículo en *HMP*, I, p. 58.

el siciliano *in cantando che fa* (también en ant. francés *al partir que il faiseient*) [10] contiene la forma secundaria con *verbum vicarium*, mientras que la forma paronomástica (en español, hebreo) es la primitiva. Se trata en ambos casos (*al volver que volvió — al partir que il faiseient*) de una reacción popular contra la abstracción realizada por los giros *al volver, al partir,* que pertenece al fondo intelectual de la lengua. *Al volver, al partir,* son más abstractos que *cuando volvió, quand ils partirent,* menos quizá que *después de la partida, après le départ*; pero seguramente, desprendidos como están estos modismos de las personas y del tiempo del verbo finito, el sentimiento popular tenía que reintegrarlos en el sistema de *volver*: añadiendo a *al volver* un *que volvió* se deshace, por decirlo así, el carácter abstracto de *al volver*. Como en el caso de *un su hijo que tenía,* presenciamos la actitud de *have the cake and eat it too*! Aquí se desea conciliar el abstracto supratemporal con el carácter concreto, temporal, de la acción. El pueblo se queda a medio camino, sin tratar de resolver el dilema.

Y volvamos ahora a la poesía de Jorge Manrique, en la cual encontramos los posesivos patéticos tanto del tipo *el (aquel) hijo que tenía* como del otro, el «posesivo de acción», *el pecado que hizo.*

Al primer tipo hay que adscribir *desta vida trabajada que tenemos* (XII), que tiene el sentido conjuratorio o exhortativo a que antes nos referíamos: el poeta se dirige a todos los hombres y les habla de un hecho por todos conocido. El plan didáctico de la obra de Manrique, magistralmente delineado por Pedro Salinas, consiste en proceder, a la manera medieval (*ut in pluribus*), de la suerte común de la humanidad —la muerte— a la muerte de un individuo, el maestro don Rodrigo, padre del autor. Habiendo empezado por «Nuestras vidas son los ríos» (estr. III), «Este mundo es el camino... Partimos... andamos... llegamos» (estr. v), e

---

10. También *au penre congié qu'il fesoit à aus* (Joinville, acotación de Damourette-Pichon, IV, p. 690), *au prendre congié,* más usual; *or est remés le sueu fuir / qu'il voloit faire le matin* (Béroal, *ibid.,* p. 685). Keniston, *The syntax of Castilian prose,* p. 497, da un ejemplo de Juan de Valdés: *aquel pronunciar con la garganta que los moros hacen.*

insistiendo como Dante (*nel mezzo del cammin di* nostra *vita*) en el carácter común de peregrinación que tiene la vida humana, el poeta refuerza luego la idea de esa comunidad con los versos mencionados: «Los plazeres e dulçores / desta vida trabajada / que tenemos»; con el posesivo patético *esta ... que tenemos*, logra Manrique atraer al lector al ámbito de su sermón, construyendo la experiencia común ante sus ojos. Este rasgo estilístico encaja muy bien en el estilo generalmente exhortativo o didáctico de una poesía que en verdad es un sermón, y también en la narración dialogada de la muerte del Maestre, que sirve de ejemplo para el *ars moriendi*. Salinas ya ha puesto de relieve los subjuntivos (*No se engañe nadie, no*) y las formas vocativas (*Ved, decidme*); añadiré las interrogaciones retóricas a lo Cicerón (*¿Quién lo duda?*), las fórmulas de raciocinio como *Pero digo que..., Así que...,*[11] y, particularmente, la manera «temática», como de predicador en el púlpito, de adelantar lo que se piensa será su sujeto, reforzándolo con un demostrativo, sin preocuparse de la alteración sintáctica en que la oración acabará por resolverse: «*Esos* reyes poderosos / ...fueron *sus* buenas venturas / trastornadas» (XIV), «Pues *aquel* gran Condestable / ...non cumple que *dél* se hable» (XXI), «*Tantos duques* excellentes / ...dí muerte, dó *los* escondes» (XXIII); también el protagonista se introduce por «el Maestre don Rodrigo / Manrique... / *sus* hechos grandes e claros / non cumple que *los* alabe» (XXV).

El segundo ejemplo de posesivo patético es «e con la fe tan entera / que tenéys» (XXXVII), versos puestos en boca de la figura alegórica de la Muerte que habla al Maestre, versos de elogio al moribundo que la Muerte misma pronuncia, para tranquilizarlo en su última hora. Esa muerte bondadosa no sólo aterroriza con su aparición, sino que habla al caballero a punto de morir como a un amigo, apelando a una verdad de la cual él no es menos consciente que su interlocutora: el admirable *tan* crea una atmósfera de mutuo entendimiento, del mismo modo que el *que tenéis*.

Una ligera variante del tipo *aquel hijo que tenía* es «aquellas

11. Cf. el verso de Gómez Manrique, en una poesía similar: «Para mi proposición».

ropas chapadas / que trayan» (xvii),[12] que siguen al verso «sus tocados e vestidos, / sus olores», y reconstruyen el clima de la civilización estético-cortesana de la corte de Juan II: «Cuando el poeta habla de las *ropas chapadas* —escribe Pedro Salinas— casi se las siente táctiles con su pesada y suntuosa sensualidad». Estas ropas no sólo se poseían, se «traían». Otra variante es «tanta jnuincjón / que truxeron [los poetas de esta corte]» (xvi), con un *traer* distinto, y un tanto re-evocador.

Aquí advertiremos que el poeta ha sabido usar de oraciones relativas breves, tanto del tipo *el hijo que tenía* como del *el pecado que hizo,* para lograr un maravilloso efecto de onomatopeya sentimental: a menudo se encuentran esas oraciones de relativo (*que traían, que tenéis*) en los versos de pie quebrado de la estrofa,[13] los cuales, por su brevedad, producen un efecto acústico de eco, de recogimiento estoico, de solemnidad amortiguada, de marcha fúnebre que marca monótonamente el paso de la larga procesión de estrofas. El breve sintagma se sujeta a la brevedad del verso.[14]

12. También en los romances el verbo de posesión aparece con variantes que añaden expresividad a las designaciones de posesión, lo que proporciona al poeta rimas nuevas comodísimas. Cf. mi colección en *ZRPh,* XXXV (1911), p. 208: «con la priesa que tenía», «con el gozo que trae», «con soberbia que ha tomado», «con el temor que ha llevado», «el rostro airado que pone» (port. *el amor que lhe ha*). Puede ser que nuestro rasgo, en la poesía de Jorge Manrique, se haya tomado de la técnica de los romances, género épico-lírico e histórico por excelencia. Cf. el *no* repetido de «no se engañe nadi, no», también muy usual en los romances.

13. Claro que en el «pie quebrado» se encuentran oraciones relativas de tipo distinto del que estudiamos: «que le dieron haun *más* tierra / que tenja» (xxx).

14. Las glosas que ampliaron el texto original de las *Coplas* (*Coplas de Don Jorge Manrique ... con las glosas en verso de Francisco de Guzmán,* etcétera, Madrid, 1779) también injertaron nuevos posesivos patéticos. Por ejemplo, los versos originales «Los plazeres e dulçores ... que tenemos» están precedidos de los siguientes: «¿Qué aprovechan pecadores, / a la fin de *esta jornada* / *que hacemos?*» (p. 40). Sabido es que Malherbe, en su poema *Consolation à Monsieur Du Périer,* emplea los versos cortos, estoicamente fúnebres, de la misma manera:

... aime
Une ombre comme une ombre et des cendres éteintes
Éteins le souvenir.

El tipo más frecuente en nuestro texto es *el (aquel)... que hizo,* esto es, el posesivo activo, lo que no sorprende en un panegírico dedicado a un hombre de acción, cuyos hechos deben ser presentados como ya conocidos y famosos.

Aquí tengo que hacer un pequeño reparo a Pedro Salinas, el cual, tratando del epicedio, compara las estrofas siguientes de Jorge Manrique:

> Non dexó grandes thesoros...,
> mas fizo guerra a los moros,
> ganando sus fortalezas
>   e sus villas;
> i en las lides que venció
> quántos moros e cauallos
>   se perdieron;
> i en este officio ganó
> las rentas e los vasallos
>   que le dieron...
> Después que fechos famosos
> fizo en esta mjsma guerra
>   que hazía,
> fizo tratos tan honrosos...
> Estas sus viejas estorias
> que con su braço pintó
>   en jouentud,
> con otras nueuas victorias
> agora las renouó
>   en senectud.
> Por su grand abilidad,
> por méritos e ancianía

> Vouloir ce que Dieu veut est la seule science
>   Qui nous met en repos.

También en Malherbe hay repeticiones paronomásticas que dan el tono de recogimiento y resignación. Compárense con el último dístico los versos de Manrique (xxxviii):

> que *querer* hombre viuir
> quando Dios *quiere* que muera
>   es locura.

> bien gastada,
> alcançó la dignidad
> de la grand cauallería
> dell Espada

con estrofas panegíricas de los *Loores de los claros varones de España* de Pérez de Guzmán como las que siguen:

> Éste ganó de paganos
> castillos e villas fuertes,
> non sin sangres e sin muertes
> de moros e de cristianos...
> Trabajos exteriores
> asaz ovo con paganos,
> non menos interiores
> con sus propios castellanos.

Dice Salinas: «Es el mismo tono de sencilla relación que ni se pierde en la vaguedad ni se apesadumbra de detalles; idéntico el propósito de que presenciemos al caballero haciéndose en sus propias obras, realzando su grandeza paso a paso», y continúa Salinas sacando a luz los dos procedimientos de Jorge Manrique en su panegírico: primero, de mirar al Maestre «desde el miradero, retóricamente obligatorio,[15] de la hipérbole cultista, de la avezada fórmula de la serie de comparaciones superpuestas con las celebridades de la antigüedad»; después, de verlo «en su persona, en

---

15. De vez en cuando Salinas presenta aquellas partes del poema que apelan menos a su sensibilidad moderna como «compromisos» de Jorge Manrique con su tiempo. Diré aquí que el concepto de «compromiso» me parece peligroso para el historiador de la literatura, ya que supone que el poeta antiguo conocía el buen camino pero (lo de *video meliora proboque, deteriora sequor*) se dejó embelesar por falsos artificios de su tiempo porque quería agradar a su siglo, por vanidad, oportunismo o falta de carácter. Hubiera podido escribir de otra manera, pero hizo compromisos. Semejante suposición, que se ha aplicado ya a las más grandes personalidades poéticas, así a Dante o al Arcipreste de Hita como a Villon, es gratuita: ¿cómo se puede probar que el genio del poeta no residía precisa e intransigentemente en lo que críticos modernos pueden admitir sólo como «compromiso»? Si Curtius acierta con su *Kaisergedanke* aplicado a Manrique, el poeta por su parte gustó del catálogo de emperadores semicristianos.

su tierra, como ser humano cabal y no como figura apersonajada. La estilización cede el paso al realismo histórico». Salinas piensa que los dos procedimientos, «estilización e historia real», no llegan a fundirse: «No parece que el muerto ingrese en el rango de héroe de museo, de personaje de galería, al que le empujaban las estrofas heroicas». Yo, por mi parte, *a*) veo mayor diferencia entre Jorge Manrique y Pérez de Guzmán, y *b*) veo la diferencia entre la parte del epicedio de Manrique que compara al Maestre con los héroes de la antigüedad y la dedicada al valor personal del Maestre menos fuerte que Salinas. En cuanto a *a*), ya se ve que Pérez de Guzmán relata cosas nuevas para el autor, mientras que Manrique recapitula cosas ya conocidas: basta, después de las aclaraciones previas, comparar «Éste ganó de paganos / castillos e villas fuertes», de Guzmán, con «ganando sus fortalezas / e sus villas ... / i en las lides que venció / ... ganó / las rentas e los vasallos / que le dieron ... / en esta mjsma guerra / que hazía... / estas sus viejas estorias / que... pintó», de Manrique. Aquí las fortalezas y villas son ya 'suyas' (del Maestre) cuando las gana; los combates son precisamente *las lides, esta misma* (!) *guerra, estas sus viejas historias,* es decir, son históricos y glorificados por la historia antes que el poeta los glorifique.[16] El busto del Maestre ya está en el Templo de la Fama antes que su hijo lo coloque allá. No presenciamos tanto al caballero «haciéndose en sus propias obras» cuanto el monumento ya antes erigido al caballero, que nos expone el poeta rasgo por rasgo, con didáctico énfasis en lo que hay, no en lo que está haciéndose. Son «viejas estorias» que pintó no sólo el Maestre en el libro de la memoria histórica, sino también el poeta en su poema; son «claras hazañas» que ya se celebraron antes. Como dice el poeta mismo en la estrofa introductoria, xxv:

> El Maestre don Rodrigo
> Manrique, *tanto famoso*
> e tan valiente,
> sus hechos grandes e claros

16. Se podrían comparar con tipos de construcción de estas dos frases francesas: «Alors Victor Hugo connut *un* succès retentissant» y «*Le* succès retentissant de Victor Hugo lui ouvrit les portes de l'Académie».

> non cumple que los alabe,
> pues los vieron,
> nj los quiero hazer caros,
> *pues qu'el mundo todo sabe*
> quáles fueron,

lo que Salinas mismo (p. 182) resume con sus palabras: «Lo que siga no será, pues, sino a modo de *recapitulación* [subrayado por mí] de ese saber común».

Son precisamente los posesivos patéticos y pleonásticos, que imploran la simpatía del lector y lo hacen testigo de la fama del protagonista, los que dan al panegírico su tono retórico.

En el caso del pronombre patético, por ejemplo, *en esta misma guerra que hacía,* todavía podemos aislar los dos componentes contradictorios, como antes para el tipo *este (su) hijo que tenía. En esta misma guerra* presenta la guerra del Maestre como ya conocida y famosa, pero la oración de relativo *que hacía* construye la guerra de Manrique ante los ojos del lector, a la manera didáctica.[17] El que Manrique glorifique a su padre presentándolo como ya glorificado es una estratagema de nobilísima retórica, y si hay estratagema, ya presenciamos un no sé qué de artificial y estilizado, y ya nos encontramos en plena oposición a la idea *b)* de Salinas de que en la parte dedicada a la persona del padre haya

---

17.   Parecida es una construcción como (xv) «non curemos de saber / *lo d'aquel* siglo passado / *qué fué d'ello*»: el último verso es lógicamente redundante, pero construye ante el lector la entidad «lo d'aquel siglo passado». Para el lector moderno, *dello,* tan próximo a *aquel,* puede parecer de una pesadez intolerable. Comparables con éstos son los versos del xxv: «nj los [los hechos del Maestre] quiero hazer caros, / pues qu'el mundo todo sabe / quáles fueron» (cuáles fueron: desarrollo ante el lector). Puede ser que el esquema rítmico haya llevado al empleo de estas prolepsis con desarrollo añadido, pero creo que Manrique ha usado para fines artísticos construcciones orales de origen muy popular y de carácter muy primitivo: cf. el tipo ant. fr. *veez de Raoul com il est justisiez*; ant. esp. *desde allí mira su gente cómo iba de vencida*; ant. irlandés «aunque lo habéis oído que lo es» (por 'aunque habéis oído que él lo es'): las lenguas primitivas no pueden usar verbos transitivos sin objeto (cf. además ingl. *to lord it,* fr. *le remporter*). Estas construcciones populares encajan bien en el estilo del sermón y se oponen a los muchísimos esquemas cultos de la sintaxis de nuestro autor (por ejemplo, la posición de los adjetivos, las expresiones bimembres, etc.).

sólo realismo histórico, sin estilización.[18] Claro que debe estar estilizada toda figura monumental de un héroe del honor o de la fama petrarquesca, como pinta el poeta a su héroe, que con su fama se gana el paraíso. El Maestre nunca deja de ser un personaje ejemplar: él no es tan importante como padre «empírico» del poeta, sino como héroe de valor universal que, accidentalmente, ocurre que es el padre del poeta.[19] Se puede decir con Salinas que aquél es «varón de virtudes humanas», pero no que es «héroe de carne y hueso», y esto por dos razones: porque el poeta no nos describe las flaquezas de la carne inherentes a todo ser humano (el Maestre no tiene vicios ni debilidades, es inmaculado y ejemplar como el Cid). Es en Dante, el primer realista moderno, donde las almas se describen como juzgadas por Dios, y los hombres se nos presentan con todas las flaquezas de la carne. Y Manrique no nos describe en absoluto la carne, el exterior físico del padre: el Maestre no tiene cuerpo, muy al contrario de las almas por supuesto desencarnadas de Dante, y menos también que el Cid, que tiene siquiera unas barbas por las cuales jurar. El Maestre sólo tiene de humano lo bastante para ser un individuo ejemplar; muere patriarcalmente, como el protagonista de una novela de Pereda, en el seno de su

18. No sé cómo Salinas (p. 194) puede comparar las dos partes de la poesía que llama «estilizada» y «realista» con los dos ambientes literarios distintos representados por los discursos altisonantes de Calisto y por el habla popular de Celestina («los latines del Petrarca y el romance de las comadres»). ¿Dónde aparece en las *Coplas*, tan monumentales, la jerga celestinesca?

19. Cf. mi artículo sobre el «yo didáctico» en la Edad Media [arriba, pp. 103-118]. No me adhiero al juicio de Salinas sobre las elegías españolas en general, tanto las medievales como las modernas, que según él obedecen sólo «a las estimaciones humanas, de prójimo a prójimo, de sangre o de valoración individual»: por ejemplo, la elegía del Arcipreste sobre Trotaconventos se explicaría así: «Trotaconventos estaba muy cerca del protagonista del *Libro de buen amor* y, por esa proximidad a él, se ganó la elegía, por razón personal y no general». Pero Trotaconventos no es un «prójimo» del poeta; al contrario, a quien está próxima es al «yo didáctico», que es el protagonista del *Libro de buen amor*, y es una abstracción que toma vida con el texto, como he mostrado en mi artículo. De modo que no se puede comparar la elegía del Arcipreste con las de poetas modernos como Espronceda y Lorca: en aquélla tenemos el «yo didáctico pecador», que se apiada de la muerte de otro ser pecador; esa piedad general cristiana es la sola relación íntima entre el protagonista y la alcahueta.

familia: una muerte semipública, representativa de la buena muerte. El Maestre «representa» también en la muerte, aunque su alma esté sola con Dios, como diremos más adelante. El toque realista (muy bien puesto de relieve por Salinas) de esa «villa d'Ocaña» donde lo llama la Muerte está destinado a indicar un lugar geográfico determinado; la Muerte es quien nos saca de un ambiente preciso para hundirnos en una eternidad inabarcable, en el mar «qu'es el morir»; tampoco vemos con los ojos a Ocaña, punto de referencia puro. Y es más bien en «la su villa d'Ocaña» que en «Ocaña» donde se presenta la Muerte; esto es, en la casa que le pertenece y de donde lo sacará la muerte igualadora. ¿Y cómo podrá la figura del Maestre no ser estilizada si tiene el privilegio de encararse con la alegoría de la Muerte? Esta sobrehumana presencia refluye sobre el héroe, que así adquiere dimensiones sobrenaturales, más sobrenaturales que el Cid. Es como si hubiera ingresado ya en el rango de héroe de museo, al contrario de lo que dice Salinas, quien, a pesar de su reconocimiento de la tradición, de los moldes objetivos prevalentes en el poema, quizás haya cedido demasiado a la tendencia moderna de ver en él más *Erlebnis*, más «vivencia» de lo que se debe. El panegírico de un individuo ejemplar excluye *a priori* el carácter de vivencia: el panegírico presupone juicio moral; la vivencia aceptaría en el ser querido todo lo que hubiera en él, tanto lo malo como lo bueno.

Volviendo a la explicación gramatical, encontramos en nuestro poema: 1) el tipo original del objeto interior, el paronomástico, 2) el derivado con el verbo vicario, 3) el tipo moderno con diferencia temática. El último es para nosotros el menos interesante (*las músicas acordadas que tañían; las lides que venció; sus viejas historias que pintó,* con un *sus* redundante). Por el contrario, el primer tipo (*las obras que obró, sus claras hazañas que hicieron,* con *sus* redundante) puede mostrarnos el clima de magia solemne en el cual se mueve el poema. Habrá que añadir aquí el caso del sujeto interior paronomástico: «dellas [ciertas cosas deshacen] *casos* desastrados / que *acaheçen*»,[20] que nos recuerda el tipo pri-

---

20. Tampoco la construcción del objeto interior debe haber sido trivial, como se puede ver por «andar esta jornada», que simboliza la vida del peca-

mitivo *el trueno truena* (Plauto: *eventus evenit,* Shakespeare: *the rain it raineth every day,* húngaro *esik az esö* 'llueve', literalmente 'llueve el llovedor').

En cuanto al tipo 2) con verbo vicario, la estrofa xxx nos ofrece el ejemplo «*fizo* en esta mjsma guerra / que *hazía*», y quizá también «después que *fechos* famosos / *fizo* en esta mjsma guerra». Sorprende aquí la repetición del tema *hacer,* cuatro veces, en esta estrofa que, al cabo, repite circunstancialmente el motivo de la estrofa xxiii: «e las sus claras hazañas / que hizieron en las guerras / i en las pazes». ¿Y por qué una expresión tan prosaica, *esta misma guerra,* mucho menos poética que *las sus claras hazañas?* Salinas no nos dice nada de esta estrofa, que debe ser desconcertante en su prosaísmo para un poeta moderno. Hoy resulta trivial la paronomasia lograda con el verbo architrivial *hacer,* esa «bonne à tout faire», mientras que para el poeta cuatrocentista la repetición se inspiraba en la solemnidad arcaizante, como de predicador, e insistía en el carácter activo del héroe. Y tono de predicación tiene también *esta misma guerra,* usado por el mismo poeta que ha dicho antes *pero yo digo que...*

II. El infinitivo sustantivado

Encontramos en nuestro poema algunos casos de infinitivo sustantivado con significación estilística particular. (No hablo de casos gramaticalizados tradicionales en todas las épocas, como *pesar* o *poder*): «¿Qué se hizo *aquel trobar,* / las músicas acordadas / que tañían? / ¿Qué se hizo aquel dançar, / aquellas ropas chapadas / que trayan?» (estr. xvii). «Sus infinitos thesoros, / sus villas e sus lugares / *su mandar,* / ¿qué le fueron sino lloros?» (estro-

---

dor cristiano en la estrofa v: «Este mundo es el camino / para el otro ... / mas cumple tener buen tino / para andar esta jornada / sin errar. / Partimos ... / andamos... / y llegamos...». Se ve que *andar esta jornada* conserva aquí toda su fuerza inicial y su frescura metafórica (es decir, que está en el polo contrario de frases hechas como it: *andar via,* alem. *weggehen,* ingl. *go away*): ya Gonzalo de Berceo había dicho: «todos somos romeros que camino andamos».

fa XXI). «En ventura Octaviano; / Julio César *en uencer* / *e bata-llar*; / en la virtud, Affricano; / Haníbal *en el saber* / *e trabajar*; en la bondad vn Trajano» (estr. XXVII).[21]

Y en el diálogo final con la Muerte, que pone en acción el hecho ineluctable que asentaron los versos del principio: «Nuestras vidas son los ríos / que van a dar en la mar / qu'es *el morir*», el Maestre expresa su libre aceptación de la muerte y su conformidad con el plan providencial en las palabras monumentales: «... consiento en *mj morir* / con voluntad plazentera, / clara, pura»; esto es, emplea el infinitivo sustantivado con el posesivo «espontáneo» y no una construcción parecida a las que había usado la Muerte: «esta afruenta / que vos llama» (estr. XXXIV), «la batalla temerosa / qu'esperáys» (estr. XXXV). No dice el Maestre algo como «muerte que me espera».

Aquí hay que intercalar algunas observaciones sobre el infinitivo sustantivado en general. Es una forma intermedia, abstracta y concreta a la vez, una forma más abstracta que los otros sustantivos verbales (cf. *el danzar,* frente a *danza*; *el morir* frente a *muerte*), porque pone de relieve la actividad pura, no su resultado; por otra parte, es una forma concreta, por el hecho de que sugiere la presencia de una persona que realiza la acción expresada por el verbo, lo que no hacen los otros sustantivos verbales. *El danzar, el morir*, son actividades; *danzar, muerte,* son acontecimientos. *En el danzar, en el morir,* un ser individual se manifiesta en sus acciones, y los infinitivos nominales participan de la animación del verbo finito. Ya decía Madame de Staël en su libro *De l'Allemagne,* cap. 9, refiriéndose a la posibilidad del alemán de acuñar libremente infinitivos sustantivados, que 'el vivir', 'el querer', 'el sentir' son menos abstractos que 'la vida', 'la voluntad', 'el sentimiento' y que dan más animación al estilo. Los infinitivos sustantivados deben ser muy antiguos en romance, pues *los víveres, los comeres y beberes* (plurales) son tipos inter-románicos; lo es

21. También aquí amplían las *Glosas en verso*: «en grandeza fué Aureliano, / Manlio *en la ley defender* / *y guardar* / ... Cornelio Silla en ventura, / Belerofonte y Marcello / *en el osar,* / Scipión Nasica en cordura, / Macedónico Metello / *en el callar,* / en justo, Claudio Romano, / Trimegisto *en entender* / *y alcanzar*», etc. (*loc. cit.*, p. 162).

una derivación verbal de *bibere* sustantivado (*da bibere* > *ad-biber-are* > *abrevar*); al. *Bier* 'cerveza' parece ser un *biber* del latín conventual sustantivado en gramáticos latinos *da biber = da potum* (Stolz-Schmalz, p. 577).[22] Pero no cabe duda de que este tipo de formación es de origen culto, y hasta filosófico: tanto Cicerón como San Agustín imitan con él construcciones griegas con τό + infinitivo (así τὸ εἶναι > *esse* sust.). Al comienzo de las literaturas románicas ya debió haber una decadencia de la fuerza abstracta de los infinitivos sustantivados. Es ésta la situación que encontramos en los primeros textos del ant. fr.: Damourette-Pichon, IV, p. 678, nos dicen que son muy pocos en el *Saint Alexis* y la *Chanson de Roland,* que se hacen muy frecuentes en los siglos XII-XIV, disminuyen en el XV y resurgen con el Renacimiento, especialmente en Montaigne, bajo la influencia griega, para volverse arcaicos en francés moderno. En efecto, los infinitivos sustantivados de los primeros textos son muy triviales, expresan posesiones u ocupaciones regulares necesarias y aparecen en fórmulas: *De cest avoir nos n'avons cure; tans est del herberger, al corner*; del mismo modo en el *Poema del Cid*: «el cometer fue malo», «al partir de la lid», «caballeros de prestar». Desde el siglo XII es cuando aparecen los infinitivos sustantivados con insistencia y con expansión semántica como para expresar un estilo de vida, actitudes deliberadamente escogidas, como si dijéramos programáticas:

> Por nul besoinz qui li crëust
> li rois ne leassast *son chacier,*
> *son deduire, son rivoier.*
>
> MARIE DE FRANCE, *Equitan.*

22. La concretización de los infinitivos sustantivados ha tenido consecuencias morfológicas en español: bajo la influencia de sinónimos concretos pasaron al femenino y adoptaron incluso una forma femenina en -*a*: ant. esp. *yantar,* fem. (bajo la influencia de *cena, comida*); esp. *mentira = *mentir* fem. + -*a* según la brillante demostración de Zauner, en ZRPh, XLII (1922) p. 79. Añadiré a estos ejemplos el esp. y port. *piara* «rebaño», que debe ser un *piar* sustantivado y femenino bajo la influencia de *grey, manada,* literalmente «un atar (las bestias por el pie)» de *pedia* «lazo para el pie de las bestias» (> port. *pe(j)a,* cast. *pihuela*; cf. Corominas, en RFH, VI, 1944, p. 163). Esas formaciones españolas tienen su antecedente en el latín vulgar: *singulas biberes,* fem. plur., moldeado sobre *potiones,* en las reglas de san Benito (Stolz-Schmalz, 5.ª ed., p. 577).

A tant laist *le mangier* ester,
et tot *le rire* et tot *le juer,*
le boire lest et *le dormir,*
cil se criement de *son morir.*

Flor et Blancheflor, 397

Icis venirs, icis alers,
Icis velliers, icis parlers,
Font as amans sous lor drapiaux
durement amegrir.

Roman de la Rose, 2254

Éstas son formas nuevas, no estereotipadas, que apuntan hacia un ideal de vida, de acuerdo con ciertos principios. El auge de estas construcciones se conseguirá cuando veamos expresado en ellas un ser ideal, generalmente una mujer que realiza el ideal.[23] Ahora

---

23. El reverso de la presentación de una persona como suma de rasgos abstractos es la presentación de un rasgo abstracto como persona. Ya se sabe que ésa es la definición de la personificación o alegoría medieval. No extraña encontrar al lado de *nomina actionis* ya dados por la lengua (del tipo de *Bel-Accueil, Deduit*) infinitivos sustantivados que a cada paso nacen en la imaginación del poeta medieval:

Outrecuidiers et ma fole pensee
me fait chanter et si ne sai porquoi.

Gautier d'Espinal

Mes amors si forment m'atire
que par tretons *mes pensers* chace.

Roman de la Rose

Quant li moiens devient granz sires,
lors vient *flaters* et naist *mesdires.*

Rutebeuf

Las abstracciones pueden servir también de objetos alegóricos: en el *Roman de la Rose* el personaje alegórico Franchise tiene una lanza *de douce priere,* Dangier un escudo *d'estoutoier* y *de gens viltoier* («de ser orgulloso», «de maltratar la gente»). En el *Miracle de la Nativité* uno de los siete remos del

bien, precisamente en el ideal cortesano de la Edad Media entraba la concepción de un ser (ideal) que se manifiesta en acciones (ideales), y era la potencialidad para esas acciones lo que importaba más que la acción misma: he aquí algunos ejemplos en antiguo francés:

> Nicolette, biax *esters,*
> biax *venirs* et biax *parlers,*
> biax *borders* et biax *jouers,*
> biax *baisiers,* biax *acolers,*
> por vos sui si adolés.

Aucassin et Nicolette, VII, 12

> Toz tens m'est plus s'amors fresche et novele
> quant recors a loisir
> ses euz, son vis qui de joie sautele,
> *son aler, son venir,*
> *son bon parler* [24] et *son gent contenir.*

Gautier d'Espinal, *Chanson,* VI

Arca de Noé es *Craindre Dieu* («temer a Dios»; otros remos son «fe», «paz», «justicia», etc.). Todos estos ejemplos los he tomado de Damourette-Pichon, quienes nos dicen también que para el francés moderno toda nueva creación de infinitivos sustantivados (naturalmente no los estereotipados como *plaisir, le manger,* etc.) suenan a arcaísmo. ¿No se reconoce aquí el espíritu racionalista moderno, más hondamente arraigado en los franceses modernos que en ningún otro pueblo? No pueden crear abstracciones nuevas como sus abuelos medievales (y eso que *la Patrie, la Gloire, la Raison,* son abstracciones viejas). Las otras lenguas románicas han conservado la posibilidad de sustantivar los infinitivos, esto es, la etapa que en Francia representa Montaigne (por ejemplo, *Car le n'oser parler rondement de soy accuse quelque faute du cœur,* como esp. *el no saber...,* it. *il non sapere...*).

La «desabstractización» en francés ha dado también el golpe de muerte a las formaciones abstractas derivadas del tipo *-erium (desiderium, improperium)* que existían en ant. fr. y prov.: *desirier, pensier, reprovier,* etc., erróneamente incluidas por Damourette-Pichon entre los infinitivos sustantivados porque su sentido es el mismo. Cuando los infinitivos ant. fr. en *-ier* (< *-are,* después de consonante palatal) cedieron a los en *-er (cerchier* > *chercher),* el tipo en *-ier* (< *-erium)* corrió la misma suerte fonética: *pensier* > *penser* se mantuvo hasta el siglo XVII y desapareció luego; el galicismo *pensiero,* en italiano, es el único sobreviviente de una serie de abstractos en antiguo francés.

24. Se puede ver el valor carismático dado a esos cumplimientos cortesanos en una frase como la de la biografía del trovador provenzal Bernart

Todos esos ejemplos muestran un ideal cortesano expresado en formas de creación individual, en neologismos, por decirlo así. Lo que adora el caballero en su dama no es tanto el paso, la palabra, el beso, como el caminar, el hablar, el besar, o más bien su ser caminante, hablante y besante, y más que todo su s e r: el *biax esters* (¡en vocativo!) implica una identificación del ser abstracto-concreto (del estar) de Nicolete, dotado de infinita potencialidad de acción, con su persona.[25] En ese clima nacieron expresiones francesas hoy estereotipadas, pero que debieron ser enton-

---

de Ventadorn: «*Deus* li det bella persona ..., e gentil cor, e det li sen e saber e cortesia e *gen parlar*» (ed. Appel. p. xxii). En las canciones de Bernart mismo encontramos una imploración a Dios para que le conserve el *gen parlas* de su dama: «Per Deu e per merce·lh sia / que·l bel solatz que m'avia / no·m tolha ni·l *seu parlar gen*» (núm. 17). *Gen parlar* está en ambos casos al mismo nivel que los *nomina actionis* como *cortesia* y *solatz*. Y así vemos en la poesía provenzal acoplados los *nomina actionis* y los infinitivos sustantivados sin la menor dificultad. Appel, *Prov. Chrest.*, 33, 17: «[no falta nada en la dama] bentatz, honors ni jovens / e a bon grat e *dous ribe* ab faitz, ab ditz avinens» (G. Riquier); 20: [la dama «sintética» de Bertran de Born tomará de una dama individual su] *esgart amoros,* [de otra] *son adreich parla· gaban,* [de otra] *sas bellas dentz...*, *l'aculhir e·l gen respos.*

> ... can diuz mon cor remire
> son dous vis e *son gen rire.*
>
> 38, 26 (Bonifaci Calvo)

> Molt mi platz deportz e gaieza,
> condugz e *donars* e proeza.
>
> 44 (Monje de Montaudon)

Si se comparan los casos en francés moderno que citan Damourette-Pichon (III, p. 473) para el acoplamiento de infinitivo sustantivado con otros abstractos, se verá cuán artificiales resultan (tal vez sea la introducción por la preposición *de* lo que les da su carácter sustantivado). Para la Edad Media el infinitivo sustantivado expresaba una plenitud del ser que hoy no sentimos ya.

25. No hay mucha distancia de este procedimiento al que hace de un infinitivo sustantivado un nombre propio: la dama a quien el trovador provenzal Bernart de Ventadorn llama *Bel-Vezer* será una persona cuya existencia queda sumida en el «mirar hermosamente» (cf. el otro nombre poético *Douz-Esgar*), no precisamente «algo que permite una hermosa vista» (= it. *Belvedere*).

ces creaciones originales, como *le baiser* (en lugar de **bais* = esp. beso < b a s i u m), *le rire* (en vez de *risa, riso* < r i s u s), cf. *ZFSL,* XLVIII, 1922, p. 373: 'el besar', 'el reír' expresan en su origen una abstracción concretamente relacionada con el agente, lo presentan como un ser que puede exteriorizarse en actos de besar o reír, en vez de presentar los resultados materiales de la acción: la civilización estética del siglo XII, sumamente refinada, da importancia al ser presente tras el acto. Claro que estas expresiones originales concretas y abstractas debían ceder más tarde a la concretización total: el ant. it. tiene *baciari* y *abbracciari* (plurales) que ya son 'besos' y 'abrazos', y el m. a. al. pasajes como los siguientes de Walter von der Vogelweide: «Mir wart von ir in allen gâhen [= '¡con toda rapidez!'] / *ein küssen* und *ein umbefâhen*».[26] 'Un besar', 'un abrazar' equivalen a 'un beso', 'un abrazo'. Cf. también: «Ich erwirb ein lachen wol von ir» (*ibid.*). 'Conquistar un reír' es ya conquistar una posesión material; cf. ant. prov. «per qu'ieu l'embles un dous baizar», en Bertran de Born. Pero el ver el ideal en el 'ser-acción' y a la vez el acuñar nuevos infinitivos sustantivados, cargados de significación, se mantuvo en nuestras literaturas hasta el pleno Renacimiento, gracias al *dolce stil nuovo* y al petrarquismo. Así, en un soneto de Camoens:

> *Um mover d'olhos,* brando e piadoso,
> sem ver de quê; um sorriso brando e honesto,
> quási forçado; um doce e humilde gesto,
> de qualquer alegria duvidoso;

26 Veo que en la colección de ejemplos de infinitivos sustantivados m. a. al. que da Behaghel, en *Zeitschrift für deutsche Wortforschung,* VIII, p. 329, hay casos de *gütlich umbefahen, ein liebez bieten, ein grüzen, küssen* en el *Nibelungenlied.* Behaghel cree que no se encuentran en esa época infinitivos sustantivados con verbos compuestos con prefijos en *be- er-,* que tienen sentido perfectivo: los sustantivaciones tienen lugar sólo con verbos de sentido imperfectivo; no tampoco con verbos perfectivos como 'encontrar', 'dar', 'venir'. Este estado de cosas cuadra muy bien con mi idea de que los infinitivos sustantivados del romance expresan un s e r, no un h a c e r ; y claro que todas las «actividades sociales» como 'saludar', 'abrazar', 'preguntar', 'besar' (que encontramos en infinitivos sustantivados en m. a. al.) son manifestaciones de un modo de ser cortesano.

um despejo ....
um repouso ....
uma pura bondade, manifesto
indício da alma, limpo e gracioso;

um encolhido ousar; uma brandura;
um mêdo sem ter culpa; um ar sereno;
um longo e obediente sofrimento:

esta foi a celeste formosura
da minha Circe, e o mágico veneno
que pôde transformar meu pensamento.

Líricas, núm. 19 (ed. Rodrigues Lapa)

No cabe duda de que aquí lo que canta el poeta es el ser abstracto-concreto de la dama, con sus potencialidades: [27] su retrato
consiste, no en rasgos físicos, sino en cualidades abstractas de su
alma que pueden manifestarse en su cuerpo (*manifesto indício da
alma*); los infinitivos sustantivados aparecen naturalmente cuando
los abstractos tradicionales no existen para expresar el ser particular de esa «Circe»: *Um mover d'olhos, brando e piadoso, sem
ver de quê; um encolhido ousar*; vemos acoplados aquí los infinitivos sustantivados en una enumeración parecida a la med. fr. de
los siete remos del Arca de Noé, donde figuraba un infinitivo sustantivado al lado de otros *nomina actionis*.[28]

27.   Una de las amadas de Camoens se llama *Dinamene* 'la que puede'
= 'la que es potencialmente'. Aquí hay que notar que mi idea del ser
productor de acciones no está en contradicción con la de Ortega de que lo
que caracteriza a la mujer en las grandes civilizaciones es el que se con-
tente con s e r sin querer a c t u a r, y que es el caballero perfecto el que
viene hacia ella y manifiesta sus potencialidades de acción, en acciones imper-
fectivas (cf. la nota anterior) que tienen su sentido gracias al ser de la
dama.
28.   La erudición siempre pronta de mi amigo Charles Singleton me ha
ayudado a identificar como fuente de este soneto de Camoens el de Petrarca *Grazie ch'a pochi il ciel largo destina* (CCXIII en la ed. Chiorboli).
Comparando los dos sonetos, en los cuales la hermosura de la mujer se explica por medio de una enumeración de rasgos abstractos que se expresan en
su aspecto físico (entre ellos, también en Petrarca, infinitivos sustantivados como *E'l andar che ne l'anima si sente, L'andar celeste ... col dir pien
d'intelletti dolci et alti*), se puede observar el progreso de Camoens hacia el

Ahora bien, no vacilo en relacionar los *aquel trovar* y *aquel danzar* de Manrique con los *biax venirs et biax parlers*... del siglo XIII, puesto que Manrique es un representante «de la poesía de corte, empapada de sensualismo cortesano» (Salinas, p. 175) y caracteriza la corte artística de Juan II con las mismas expresiones tradicionales que se venían usando en los ambientes cortesanos desde aquella época. Después de Jorge Manrique, Hernando de Ludueña describirá en términos casi medievales la verdadera cortesía, centrada en torno a mujeres (Salinas, p. 40): «*El cantar* dulce, placiente, / y *el danzar* alegremente, / *justar, vestir,* yo diría / que sin ellas [las damas] tal sería / como sin agua la fuente». También para el ambiente varonil en que se mueve el Maestre, el poeta usa el infinitivo sustantivado: ... *su mandar*... *en vencer e batallar* ... *en el saber e trabajar,* que expresa más bien las potencialidades activas de un ser virtuoso que sus hazañas particulares. Lo había precedido en este uso su tío Gómez Manrique, precisamente en el panegírico acumulativo a base de personajes históricos: «Etor en la valentía / ... Aníbal *en el conquistar,* / *en defender* Çipión, / en el seso Salomón, / en virtud otro Catón, / Jullio César *en osar*» (Cf. Curtius, en *ZRPh,* LII, 1932, p. 144).

Y ahora trataremos de ese deslumbrante *consiento en mi morir,* eco individual de la verdad general *la mar qu'es el morir,* que está en un nivel más alto que el ant. fr. *cil se criement de son morir,* porque en *mi morir* no se expresa como en *Flor et Blancheflor* el simple hecho de morir ('tienen miedo de que yo muera'), sino un acto deliberado anclado en el ser del Maestre, el cual hace suya la decisión de la Providencia.

Todo el poema culmina en esa pasividad activa, «plazentera,

---

individualismo y hasta el impresionismo moderno: en Petrarca los abstractos están sin artículo, eso es, son nombres propios de abstracciones o con el artículo definido, esto es, son cualidades conocidas, de vez en cuando subrayadas por un demostrativo retórico («*Leggiadria* singulare e pellegrina / *El cantar* che ne l'anima si sente ... / e *que'* belli occhi che i cor fanno smalto»), mientras que Camoens ya tiene el sentimiento de la individualidad sin igual de su dama, el matiz del artículo indefinido (*um mover d'olhos ... um despejo*) que postula una variedad particular, renunciando a definirlo. El artículo indefinido expresa lo indefinible del *individuum ineffabile,* eso que define Petrarca con los epítetos *singulare e pellegrina.*

clara, pura». Dice Salinas (p. 181): «Las veinticuatro estrofas primeras son la vía abierta por el poeta hacia su padre y que, iniciada en su mayor anchura —la inmortalidad—, va estrechándose —lo mortal—, se angosta más y más —los muertos—, hasta ir a dar en su vértice y final —el muerto— don Rodrigo»; y (p. 217): «Primero, en las estrofas iniciales, la muerte abstracta; ...luego la muerte hecha muertos, encarnizándose con unos grandes hombres. Y por fin, el muerto, don Rodrigo; pero ese muerto a su vez va pasando por una especie de purificación... Don Rodrigo... acaba por mostrársenos, en el instante de su muerte, ... desnudo, sin tesoros, solo con su alma... Cuanto menos tiene más es». Yo diría que el poema, tan medieval como el de Dante, ejemplifica con el *yo* del Maestre el *nos* de la humanidad, que ofrece como ejemplo de vida cristiana un morir conforme, que va «estrechándose», como muy bien dice Salinas, que va ciñéndose al yo que tiene que morir, esto es, que tiene que pasar individualmente, en su persona, como Cristo, aisladamente, por la puerta estrecha reservada a los elegidos que se han ganado la otra vida en esta tierra: la muerte cristiana, concebida como un «aislamiento» (cf. A. Rüstow, *Vereinzelung,* Estambul, 1948). La religión cristiana, como las otras religiones de redención (la persa, la islámica, etc.), en oposición a las religiones de la naturaleza, debe insistir en el paso a la otra vida de cada alma sola y señera («je einzeln»), delante de su juez, *sola cum solo.* Rüstow habla de la acción «desarraigante» de las religiones de redención, que tienden hacia el «rebajamiento y destrucción de los ambientes y vínculos naturales del hombre». Cristo dice: «Dico vobis: in illa nocte erunt duo in lecto uno: unus assumetur, et alter relinquetur» (San Lucas, XVII, 34). Pues bien, nuestro poema no nos muestra la parte negativa del rechazo; nos muestra, al contrario, con el Maestre, el *unus assumetur,* el hombre que es aceptado porque hace la voluntad de Cristo: «In illa hora qui fuerit in tecto, et vasa eius in domo, ne descendat tollere illa: et qui in agro, similiter non redeat retro» (XLII, 31). El Maestre, que no dejó vajillas (estr. XXIX) = *vasa,* abandona sin amargura «esta vida mezquina» y se da a Cristo, que también pasó por la puerta estrecha (las estrofas VI y XXXIX se corresponden en la mención del Dios-hombre). Esa muerte cristiana es, por consiguiente, un *mi morir* de un alma sola, emancipada de la necesidad y que supera la pasividad, una acción deliberada de estar conformes y de hacer propia la voluntad divina; acción: no una muerte, sino un morir.[29] Las múltiples actividades del héroe, sus *hazañas que hizo,* sus *obras que obró,* podían exponerse mirando de soslayo al lector ante quien se construían; [30] pero su morir solo, consigo mismo delante de Cristo, no admite al lector; es un acto únicamente suyo, que le pertenece más que todas las actividades enumeradas en el Poema (léanse las hermosísimas páginas 201-202 de Salinas sobre el valor de los tres *después* anafóricos de la estr. xxxiii).[31] No hay duda de que el poeta no podía expresar esa sublime decisión de cooperar con la muerte mediante un **consiento en mi muerte,* o **consiento en la muerte que me espera.* Debía ser *consiento en mi morir,* ni más ni menos.

Ahora bien, si queremos investigar la génesis de ese conciso y

29. Claro está que ese *mi morir,* donde el yo humano acepta el punto de vista de la divinidad, de lo no-humano, del más allá, no tiene nada que ver con las tentativas modernas (Rilke, Malraux, Heidegger) de ver la muerte como acontecimiento humano, integrado en la vida humana, a la cual, por supuesto, da su sentido (el *Dasein* de Heidegger que es *Sein zum Tode*) como demuestra muy bien Sartre, *L'être et le néant,* pp. 615 ss. Para Sartre la muerte no existe dentro de la conciencia humana; es un hecho irrealizable, absurdo: «la mort n'est pas ma possibilité»; por consiguiente, si Sartre titula su capítulo *Ma mort,* esta expresión debe entenderse como entre comillas.

30. Yo veo en la firmeza de la perspectiva temporal de Manrique lo que más lo distingue de sus predecesores medievales, su verdadera originalidad: la monumentalidad propia del arte de la palabra que se desarrolla necesariamente en el tiempo consiste en ofrecer escalones de un «devenir» continuo en el cual no se repite nada, sino que el escalón posterior supera al anterior y todos ellos están subordinados al orden temporal del todo. Esa perspectiva de monumentalidad faltó en general a la Edad Media, que procede más bien por sumandos, puestos todos al mismo nivel. Hay un «desorden bajo el ojo de Dios» en ciertas obras medievales, desconcertante para el lector moderno. Jorge Manrique hizo lo que habían hecho en Italia los Dante y Petrarca: introducir la perspectiva firmemente cronológica, indispensable para nosotros los modernos en la lírica culta. En nuestro poema, por encima de la placidez igualitaria de las estrofas, brota un ritmo interior que nos empuja hacia adelante, a través de su principio, su medio y su final (según la definición de san Agustín).

31. La familia y los amigos son, como dijimos antes, más bien el ambiente natural fuera del cual la Muerte saca al Maestre. Estos testigos mudos no impiden su soledad básica.

poderoso *mi morir,* encontramos el hecho indiscutible de que la
sustantivación de *morir* está anticipada en la poesía juguetona,
amorosa y cortesana de Jorge Manrique. Salinas (p. 17) cita versos
como:

> Con mi vida no me hallo
> porque estoy ya tan usado
>   *del morir,*
> que lo sufro, muero y callo
> pensando ver acabado
>   *mi vivir;*
> *mi vivir* que presto muera,
> muera porque viva yo...

O bien:

> *mi vivir* quiere que viva,
> *mi morir* quiere que muera.

Salinas titula el capítulo en que trata estos pasajes «muerte
de juego», y dice que en ellos la muerte es más bien un eufemis-
mo por el amor; una muerte «servidora de propósito vital, muerte
de quita y pon, del todo distinta de la que señorea las coplas».
Nosotros vemos en los infinitivos sustantivados el encadenamiento
estilístico con la poesía cortesana de la Edad Media; por ejemplo,
con el pasaje ant. fr. *cil se criement de son morir,* donde el morir
aparecía como una de las proezas del verdadero amante: como
debe por su amor perder el sueño, así también debe sufrir el
proceso físico de morir. El *Ars amandi* requiere aquí la muerte. El
frívolo jugueteo con la muerte se deriva, en Manrique, del altísimo concepto del amor-sacrificio de los trovadores provenzales, y
algo de su seriedad ha podido reverdecer en el *mi morir* de las
Coplas, que ya no refleja la muerte —muerte de juego de *Ars
amandi,* que no es un acto físico como en *Flor et Blancheflor*—,
sino que pertenece al *Ars moriendi.* La expresión *mi morir* se debe
a la poesía cortesana, pero ha podido recobrar su nobleza: este
rasgo estilístico particular refleja el carácter de toda la obra de
Manrique: tantas poesías amorosas inconcluyentes, frente a una
poesía, inmortal, de la Muerte; tanto jugueteo con el morir y *una*
descripción imperecedera de la más seria decisión del hombre,
del consentimiento de su muerte.

8. LA PROFECÍA DEL TAJO DE FRAY LUIS DE LEÓN *

Quizá no resulte superfluo someter este poema a una nueva interpretación aun cuando Dámaso Alonso haya dicho sobre él muchas cosas interesantes en su libro *Poesía española* (1950). Dámaso Alonso ya había comparado detalladamente en sus *Ensayos sobre poesía española* (Buenos Aires, 1946) el poema español con el modelo latino —el vaticinio que Nereo dirige al raptor de Helena, París, en Horacio, Oda I, 15— y adapta ahora en el nuevo libro la explicación a la estructura «de fuera a dentro». Después de aludir al modo en que, en la forma de la clásica lira (el equivalente de la oda horaciana), trata Fray Luis una leyenda hispana medieval y la inserta por completo en el espíritu del Renacimiento, de modo que los protagonistas del poeta español corresponden con exactitud a los del romano:

Nereo, dios marino — Paris — Helena — destrucción de Troya
Tajo, dios del río — Rodrigo — La Caba — destrucción de España,

analiza particularmente cada estrofa con criterios formales (hipérbaton, polisíndeton, asíndeton, armonía vocálica, sinestesia, ritmo de las estrofas y su concatenación), para llegar a la conclusión de que la transición interestrófica del poema horaciano ha sido aumen-

* Artículo publicado con el título «Fray Luis de León's 'Profecía del Tajo'», en *RF*, LXIV (1952), pp. 225-240; reimpreso en *Romanische Literaturstudien, 1936-1956*, pp. 732-748. (Traducción castellana de Rosa M.ª Falgueras.)

tada en número y potencializada, acrecentando así el valor lírico-subjetivo (como nunca había sido posible en un episodio de la poesía hispánica nacional ni en la remota antigüedad mitológica), que además señalan las últimas estrofas del anticlímax lírico horaciano. En los *Ensayos,* Dámaso Alonso manifiesta todavía la opinión de que la oda de Fray Luis «supera» a la horaciana en la diversidad de escenas descritas y en la rítmica casi orquestal.

Prescindiendo de que con el concepto «superación» tengo pocos puntos de partida (dos obras de arte perfectas con escenas y supuestos sentimientos absolutamente distintos son sencillamente incomparables: ¿se puede comparar *Hamlet* con *Edipo, rey?*), me sorprende que Dámaso Alonso haya tomado tan «exteriormente» la comparación métrico-estilística, en el sentido de la retórica, de los dos poemas en vez de apartar los rasgos formales que en sí mismos manifiestan diferencias de inspiración (antigua mitología - sentimiento nacional español). Ya las estrofas iniciales de los dos poemas señalan las siguientes diferencias:

1.   La profecía de Nereo a Paris tiene lugar cuando éste celebra el criminal rapto de Helena. La del dios del río al rey de los godos cuando éste goza con su amante, la Caba, a orillas del Tajo.

2.   El mecanismo delito y expiación (*perfidus — fera fata*) de Horacio, realzado ya desde un principio, no aparece en Fray Luis.

3.   Nereo calma los vientos para ser oído. No ocurre lo mismo con el poeta español que nos muestra al punto a la irritada divinidad del río,[1] presentándosenos con el *bramido* del dios guerrero.

---

1.   Suele tratarse frecuentemente de un simple cambio de matices, pero yo no creo superfluo considerar de modo crítico cada detalle, pues sólo a través de tal actitud puede alcanzarse en los estudios estilísticos aquel ideal de precisión que tanto admiramos en los trabajos de los antiguos filólogos. He aquí el texto:

1 Folgaba el Rey Rodrigo
   con la hermosa Caba en la ri-
                      [bera
   del Tajo sin testigo;
   el pecho sacó fuera
   el río y le habló de esta manera:

2 En mal punto te goces,
   injusto forzador; que ya el so-
                      [nido
   y las amargas voces,
   y ya siento el bramido
   de Marte, de furor y ardor ce-
                      [ñido.

3   ¡Ay, esa tu alegría
    qué llantos acarrea; y esa her-
                            [mosa,
    que vio el sol en mal día,
    a España, ay, cuán llorosa,
    y al cetro de los godos tan cos-
                             [tosa!

4   Llamas, dolores, guerras,
    muertes, asolamientos, fieros ma-
                              [les
    entre tus brazos cierras,
    trabajos inmortales
    a ti y a tus vasallos naturales.

5   A los que en Constantina
    rompen el fértil suelo, a los que
                             [baña
    el Ebro, a la vecina
    Sansueña, a Lusitaña,
    a toda la espaciosa y triste Es-
                              [paña.

6   Ya dende Cádiz llama
    el injuriado Conde, a la ven-
                            [ganza
    atento, y no a la fama,
    la bárbara pujanza,
    en quien para tu daño no hay
                          [tardanza.

7   Oye que al cielo toca
    con temeroso son la trompa
                             [fiera,
    que en África convoca
    el moro a la bandera,
    que al aire desplegada va li-
                            [gera.

8   La lanza ya blandea
    el árabe cruel y hiere el viento,
    llamando a la pelea;
    innumerable cuento
    de escuadras juntas veo en un
                          [momento.

9   Cubre la gente el suelo
    debajo de las velas desparece
    la mar; la voz al cielo
    confusa y varia crece;
    el polvo roba el día y le os-
                            [curece.

10 ¡Ay! que ya presurosas
    suben las largas naves; ay que
                            [tienden
    los brazos vigorosos
    a los remos y encienden
    las mares espumosas por do
                           [hienden.

11 El Eolo derecho
    hiende la vela en popa y larga
                            [entrada
    por el hercúleo estrecho
    con la punta acerada
    el gran padre Neptuno da a la
                            [armada.

12 ¡Ay triste! ¿y aún te tiene
    el mal dulce regazo? ni llamado
    al mal que sobreviene
    ¿no acorres? ocupado
    no ves ya el puerto a Hércules
                           [sagrado.

13 ¡Acude, corre, vuela,
    traspasa la alta sierra, ocupa el
                            [llano,
    no perdones la espuela,
    no des paz a la mano,
    menea fulminando el hierro in-
                            [sano.

14 ¡Ay, cuánto de fatiga,
    ay, cuánto de sudor está pre-
                            [sente
    al que viste loriga,
    al infante valiente,
    a hombres y a caballos junta-
                           [mente!

15 Y tú, Betis divino,
    de sangre ajena y tuya aman-
                           [cillado
    darás al mar vecino
    ¡cuánto yelmo quebrado,
    cuánto cuerpo de nobles destro-
                           [zado!

16 El furibundo Marte
    cinco luces las haces desordena,
    igual a cada parte,
    la sexta, ¡ay! te condena,
    ¡oh cara patria! a bárbara ca-
                           [dena.

Si reunimos los puntos 2 y 3 surge el moderado clima horaciano que considera el delito humano con una aceptación serena en la fatalidad del hado y en la necedad del orgullo («sic esto nequiquam», ¡inútil!), y desde la primera a la última estrofas el desarrollo transcurre en Horacio como se había esperado. En contraposición, Fray Luis evita de modo deliberado una serie similar de la condena del delito y del hado, y dedica doce estrofas a una amonestación del río al rey, y tres para las lamentaciones sobre la infelicidad de España, aunque ya en las palabras de represión está tratada como una descripción —de modo que se presentan no el delito y el hado, sino el delito y la desgracia (la desgracia de la guerra) o, mejor, la desgracia del delito—. El antiguo hado que, por ello mismo, tiene consecuencias desconocidas en los hombres, será reemplazado por la intervención del dios del río —su voz se oirá como la del desesperado gritando de escena en escena, creciendo en la angustia o hundiéndose en el dolor—. La abundancia de escenas apelativas que Dámaso Alonso ha puesto de relieve está al servicio de esta angustia y este dolor del dios que se siente partícipe; quien, por el carácter natural del hado en las sucesivas profecías de Nereo (en las que el profeta es únicamente la voz de la naturaleza, no una individualidad), se ha convertido en un visionario que nos descubre sus visiones —una figura conmovedora con sus afectos personales—, una voz no de la impasible naturaleza sino del doliente y desesperado pueblo hispano. El espíritu elemental se ha convertido en el espíritu de este pueblo —¡qué intimismo profundo y qué humanización!—.

En este contexto me sorprende que Dámaso Alonso no haya señalado más claramente el valor funcional de las repetidas interjecciones ¡ay!, que recorren todo el parlamento del dios-río desde el principio al fin (aparecen ocho veces y se refuerzan a través del ¡ay triste! en la estrofa 12 al final de la amonestación y que todavía vuelven a aparecer en su dolor por España, frente a un solo eheu, o heu heu, según la versión, y un heu en Horacio) y la caracterizan como un treno a la manera de las «suplicantes» de Eurípides.

Por ello se ha tratado con una simpatía y una compasión muy distintas al hispano dios-río y a su patria, y también a partir de aquí Dámaso Alonso confirma diferencias entre el tema *halbmythi-sche* (medio-mítico) y el nacional en los dos poetas. (Naturalmente se puede aducir que el episodio en Horacio está inserto en el conocimiento mitológico-intelectual de un poeta romano que se siente unido al mito griego, mientras que el poeta español emplea con moderación la mitología y únicamente con el propósito de trasponer lo español en la antigüedad.) [2]

Y ahora lo más importante. Debe quedar claro que entre la situación del antiguo seductor fugitivo al que el dios del mar vaticina desgracia (sólo le oímos, no le vemos) y el dios del río que, por así decirlo, emerge en forma corpórea («el pecho sacó fuera») [3] como testigo importuno (los amantes se habían creído «sin testigo») junto al lecho pecaminoso del rey hispano, media un mundo: el de Dante que puede hacer lo moral verosímilmente sensorial o el del cristianismo con su herencia de acentos judaicos.

2. Con esto se nos da un clima estilístico fundamentalmente distinto: Horacio presenta personajes legendarios primarios, el español evoca simplemente antiguos elementos legendarios cristalizados o lexicalizados: Marte (guerra), Eolo, Neptuno, Hércules, la divinidad del río Betis. Ninguna observación sobre las constantes alusiones en Horacio a la totalidad de la tradición mitológica conocida por parte del público, tradición que obliga a Dámaso Alonso, en los *Ensayos,* a veinte anotaciones aclaratorias en su interpretación del poema latino. De todos modos creo que cuando se habla de la «mitológica frialdad» de los poemas antiguos, no se debería olvidar lo que yo quiero indicar con «alusión a la totalidad de la mitología»: los poetas antiguos podían contentarse con las mínimas alusiones a hechos mitológicos, pues, en cierto modo, la totalidad del corpus mitológico estaba constantemente presente en los oyentes o lectores. Detrás de cada línea alusiva hay un poema épico o una tragedia completos. Así, la *Ilíada* entera se halla en las expresiones, al parecer puramente onomásticas, de los dos últimos versos de la oda horaciana: *iracunda classis Achillei — matronae Phrygum — achaicus ignis — pergamenas domos.* La fuerza sugestiva de la totalidad del mito favorece al detalle mitológico aislado.

3. Fente a la gozosa tranquilidad (*folgaba,* imperfecto) del rey, un gesto repentino del aparecido dios Tajo (*el pecho sacó fuera,* pretérito; inversión de objetos: vemos surgir la figura antes que sepamos nada del dios). En la exhortación de la divinidad guerrera sigue Fray Luis a Horacio, pero sustituye conscientemente a la blanca Palas (*rabies* en el verso 4 quiere decir 'fragor de las armas', no se ha pensado en una «rabida» Palas) por el bravo, desmesurado y rugiente Marte. A estos cambios estratégicos siguen luego todos los elementos sensoriales y sinestesias que Dámaso Alonso pone de relieve: es la más elemental y justa guerra, que se pone de relieve a través del delito del rey visigodo, no de la voluntad del hado.

Vossler en su libro *Fray Luis de León* (1946) ya ha señalado en nuestro poema el tono de un «profeta del Antiguo Testamento» que castiga la ceguera del apasionado y la infamia de los seducidos. Hubiera podido corroborar esta observación con algún detalle del poema. A través de las palabras del antiguo espíritu que emerge del Tajo, se puede distinguir también la voz de la conciencia judeocristiana que siempre es «testigo», incluso cuando el hombre está solo (pensemos en el mito de Caín); esta voz que aquí intercala su correspondiente amenaza en medio del placer sexual; los muchos *¡ay!* que deben hacer estremecer a los pecadores en el acto de pecar (con lo que enlazo los puntos 1 y 3). Y ahora se hacen evidentes las sucesivas revelaciones del malhechor (y del desdichado) después del goce, todo ello estructurado de modo contrario a como ocurriría con un predicador del estilo de Guevara, y sin correspondencia alguna con Horacio.

> Estr. 2: «En mal punto te goces, injusto forzador» (Horacio dice: «mala ducis ave domum, quam multo Graecia repetet milite», 'bajo mal agüero raptaste a la mujer, a la que muchos guerreros irán a buscar a Grecia'; así pues, no hace hincapié en la distorsión moral de los pecadores, sino la inutilidad pragmática de su hecho).

> Estr. 3 ¡Ay, esa tu alegría
> qué llantos acarrea;
> y esa hermosa,
> que vio el sol en mal día,
> a España, ay, cuán llorosa ...!

> Estr. 4 Llamas, dolores, guerras,
> muertes, asolamientos, fieros males
> entre tus brazos cierras ...

En mi opinión, aquí Dámaso Alonso concede demasiada importancia al asíndeton. Lo esencial es el concepto antepuesto *fieros males* y la identificación de este mal con la amante, en un rigor y dureza de términos extraordinarios. Un predicador lo hubiera expuesto del siguiente modo: 'Tú crees, osado, abrazar en ella la belleza y la felicidad; en realidad tú abrazas únicamente el mal y la desgracia'. En los brazos del ofuscado, La Caba se transforma súbitamente en lo que realmente es: el espíritu del mal o la alegoría de la «mujer mundo».

> Estr. 12 ¡Ay triste! ¿y aún te tiene
> el mal dulce regazo? ...[4]

En el oxímoron —la forma estilística del «desengaño» (no mencionada por Dámaso Alonso)— se descubrirá el doble rostro del placer: una dulce canción, un placer doloroso. Este es el tema interno de Fray Luis que sustituye los castigos externos del pecador en el poema de Horacio: un conocimiento cristiano de la esencia del vicio y del engaño a los sentidos, y el sufrimiento que producen los remordimientos es el mayor castigo del pecador.

En lo relativo al placer criminal, Fray Luis ha limitado sus reproches al rey godo; el catálogo de pecados horacianos es más largo: Paris no sólo es *perfidus, adulter*, sino también afeminadamente afectado, orgulloso de su belleza, más propicio a la composición de versos y a los entretenimientos sexuales que a la batalla, cobarde (como un ciervo, que se olvida de comer en la rapidez de su huida y que permanece jadeante cuando aparece el lobo por la otra parte del valle), derrochador y presuntuoso ante su amada

4. El verso corresponde aproximadamente al *heu serus!* del verso 19 en Horacio; *aún* vuelve a recoger la temporalidad de *serus*; ¡*ay triste!* refleja la interjección *heu*, más el carácter personal de adjetivo *serus*; el adjetivo español (tradicional en el romance de Rodrigo) lo traduciremos mejor como '¡desgraciado!', de modo que así el significado de la desgracia personal está ligado al del causante de la desgracia. La diferencia entre el poeta romano y el cristiano es notoria: el primero habla en tono irónico de la ira que Paris alcanza demasiado tarde; el último, de la fatalidad del pecado que ya es suficientemente castigado en su mismo remordimiento. Fray Luis compadece a España y al culpable. No hay ningún sentimiento parecido en Horacio. Compárese más adelante mis observaciones sobre *condena*.

Merece especial atención la palabra *regazo,* en la que el deseo carnal vendrá señalado con una finalidad realista muy distinta a la del convencional y amplio término del romano *thalamus* (que va asociado con *nuptiae* y *adulter*).

(«non haec pollicitus tuae»).[5] Esta concentración en un vicio está naturalmente premeditada en el español (así, tras otros, debería también quedar suprimido el bello símil del ciervo que, en otro tiempo, había atraído a los imitadores de los poemas antiguos). ¿Por qué se interesan nuestros comparatistas sólo por lo que los dos poetas tienen en común y no por lo que de modo claramente premeditado ha dejado el imitador?

Pero con el análisis del goce sexual se nos ha dado algo distinto: un momento transitorio. La pasión envolvente pierde el sentido temporal. En el prohibido juego del amor (insisto una vez más: seremos testigos de un «oarystis»), la historia truena en boca del díos-río su *ya*, pero los amantes, como en un alba trágica, no advierten la voz de su amonestador. Todos los comentaristas han hecho alusión a la correspondencia entre el *ya* de Fray Luis y el *jam* de Horacio, pero se abstienen de caracterizar las distintas motivaciones de las partículas de tiempo: En Horacio, estr. 3,

> Eheu quantus equis, quantus adest viris
> sudor, quanta movet funera Dardanae
> genti! jam galeam Pallas et aegida
> currusque et rabiem parat

tenemos una representación de los *fera fata* en una serie de profecías: en las estrofas anteriores ya se aludió a la inutilidad del rapto de Helena (los griegos la irán a rescatar con un gran ejército), y ahora en la estrofa 3 se desarrolla la esperada escena guerrera. (También los dioses toman parte en la batalla, *jam,* como era de esperar.) Algo completamente distinto ocurre en el poema hispano, donde el dios que habla está representado como el que siente (*siento*) y ve (*veo,* estr. 8), reconoce el *ya,* el *demasiado tarde* de la catástrofe nacional, mientras que el libertino sacrifica su placer personal, *en mal punto*:

---

5. La ironía que alude a la relación entre los dos amantes era naturalmente inútil para Fray Luis, que considera el placer como un crimen para la patria. Paradójicamente, el poeta antiguo no hace mención expresa de la belleza de Helena, mientras que el fraile cristiano hace evidente la belleza de La Caba con el fin de fustigar su peligrosidad.

En mal punto te goces,
injusto forzador; que ya el sonido
y las amargas voces,
y ya siento el bramido
de Marte ...

Hipérbaton, polisíndeton, encabalgamientos me parecen realmente secundarios en comparación con el poder *katarraktischen* de
este *ya* de la profecía,[6] frente al que el rey es ciego y sordo.
Y, aparte de los dos *ya* mencionados, el mismo pronóstico sonará
cuatro veces en los oídos del rey (¡un solo *jam* en Horacio y con
otra función!), advirtiendo al rey y al mismo tiempo marcando la
creciente angustia del profético dios del río (al que todavía llegan
las siguientes alusiones con el decurso del tiempo: estr. 6: «para
tu daño no hay tardanza»; estr. 8: «innumerable cuento / de
escuadras juntas veo en un momento»; estr. 10: «ay que presurosas suben»). Y estos adverbios de tiempo culminan en el *aún* de
la estrofa 12, que contrapone el ímpetu de los acontecimientos al
delito del rey: '¿todavía, todavía [estás sorprendido en tu ofus-
cación]?'.

¡Ay triste! ¿y aún te tiene
el mal dulce regazo? ...
¿no acorres? ...
¿no ves ya el puerto ...?

El dios del río continúa junto al lecho del placer del rey.[7] Aquél
ha desplegado ante éste una visión épica completa de la invasión

---

6. Nuestro poema, con su profusión de proféticos *ya*, es una marcada
ilustración de lo que yo llamé el *falt-accumpli-Darstellung* en la lengua española (*Stilstudien*, I), para representar aquella habilidad de los españoles
de considerar lo futuro como «ya realizado»
7. Dámaso Alonso habla aquí de «interrupción», «rotura para dar
salida a la indignación represada», «brusca transición». Cierto que se trata
de un repentino estallido de indignación, pero no puedo encontrar interrupción alguna. La visión se ha desarrollado «junto a la cama» con una clara
acentuación de trágica pérdida de tiempo, pues el *folgar* del rey significa:
hace rato que éste hubiera tenido que 'cabalgar' (*la espuela*), 'luchar' (... *la
mano* ... *el hierro*).

del estrecho de Gibraltar,[8] pero el rey, envuelto en su desaforada codicia, no se ha movido. Ahora resuena la vehemente serie de imperativos que reclaman la acción de modo desesperado: *Acude,*

8. Dámaso Alonso realza la originalidad del relato de la invasión frente a la descripción del acontecimiento de Horacio: «Se trata de una genial novedad de León. Esta visión actualizada, llena de movimiento, de velocidad, de expresión rítmica, ocupa exactamente el centro de la oda. Nada semejante en Horacio, o sólo el mínimo germen que señalábamos (los versos: "jam galleam Palas et aegida / currusque et rabiem parat"): ¡qué de particular tiene que el latino haya sentido con frialdad de mito lo que el poeta castellano ha visto con ojos de carne! Ese rasgar por el medio la oda de Horacio, para intercalar en unas cuantas estrofas la visión rápida, turbulenta, arremolinada, de los ejércitos invasores, no sólo introduce ese momento, que es una de las cimas de capacidad expresiva en poesía española, sino ¡que ha sido lo que ha troquelado la estructura de la oda de Fray Luis!».

Pero Dámaso Alonso olvida decirnos que Horacio sólo se refiere a la censura de Paris, no a la suerte de Ilión; así pues, una tragedia nacional —las llamas de Ilión— solamente brillarán al final, máximo dramatismo, para azotar con un genial efecto último la falta de responsabilidad del *pastor perfidus*. Fray Luis se ha ocupado ante todo de la historia de España y no sólo de la represión del causante de la desgracia; por lo tanto mirará con «ojos del espíritu» la concreta historicidad de la anteriormente llamada desgracia nacional provocada por él, a cuyo servicio se colocan los «ojos de la carne». Es decir, todos los detalles sensoriales de esta visión histórica que Dámaso Alonso especifica están al servicio de la descripción de la desgracia que afecta al exponente histórico de España. De este contraste entre Horacio —intemporal censura de un irresponsable creador mítico de desgracia— y Fray Luis —evocación de una historia concreta de infortunio nacional simbolizada por un rey lascivo— se demuestra también que Fray Luis no «ha rasgado por el medio» la oda de Horacio para intercalar su visión, sino que ha sustituido su parte media: en Horacio hay ocho héroes renombrados que están dispuestos a vengarse del cobarde perdedor adúltero, es decir, todo el ejército griego, personalizado de modo homérico en estos adiestrados luchadores individuales para la ἀριστεῖαι. En Fray Luis no hay ningún luchador individual, sino únicamente la fuerza armada (*bárbara pujanza*), representada impersonalmente como «el enemigo» (*el moro, el árabe cruel*) con sus tropas (ejército y flota). Paris fue la negación de todas las virtudes de los héroes griegos —se moviliza a héroes individuales contra él—. El rey Rodrigo no fue más que un deseo criminal —la comunidad islámica rodó a modo de apisonadora (podríamos decir actualmente) a través del país que él había precipitado en la desgracia—. Respecto a la puesta de relieve del acierto de Fray Luis en la representación del ejército musulmán, quisiera apuntar que nuestro crítico tal vez advierte un matiz demasiado «parnasiano», demasiado «a la manera del arte por el arte». Como si el poeta se dejase arrebatar por lo sensorial después de haber analizado el vocalismo en las frases con un refinado gusto: «... la bandera / que al aire desplegada va ligera», Dámaso Alonso añade la siguiente observación: «tan

acorre, vuela ... (con un modelo ciceroniano de tres miembros como *investiga, cognosce, perspice* o *urge, insta, perfice,* pero que se amplían hasta hacer posible lo imposible: *traspasa, ocupa, no perdones, no des paz, menea*) el lógico final climático de toda esta «carrera con el tiempo» que el seductor desperdicia en su placer («uno de los mejores aciertos rítmicos», «la maravillosa estrofa imperativa en la que parece que se agolpa todo el anhelo de España», dice acertadamente Dámaso Alonso; pero este autor, en su concatenación temática entre el *ya* y el *aún,* no ha hecho resaltar los imperativos de la desesperación que son tanto más positivos y vehementes cuanto más cierto está el que habla de su retraso).

Con las órdenes estratégicas, que, para ser realistas, llegaron tarde, el patriótico dios del río ha agotado su capacidad de indignación —utiliza, como ha señalado acertadamente Dámaso Alonso, un tono más sosegado, más elegíaco-meditativo—. Ha terminado ya la escena «junto al lecho del rey», la reprensión del culpable. El dios no se ocupará más de Rodrigo o su castigo (a diferencia de Horacio que muestra «los adúlteros cabellos» del fallecido Paris arrastrados en el polvo por Menelao).[9] Tiene otro deseo distinto y mayor: España. Y sólo en este momento, de ríos sosegados y

---

bella es la representación del flamear de la bandera en el aire, que el poeta parece como si por un instante se olvidara del malaugurio». No, el poeta sigue la técnica de la antigua épica del «epitheton constans»: *la bandera que al aire* ... *va ligera* es el equivalente, aunque dilatado artísticamente, de 'la bandera ligeramente ondeante', equivalente a «los brazos vigorosos» (de los moros, estr. 10), «la trompa fiera» (de los moros, estr. 7), así como «las mares espumosas» (estr. 10), «el furibundo Marte» (estr. 16) y tal vez también «trabajos inmortales» (estr. 4). Conocemos esta técnica de la antigua épica medieval francesa (en la que los sarracenos hablan de *douce France*). Además hay que tener en cuenta que para los antiguos, y también para la Edad Media, el tumulto del combate era algo especialmente bello (compárese el sirventés de Bertrán de Born *Be'm platz lo gais tems de pascor*) y que en los poemas medievales el adversario infiel tiene el derecho a una representación objetiva (es decir «en la belleza»); a pesar de todo, el árabe aparece en nuestro poema, como también en la *Chanson de Roland,* «cruel» y «bárbaro», aunque no se le niega audacia, ética guerrera y belleza. Así pues, está funcionando en nuestros versos una doble tradición épica de estilización.

9. Este castigo de Paris hubiera sido más impresionante si, como algunos comentaristas de Horacio aceptan, los versos 13-20 (con el *nequiquam* y el *heu serus* que acentúa el castigo personal como «cumplido desde hace

líricos, los versos de Horacio anteriormente citados serán motivo de un traslado por parte del poeta español: antes no fueron utilizados tanto por causas históricas como poéticas.

> Ay, cuánto de fatiga
> ay, cuánto de sudor está presente ...
> (= estr. 3: Etheu quantus equiis ...)

Sólo cuando se ha impuesto en el profeta la desesperación por la invasión, puede éste pintar en tonos dolorosos pero rebajados la escena de la batalla decisiva.[10] Salta a la vista que, antes, en las partes en las que aparece el *ya*, fue descrita la invasión del estrecho de Gibraltar, no la fundamental batalla de Guadalete: tal vez la invasión todavía podría ser detenida por un milagro (de ahí los imperativos irreales pero psicológicamente comprensibles: *acude, corre, vuela*); después de la invasión, la batalla quedó decidida y llenos de desesperación reinaron la depresión, la tristeza, el conformismo con el destino. El dios profeta, un hombre como nosotros (y nosotros hoy, después de haber vivido tantas invasiones

---

tiempo») estuvieran situados tras el verso 32; el castigo del adúltero vendría así a colocarse antes del incendio de Ilión: el mal que él ocasionó no se ha interrumpido con su muerte.

10. Es evidente que, a pesar de la clara composición de los dos fragmentos

I (hasta estr. 13) reprensión de Rodrigo — la invasión

II (estrs. 14-16) Trenos sobre España — la batalla decisiva,

se esbozan unas tenues líneas de relación entre las dos partes en el sentido de la *suavitas* horaciana: en la estrofa 13 resuena la invitación de no perdonar las espuelas («no perdones la espuela»), no dejar la mano en paz esgrimiendo las armas («no des paz a la mano / menea fulminando el hierro insano») y ahora en la estrofa 14 continúa la idea de la infatigabilidad de la batalla (*no perdones, no des paz*) a través de *fatiga, sudor* (y en la estrofa 15, *sangre*), de la de *espuela* a través de *caballos*, de la de armas (*hierro*) a través de *loriga* (y en la estrofa 15, *yelmo*). Hay también combinaciones que por una sola vez actúan juntas en aquellas construcciones como «brutal contraste» y «delicadas matizaciones y gradaciones» de las cuales habla Dámaso Alonso. A decir verdad, solamente puedo reconocer «Ay, triste!, ¿y aún te tiene ...?» en la estrofa 12 como simple paso «brutal» sin representación, pero ya este comienzo abrupto está preparado por *¡ay!* y *ya*, que en cierto modo «flotan» en el anterior relato de la invasión. Es decir, la erupción de sentimientos puede llegar inesperadamente al lector, pero ya estaba preparado para aquella motivación psicológica.

podemos captar mejor que las generaciones anteriores esta escala de sentimientos) habla bajo la impresión de los sentimientos que le embargan; se agota en invectivas mientras se puede aferrar a un culpable; frente al destino impersonal corresponde sólo resignación. La cólera aparta el dolor. También se debe poner de relieve que la provocación del dios-río corresponde al empleo del presente con *ya,* mientras el latino *jam adest* (como las dos *Presentia* siguientes en las tres estrofas de Horacio) sólo sigue a un futuro que tiene sentido de presente: «quam multo repetet Graecia milite», en el poema más extenso de Fray Luis aparece solamente un futuro (*darás*) dicho por el dios del río Betis en las relativamente tranquilas penúltimas estrofas, frente a cinco (futuros) en Horacio. Esto nos da una medida del apasionamiento de nuestro poema hispano que se refleja en el apasionamiento del discurso del dios-río.

Y ahora un último punto en el que podría diferir de Dámaso Alonso. «La estrofa final es profundamente anticlimática», «es de una frialdad fatídica. Escueta expresión de hechos ..., que sólo el "ay" del verso penúltimo y el "oh cara patria" del último encienden un fugaz destello», dice Dámaso Alonso textualmente, y quiere reconciliar esto con la acostumbrada técnica de la oda horaciana que a un clímax hace seguir normalmente un anticlímax. Pero a mí me parece que no existe tal anticlímax en la muestra de Fray Luis comparada con la oda horaciana: después de la tardanza de la decisión (que estalla por la cólera de Aquiles que demora la toma de Troya) —puesta de relieve por Dámaso Alonso en los últimos *Ensayos*— se descarga el destino con toda la fuerza en los dos últimos versos del poema antiguo:

> Post certas hiemes uret achaicus
> ignis pergameas domos.

¿Puede desearse una escena final más drástica que el incendio de Troya? ¡Llamas al final del poema cuyo héroe es un pastor! Hasta aquí hemos tenido noticia de la vengativa guerra de los griegos, de los hechos heroicos personales de los campeones, pero ahora, *post certas hiemes,* después de un plazo prefijado, arde

Ilión, una escena de destrucción total de la que el «impasible» Nereo se presenta como un destino inevitable. Fray Luis, como ha notado Dámaso Alonso, ha compuesto dos versos (principio de la última estrofa), que dejan indecisa, cambiando aquí y allá, durante cinco días la suerte de la batalla, antes de que la fatalidad haga irrupción en los dos últimos versos igual que en Horacio.

Pero en los dos últimos versos del poema no encuentro ninguna huella de indiferencia y fría objetividad. El ¡ay! del final es un último estallido resonante de tristeza, dirigido ahora no al rey culpable en su lecho del vicio, sino al sacrificio de muchos cientos de años de España, a la que el dios se dirige directamente con el patético y desgarrador *oh cara patria* (anteriormente sólo habíamos oído referencias a España en tercera persona; estr. 3: «a España, ay, cuán llorosa», estr. 5: «a toda la espaciosa y triste España»), en un momento le ha dictado la dura sentencia: ¡todo un país atado a la cadena de los bárbaros para cientos de años! —esto será subrayado por el irónico juego de sonidos *condena*[11] - *cadena* y la doble acepción de la palabra *bárbara*—. Todavía recuerdo, después de cuarenta y cinco años aproximadamente, cómo el lector de la Universidad de Viena, Rudolf Beer, buen conocedor de España, al que debo mi primer contacto con la poesía de Fray Luis, nos leyó estos últimos versos inspirado por una sorda y prensada cólera: rechinaban las cadenas en el último verso. Así, pues, en la calma relativa de los dos penúltimos versos tenemos sólo la calma de la tormenta o el momentáneo apaciguamiento como en un cuarto acto de una tragedia en la que, por un momento, parece como si la fatalidad pudiera ser evitada. ¡Pero finalmente pasa silbando con el ímpetu de las cadenas! La «frialdad fatídica», la «escueta exposición» tiene el estruendoso efecto de un auténtico final de romance.[12]

---

11. *Condena* induce también a pensamientos paradójicos: la cadena, como castigo, no se da al pecador Rodrigo sino a su inocente patria. Así de indisolublemente anudado está el pecado personal y el destino nacional. A Fray Luis le importa poco el castigo del pecador.

12. Vossler considera la posibilidad del influjo del romance *Sueño del rey Rodrigo* («los vientos eran contrarios, / la luna estaba crecida, / los peces (!) daban gemidos / ... cuando el buen rey don Rodrigo / junto a la Caba dormía») en el poema de Fray Luis. Yo diría que su principio y su

Con tal interpretación también se aclara la, en cierto modo relajada, penúltima estrofa: después el poeta elegíaco-meditativo, como dijimos, traza el cuadro de la desdichada batalla en correspondencia con Horacio («¡Ay, cuánto de fatiga ..., ay, cuánto de sudor»), en realidad ahora debería proseguir «¡cuánto yelmo quebrado, cuánto cuerpo de nobles destrozado!», versos que de hecho se hallan al final de la estrofa 15.[13] Sospecho que el motivo de esta transposición no es otro que el deseo del poeta de preparar a través del «y tú, Betis divino» la conmovedora alocución, en segunda persona, de la estrofa 16: «¡oh cara patria!». El Tajo, el más largo de los principales ríos españoles, se dirige al más corto, el Guadalquivir, que puede arrastrar velozmente hacia el mar, «al mar vecino», los cadáveres y armas de la guerra desdichada; con esta perspectiva de la inmensidad del mar se calmará un poco el ánimo del lector —hasta que la «cadena de los bárbaros» prepare también un final—. Por otra parte, el Tajo puede suavizar el uso del *tú* con el Betis (= Guadalquivir), hasta ahora sólo lo había

---

fin apuntan al romance: el poema termina en un corte dramático como los romances; ninguna guerra de varios años de duración, que tanto se alarga en Horacio (*heu serus!*), trae la venganza del hado, tan sólo una batalla de seis días (este último detalle es, por lo demás, un acortamiento frente a los ocho días de batalla en el romance).

13. Esto, por su parte, provoca un desplazamiento sintáctico: una serie de frases (que nos llevan desde el sudor de los nobles caballeros, pasando por sus caballos, hasta las armaduras y los cadáveres despedazados: «¡Ay, cuánto de fatiga, / ay, cuánto de sudor está presente ...!», «¡cuánto yelmo quebrado, / cuánto cuerpo de nobles destrozado!») habría sido interpretada sintácticamente de modo que todas las expresiones *cuánto* serían sujetos del siempre supuesto *está presente*. En este caso, puesto que la *suavitas* horaciana hizo necesaria la intercalación —introducción casi furtiva— del *divino Betis*, tuvieron que convertirse en complementos el *cuánto yelmo* y el *cuánto cuerpo* (de «y tú, Betis divino, ... darás»), pero la disposición original (como se indicó al principio de esta nota) persiste, dado que *cuánto yelmo* y *cuánto cuerpo* siguen siendo exclamaciones a pesar de ser complementos en una oración constituida de un modo muy distinto: «Y tú, Betis divino, / ... / darás... / ¡cuánto yelmo... / cuánto cuerpo...!». En otras palabras: el poeta no ha temido el anacoluto, que refleja el tono original exclamativo (existían antiguos ejemplos: Ovidio, *Tristia*, I,4,23: «dum loquor ... increpuit quantis viribus unda latus!»). Aquí, sin las acostumbradas invocaciones a las variantes, podemos deducir de la misma formación fraseológica el proceso poético y echar una mirada al taller poético de Fray Luis.

lanzado contra el culpable y así dispone ese doliente-suave *tú* que
se desespera afectuosamente en «¡oh cara patria!». Un ejemplo
de lo psicológico y de la *suavitas* desarrollados por Horacio. Se
trata ciertamente de una hazaña de nuestro poeta el hacer suceder
una segunda prosopopeya a la primera, apartar en cierto modo el
tú del rey culpable y dirigirse a España de un modo humano y sencillo —un riesgo que no venía al caso para el impasible Horacio,
en cuyo poema Nereo personifica solamente la voz del hado convertido en naturaleza y se dirige sólo al pastor adúltero Paris y
no a Troya—. ¿Cómo, pues, transformar el *tú* de la recrimina-
ción en el *tú* del dolor partícipe? Intercalando un *tú* dirigido al
condolido hispano hermano-dios del río (un *tú* de igualdad, pues
también el Betis es *divino*, y también «un español»).[14] Pero, al
final, el parlante dios Tajo ha renunciado a su carácter divino y
dice como un español normal las simples pero inconmensurables
palabras en contenido: «¡oh cara patria!». (Recuerdo la escena de
la última guerra mundial, aparecida en todos los periódicos, en la
que un número de franceses del pueblo contemplaba con lágrimas
mudas a los que arriaban su bandera nacional y a los que eleva-
ban la bandera de los vencedores; sus rostros no reflejaban otra
cosa que «oh chère patrie!».)[15] Me resulta absolutamente incom-
prensible cómo un fuerte patriota español como Dámaso Alonso[16]
sólo ha podido ver una «ligera resurrección» del sentimiento en

---

14. Me parece que es este el motivo que justifica la inserción de la
estrofa dedicada al Guadalquivir y no el sentimental que señala Dámaso
Alonso: «el dolor ... se adulza en languidez —como siempre que la poesía
se dirige a ríos (porque los ríos son hermanos de los poemas)». No creo
que el Betis sea «indiferente ante los dolores humanos»: se encuentra man-
chado (*amancillado*) por la sangre derramada.

15. Naturalmente no interpreto el tono de *La Marsellesa* en el poema
del Renacimiento, pero quisiera que se observase que el Renacimiento fue
el que tanto en Francia como en España implantó la palabra romana *patria*
(la estilización que a causa de esto se introduce en nuestro poema debe ser
contrastada con el popular «¡Madre España, ay de ti!» en el romance de
Rodrigo *En Ceupta está don Julián*).

16. ... pues en general su corazón no resuena completamente identificado con nuestro poema: cree que se puede juzgar más impasiblemente el poema
(*de modo más sereno*) por no ser «una [obra] de esas prodigiosas conllevadoras de emoción, amplificadoras de espíritu (como son otras obras del
mismo poeta)». ¿Cómo es, pues, que la dilución de la naturaleza antigua en

tales palabras eternas y trascendentales.[17] ¿No ha advertido que,
en el fondo, todo el lastre mitológico del poema ha sido arrojado
por la borda; que, en la magnitud de su dolor, el río ya no es
un dios antiguo sino un simple hombre del pueblo que no puede
expresar ni más ni menos que esto? Fray Luis ha transformado
la antigua profecía a través de un hado que es voz de la naturaleza impersonal, premonitora en una manifestación humanamente
patética, vivida por la humanidad hispanocristiana que ve el delito
en la desgracia nacional. En otras palabras, la intimidad humana
hispanocristiana ha socavado desde dentro la antigua mitología y
le ha introducido otro contenido. Contenido moderno en forma
clásica que corresponde al programa del teórico del Renacimiento,
Vida (*Poetic.*, III, 257)

> Saepe mihi placet antiquo alludere dictis
> atque aliud longe verbis proferre sub iisdem,

o, según la formulación del clásico tardío francés André Chénier:
«sur des penseurs nouveaux formons des vers antiques». Y hemos
visto cuán escrupulosamente ha meditado en nuestro poema el mo-
nástico poeta renacentista del platonismo todas las equipolencias
y homologías entre antiguos [18] y modernos, los cambios y sustitu-

---

la historia moderna y la exposición de lo nacional religioso en un individuo
que vive esas tensiones no son para nosotros «amplificadoras de espíritu»
y «conllevadoras de emoción»?

17. En nuestro poema ve a Fray Luis —quien, por lo demás, escribió
de manera completamente distinta— sometido a la ley universal del Siglo
de Oro español, ley que consiste en la unión típicamente hispánica de los
elementos medievales y modernos, un rasgo «que liga en unidad la cultura
de España, quizá sin paralelo en Europa» (el *quizá* es muy fundado, ¿por
qué nuestros hispanistas españoles no se preocupan más de Rusia?). Dámaso
Alonso parece pensar solamente en la elección del tema por parte de Fray
Luis y no en la adaptación del sentimiento nacional moderno en la forma de
la antigüedad.

18. Entre las costumbres estilísticas antiguas y latinizantes se mencio-
naría, además del conocido nombre mitológico, el epíteto *constans*, etc.,
también el adjetivo proléptico (lat. «*Typus inicere bracchia caelo*, Stolz-
Schmalz, 199). Dámaso Alonso tiene un ejemplo en *Ensayos*, p. 161: «a toda
la espaciosa y triste España», que será interpretado por los españoles, con
la sensibilidad de la generación del 98, como una eterna descripción del

ciones tanto en lo referente al contenido como a la técnica estilística.[19] Este contenido-forma del poema deberá hacerse evidente a través de una visión conjunta de contenido y forma, no a través de separaciones de forma y contenido como forzosamente aparece cuando se recurre simplemente a estilísticas supraindividuales, es decir, gramaticalizadas, o a artificios retóricos que otros poemas tienen en común con el nuestro. Sólo los rasgos estilísticos que van unidos a la estructuración de contenido o, más aún, la reflejan, tienen la posibilidad de proyectar una luz sobre la forma interna de este poema: en lo esencial el *tú,* el *yo,* el *ay* con sus congruencias más o menos completas con las muestras latinas, *tu, jam, heu,* fueron el motivo-palabra individual de nuestro poema que completa y confirma la motivación de contenido.

---

ser de España; pero Dámaso Alonso aclara con razón que *triste* sólo significa «triste por la invasión que espera», es decir, ha sido utilizado de modo latinizante y proléptico. Dos ejemplos más en nuestro poema: estr. 10: «y encienden las mares espumosas» (el mar, que será batido por los remos), y estr. 13: «menea fulminando el hierro insano» (sacude el hierro hasta que enfurezca).

19.   Estoy en completo desacuerdo con Menéndez Pidal (*Rodrigo el último godo,* II): «[Fray Luis] siguió poco a Horacio en los detalles. Tomó de su modelo la forma general de un vaticinio y algunas frases muy libremente recordadas. Una sola le cautivó fuertemente para la imitación ["Eheu, quantus equis"]».

9. TRES POEMAS SOBRE EL ÉXTASIS (JOHN DONNE, SAN JUAN DE LA CRUZ, RICHARD WAGNER) *

En un artículo titulado «A farewell to criticism» (*Poetry*, enero 1948), el poeta americano Karl Shapiro ha escrito:

> Pongo en entredicho el principio que yace debajo de la *explication de texte*. Un poema no debería utilizarse como tema de estudio lingüístico, semántico o psicológico ... La poesía no es lenguaje, sino un lenguaje *sui generis* que puede entenderse, parafrasearse o traducirse solamente como poesía ... La misma palabra empleada en una línea de prosa y en una de poesía es en realidad dos palabras distintas, ni siquiera parecidas, salvo en apariencia. A la palabra poética la designaría como una «no-palabra» ... un poema es una construcción literaria compuesta de no-palabras que, en su aislamiento de los significados, llegan a un sentido prosódico más allá del sentido. El objetivo de un poema es desconocido. [Al decir «prosodia» el señor Shapiro se refiere no solamente al ritmo poético, sino también a las asociaciones y figuras poéticas.]

Por consiguiente, lo que quiero intentar en esta serie de conferencias (*explication de texte* aplicada a la poesía) debería ser evitado resueltamente en opinión de un poeta de verdadera autoridad.

* Artículo publicado con el título «Three poems on ecstasy (John Donne, St. John of the Cross, Richard Wagner)», en *A method of interpreting literature,* Smith College, Northampton, Mass., 1949, pp. 1-63. (Traducción castellana de Jordi Beltran.)

Ahora bien, el crítico literario capaz de recurrir a su conocimiento histórico puede descontar la revuelta de los poetas contra los críticos que querrían explicar su poesía, revuelta que se repite periódicamente; esta es una actitud «poética» que data del período del Romanticismo. No se le habría ocurrido a un Dante, a un san Juan de la Cruz, a un Racine, a un Milton dudar de que su poesía, representativa, o al menos así lo creían, de sentimientos universales, pudiera ser explicada por sus semejantes; a decir verdad, estos poetas a menudo se esforzaban en explicar ellos mismos su poesía. Pero, desde el descubrimiento, en el siglo XVIII, del «genio original», al que se supone que habla, no en nombre de la humanidad, sino de él mismo solamente, desde entonces el significado irracional de su poesía ha sido puesto cada vez más de relieve por los poetas; todos hemos oído hablar de situaciones hechas como, por ejemplo, la del profesor de literatura francesa que explicaba el significado de *Le cimetière marin,* de Valéry, en uno de los *amphithéâtres* de la Sorbona, mientras el autor se hallaba sentado en la galería, expresando con su plácida sonrisa un escéptico *que sais-je?* mientras escuchaba las afirmaciones categóricas del comentarista. Por supuesto, es prerrogativa, quizá deber, del poeta de hoy día defender lo irracional, la naturaleza en cierto modo «sin objetivo» de su creación, contra cualquier explicación unilateral, racional o conductista. Pero también hay que considerar el hecho innegable de que el *lenguaje,* el medio particular del poeta, es él mismo un sistema a la vez racional e irracional; él lo eleva a un plano de irracionalidad aún mayor, al mismo tiempo, sin embargo, que mantiene sus vínculos con el lenguaje normal, racional en su mayor parte. Es sencillamente falso que la poesía consista en «no-palabras» (excepto, quizás, en el caso de los *dadaistes,* o de la reciente secta de *lettristes,* que acuñan palabras inexistentes en su propio lenguaje o en cualquier otro lenguaje humano). Generalmente la poesía consiste en palabras pertenecientes a un lenguaje dado que tienen connotaciones irracionales al igual que racionales, palabras que quedan transfiguradas por lo que Shapiro denomina «prosodia». Si nos detenemos a considerar una estrofa de uno de los poemas del propio Shapiro, el titulado *Nostalgia* (al que difícilmente se le puede llamar «sin objetivo», ya que en el título, y así lo entiende el lector, se indica un objetivo: el de describir la nostalgia), veremos que constantemente hace una llamada a las connotaciones habituales, es decir, a las connotaciones en prosa (pero no enteramente en prosa) de las palabras inglesas:

> My soul stands at the window of my room
> And I ten thousand miles away;
> My days are filled with Ocean's sound of doom,
> Salt and cloud and the bitter spray,
> Let the wind blow, for many a man shall die.*

No sólo está clara la situación externa e interna (el soldado Karl Shapiro, que durante la segunda guerra mundial luchó en el Pacífico, se halla asomado a la ventana, contemplando el océano y pensando en el destino de tantos de sus compañeros de armas que no volverían jamás a ver su patria); es cierto también que la prosodia es asimilable y explicable: la quinta línea, que casualmente es el estribillo de todo el poema, rompe el ritmo de la cuarteta que la precede con su anapesto inicial y la subsiguiente conmoción de dos sílabas tónicas («let the wínd blów»), evocando con ello el impacto de la suerte ya prefigurada en sentido estático, pero que ahora aflora a la superficie, real: «for many a man shall die». Pero en este estribillo las palabras *wind* y *blow, man* y *die* siguen perteneciendo a nuestro lenguaje y han conservado sus connotaciones habituales (y estas connotaciones son en sí mismas no del todo racionales); es sólo en virtud de su disposición en nuestra oración causal —o más bien seudocausal, ya que no hay una conexión necesaria entre el soplar del viento y la muerte de muchos hombres—, y en virtud del ritmo ya descrito, que se nos sugiere otro plano: el de la poesía. Así, por medio de palabras de nuestra vida cotidiana, se da la posibilidad de una lógica que está más allá de nuestra lógica humana, la lógica del destino que quiere que sople el viento con el fin de que los hom-

---

* Mi alma se halla ante la ventana de mi cuarto / y yo a diez mil millas de distancia; / mis días están llenos del sonido de predestinación del océano, / sal y nubes y la espuma amarga, / que sople el viento, pues muchos hombres morirán.

bres puedan morir. El lector experimentado pensará inmediatamente en la técnica de la balada popular, del «Mais où sont les neiges d'antan?» o de la canción del final de *Twelfth Night*: «The rain it raineth every day» ('La lluvia que llueve cada día'), en la cual oraciones en apariencia triviales tienen una nueva función: la de sugerir la necesidad de someterse al destino tal como lo simbolizan los elementos. En vez de decir que la poesía consiste en «no-palabras que, en su aislamiento del significado, llegan a un sentido prosódico más allá del sentido», yo sugeriría que consiste en *palabras,* con su significado *conservado,* que, a través de la magia del poeta que trabaja dentro de un todo «prosódico», llegan a un sentido más allá del sentido; y que corresponde al filólogo señalar la manera en que se ha conseguido la transfiguración que acabo de mencionar. No hay motivo por el cual la irracionalidad del poema deba perder algo en manos de un crítico lingüístico discreto; al contrario, el crítico trabajará de acuerdo con el poeta (aunque prescindiendo de la aprobación del mismo), en la medida en que paciente y analíticamente reseguirá el camino que lleva de lo racional a lo irracional: distancia que el poeta puede haber recorrido de un salto.

Me ocuparé de tres poemas que tratan más o menos del mismo tema (la unión extática de un ego humano con un no-ego), con el objeto de estudiar la transformación mágica que las palabras reales del lenguaje correspondiente han sufrido en manos de los poetas que han logrado convertir su experiencia interna en una realidad poética para el lector.

«The Extasie», el poema de John Donne jublicado en 1633, empieza describiendo la situación externa de dos amantes que se encuentran tendidos en un montículo cubierto de hierba, perfumado por las violetas, cerca de la orilla de un río; sobre este fondo experimentan una unión mística de orden neoplatónico, sin verse distraídos ni turbados por la pasión física.[1]

1. El profesor Don Cameron Allen, que atrajo mi atención sobre el poema de Donne, me hizo notar el parecido, en lo que al decorado se refiere, con un poema que se encuentra en sir Philip Sidney (*The complete works,* ed. Feuillerat, II, p. 274).

Where, like a pillow on a bed,
  A pregnant banke swel'd up, to rest
The violets reclining head,
  Sat we two, one anothers best.
5 Our hands were firmely cimented
  With a fast balme, which thence did spring,
Our eye-beames twisted, and did thred
  Our eyes, upon one double string;
So to'entergraft our hands, as yet
10 Was all the meanes to make us one,
And pictures in our eyes to get
  Was all our propagation.
As 'twixt two equall Armies, Fate
  Suspends uncertaine victorie,
15 Our soules, (which to advance their state,
  Were gone out,) hung 'twixt her, and mee.
And whil'st our soules negotiate there,
  Wee like sepulchrall statues lay;
All day, the same our postures were,
20 And wee said nothing, all the day.
If any, so by love refin'd,
  That he soules language understood,
And by good love were growen all minde,
  Within convenient distance stood,
25 He (though he knew not which soule spake,
  Because both meant, both spake the same)
Might thence a new concoction take,
  And part farre purer then he came.
This Extasie doth unperplex
30 (We said) and tell us what we love,
Wee see by this, it was not sexe,
  Wee see, we saw not what did move:
But as all severall soules containe
  Mixtures of things, they know not what,
35 Love, these mixt soules, doth mixe againe,
  And make both one, each this and that.
A single violet transplant,
  The strength, the colour, and the size,
(All which before was poore, and scant,)
40 Redoubles still, and multiplies.
When love, with one another so

Interinanimates two soules,
That abler soule, which thence doth flow,
Defects of lonelinesse controules.
45   Wee then, who are this new soule, know,
Of what we are compos'd, and made,
For, th'Atomies of which we grow,
Are soules, whom no change can invade.
But O alas so long so farre
50   Our bodies why doe wee forbeare?
They are ours, though they are not wee, Wee are
The intelligences, they the spheare.
We owe them thankes, because they thus,
Did us, to us, at first convay,
55   Yeelded their forces, sense, to us,
Nor are drosse to us, but allay.
On man heavens influence workes not so,
But that it first imprints the ayre,
Soe soule into the soule may flow,
60   Though it to body first repaire.
As our blood labours to beget
Spirits, as like soules as it can,
Because such fingers need to knit
That subtile knot, which makes us man:
65   So must pure lovers soules descend
T'affections, and to faculties,
Which sense may reach and apprehend,
Else a great Prince in prison lies.
To'our bodies turne wee then, that so
70   Weake men on love reveal'd may looke;
Loves mysteries in soules doe grow,
But yet the body is his booke.
And if some lover, such as wee,
Have heard this dialogue of one,
75   Let him still marke us, he shall see
Small change, when we'are to bodies gone.*

---

* Donde, cual almohada en un lecho / una preñada orilla henchida, para dar descanso / a la cabeza reclinada de las violetas, / sentados estábamos los dos, nuestro más preciado bien. / Nuestras manos estaban firmemente unidas / por un fuerte bálsamo, que de ellas surgía, / nuestras miradas entrelazadas, y ensartados / nuestros ojos, en un doble cordel; / las manos entretrasplantadas / era el único medio de hacernos uno, / y llenar-

Evidentemente, el autor pretende ofrecernos, en forma poética, una definición intelectual del estado extático de dos almas, que surgen de sus cuerpos y se funden tan completamente que se convierten en una. El término griego *ekstasis,* 'salir', queda literalmente parafraseado en la línea 14: «Our soules (which to advance their state, were *gone out*)», línea que debe contrastarse con la última: «Small change, when we'are *to bodies gone*»; es decir, cuando volvamos a la vida normal y no extática. Dos son los fenó-

---

nos los ojos de imágenes / era toda nuestra procreación. / Como entre dos ejércitos iguales, el Destino / suspende la incierta victoria, / nuestras almas (que para avanzar su estado / habían salido), colgaban entre ella y yo. / Y mientras nuestras almas allí negociaban, / Nosotros como estatuas sepulcrales yacíamos; / Todo el día iguales fueron nuestras posturas, / y nada dijimos, todo el día. / Si alguien, tan por el alma refinado, /el lenguaje del alma entendía. / Y por el buen amor había sido transformado todo en mente, / a distancia conveniente se hallaba, / Él (aunque no supiera qué alma hablaba, / porque ambas decían lo mismo) / de allí una nueva poción podía tomar, / y partir mucho más puro que al llegar. / Este éxtasis despereja / (Dijimos) y nos dice lo que amamos, / Vemos por esto que no era sexo, / Vemos, no vimos lo que se movía: / Mas como todas las almas distintas contienen / mezclas de cosas, sin saber qué, / el amor, estas almas mezcladas mezcla de nuevo, / y de ambas hace una, cada una esto y aquello. / Una sola violeta trasplantada, / la fuerza, el color y el tamaño, /(todo lo cual antes era pobre, y escaso,) / se redobla y multiplica. / Cuando el amor, una con la otra / dos almas interanima, / esa alma más capaz, que de allí surge, / los defectos de la soledad controla. / Entonces nosotros, que somos esta nueva alma, sabemos / de qué estamos compuestos y hechos, / Pues, los átomos de los que crecemos / son almas, que ningún cambio puede invadir, / mas, ay, ¿por qué tanto tiempo nuestros cuerpos soportamos? / Son nuestros aunque no son nosotros, nosotros somos / las inteligencias, ellos las esferas. / Les debemos agradecimiento, porque de esta manera / al principio nos transportaron, / cedieron sus fuerzas, su sentido, ante nosotros, / Ni son escoria para nosotros, sino aleación. / Sobre el hombre la influencia del cielo no obra así, / sino que antes imprime el aire, / para que alma en alma pueda fluir, / aunque primero deba pararse en el cuerpo. / Como nuestra sangre trabaja para engendrar / espíritus, tan parecidos a almas como sea posible, / porque tales dedos necesitan tejer / ese nudo sutil que nos hace hombres: / De igual modo las almas de los amantes puros descienden / a los efectos, y a las facultades, / a los que el sentido puede llegar y comprender, / de lo contrario un gran Príncipe en la prisión yace. / A nuestros cuerpos volvemos luego, para que tan débiles hombres al amor revelado puedan mirar; / los misterios del amor en las almas crecen, / pero el cuerpo es su libro. / Y si algún amante, como nosotros, / ha oído este diálogo de uno, / que se fije en nosotros, verá / poco cambio, cuando a los cuerpos hayamos regresado.

menos que debe describir el poeta: la separación del alma del cuerpo (el *ekstasis* propiamente dicho) y la unión de las dos almas.
Ambos se explican mediante una técnica consistente en insistir y
reinsistir en los mismos hechos que se describen con gran riqueza
de variaciones. Primero haré una lista de las diversas referencias
que se hacen a la idea: «dos se convierten en uno»:

4	we two one anothers best
5	our hands were firmely cimented
8	thred our eyes upon one double string
9-10	to entergraft our hands, ... to make us one
15-16	our soules ... hung 'twixt her and mee
26	both meant, both spake the same
35	(love these) mixt soules (doth mixe againe)
36	makes both one, each this and that
41-42	[love] with one another ... interinanimates
	[= animates] two soules
59	soule into the soule may flow
74	this dialogue of one

El concepto de «unión» sugiere la idea corolaria de «procreación» y, de hecho, en nuestro poema, hallaremos referencias al
fruto de la unión de los amantes, el cual debe estar en el mismo
plano espiritual que la propia unión:

5-6	[our hands were firmely cimented] with a fast balme, which *thence did spring*
11-12	[pictures ... was all our] propagation
15	our soules, (which to *advance their state* were gone out)
27	[he who would be a witness to our union] thence a new concoction [= distillate, state of maturation] take
43	that *abler* soule, which thence doth flow
45	wee, then, who are *this new soule*

Y además podemos añadir las dos primeras líneas: «Where, like
a pillow on a bed, / A Pregnant banke swel'd up», que dan a la

procreación intelectual de los amantes un fondo de naturaleza exuberantemente fértil y de vida vegetativa; [2] este pasaje hay que tomarlo conjuntamente con las líneas 37-40 (aunque esta cuarteta pueda parecernos una intercalación posterior): del mismo modo que una violeta sola, al ser trasplantada a terreno nuevo, florece con renovada vida, también las almas solas, al serles ofrecido un terreno nuevo para el amor (el terreno de la dualidad), «redoblarán y multiplicarán» sus potencialidades.

En cuanto a la idea del éxtasis propiamente dicho, de ella se ocupa el símil (ls. 13-17) de los dos ejércitos entre los cuales cuelga el destino y por los cuales negocian las almas, símil que es trasladado a la siguiente imagen de una lápida doble con figuras postradas de las cuales las almas han salido. De nuevo se repite la idea de las almas sin cuerpo en la línea 22 («by good love ... growen all minde») y en las líneas 47-48: «For th'Atomies of which we grow, / Are soules, whom no change can invade»; «We [our soules] are / The intelligences, they [our bodies] the

2.   La «pregnant banke swel'd up to rest the violets reclining head» es obviamente un rasgo perteneciente al «paisaje ideal» literario, un *topos* tratado recientemente por E. R. Curtius, *Europäische Literatur und lateinisches Mittelalter*, Berna, 1948, pp. 196 ss.; las fuentes últimas son pasajes tales como Virgilio, *Bucólicas*, III, 55-57:

Dicite, quandoquidem *in molli consedimus herba,*
Et nunc omnis ager, nunc omnis *parturit* arbos;
Nunc frondent silvae; nunc formosissimus annus.

Este es exactamente el decorado que se encuentra en el poema de Donne: un lugar de la naturaleza, embellecido por la vegetación exuberante, que invita al reposo y al gozo. En otro paisaje ideal de Virgilio (*Buc.*, II, 45 ss.), encontramos que se mencionan ocho especies de flores y en el poeta romano Tiberiano, cuatro (entre ellas también las violetas: «num nemus fragrabat omne violarum spiritu»); Donne, sin embargo, menciona solamente la violeta, probablemente porque deseaba poner de relieve el clima amoroso, ya que, para los antiguos, la violeta es la flor que simboliza el amor: «tinctus viola pallor amantium» (Horacio, *Odas*, III, 10): «palleat omnis amans, hic est color aptus amanti» (Ovidio, *Ars amatoria*, I, 729). Cf. en Petrarca «S'un *pallor di viola e d'amor* tinto», «*Amorosette e pallide viole*» (*Concordanze delle rime di Fr. Petrarca,* ed. McKenzie, s.v., *viola*); en Camoens «Pintando estava alí Zéfiro e Flora / *As violas da côr dos amadores*» (*Os Lusiadas,* IX, 61; cf. Richard F. Burton, «Camoens», II, 657).

spheare» (en la cosmología medieval a las esferas las mueven las inteligencias angélicas).

La totalidad del último tercio del poema se entrega a una justificación del cuerpo: dado que éste debe abandonarse si el alma desea conocer el éxtasis, cabría suponer que el cuerpo no es más que un obstáculo para el espíritu. Y, pese a ello, Donne insiste en rehabilitar el cuerpo, describiendo el servicio que presta al espíritu. A través de los sentidos el cuerpo media entre las almas desposadas: el cuerpo no es «drosse», sino «allay» (l. 56). Es más, produce los espíritus vitales (*spiritelli, esprits vitaux*) que están estrechamente unidos al alma y producen esas imágenes sensuales que conducen a la revelación del amor: «Loves mysteries in soules doe grow, / But yet the body is his booke». Donne termina repitiendo el motivo de la invariabilidad de las almas que una vez se han unido en éxtasis.

No podemos evitar la impresión de que el poeta procede, a lo largo de todo el poema, como lo haría un creyente que tuviera firmemente grabada en la mente una concepción de la cual quisiera convencer a los que le escuchan. En efecto, es tan consciente de la necesidad de *convencer* a los demás que, no contentándose con el público formado por sus lectores, quisiera introducir (l. 21) en el poema mismo, «within convenient distance» de los amantes, un testigo, o un oyente, capaz de entender el lenguaje del amor, que escucharía el «dialogue of one» (l. 73). Nos asegura que tal testigo u oyente no podría por menos de atestiguar tanto la pureza del acto místico como el efecto duradero del éxtasis, incluso después de que las almas extáticas hayan regresado a los cuerpos.

En cuanto a su público de lectores, con el fin de convencernos el poeta adopta una técnica cuantitativa: debe multiplicar su evidencia con el fin de inculcarnos su convencimiento. Con símiles siempre nuevos (*to ciment, to graft, balm, concoction, to string, violet*), o mediante palabras de nuevo cuño (*entergraft, interinanimate*) forja la idea «dos se convierten en una», y con la acumulación de símiles (negociadores para ejércitos, figuras sepulcrales, inteligencias y no esferas, aleación y no escoria, misterio y no libro) da forma a la idea del éxtasis. Esta revelación misma es descrita desde un punto de vista intelectual, como la paradójica re-

ducción matemática «2 se convierte en 1». La profundidad de la
experiencia mística, la sensación de su siempre creciente profundidad, no está expresada: nada se revela sobre el génesis de esta
experiencia, del desarrollo hasta el momento culminante del tran-
ce. El éxtasis ha existido desde el principio: se le llama claramente
«this Extasie» en la línea 29: dura no un momento, sino todo el
día. Se nos permite compartir solamente el estado duradero de
felicidad-sin-deseo. Una calma estatuaria prevalece a lo largo de
todo el poema. Vemos ante nosotros una estatua alegórica del
Éxtasis que permanece desvelada desde el principio, mientras las
flexibles figuras retóricas la envuelven, tejiendo coronas etéreas a
su alrededor, proyectando sombras siempre nuevas sobre ella: una
figura alegórica compuesta, en verdad, de la que se predican atri-
butos pertenecientes a diversos reinos de la vida. Para expresar la
misma observación variando el conocido pareado de Robert Frost:

> They all dance around in a circle and suppose,
> But the *concept* sits in the middle, and knows.*

A todas las ciencias y artes se les permite entrar en nuestro poema
bajo la forma de metáforas y para dar testimonio del concepto
central: el arte del perfumista, del joyero que ensarta perlas, del
jardinero que trasplanta, del negociador militar, del escultor, del
alquimista que destila «concoctions», del cosmólogo que se ocupa
de la estructura del universo; todos pasan ante la estatua en un
desfile, un *triumphus pudicitiae* petrarquiano.

Con el procedimiento cuantitativo de Donne está relacionada
su utilización de la hipérbole, a menudo mal entendida por los
críticos: nos dice que tan grande era el éxtasis, que (ls. 7-8) «Our
eyebeames twisted, and did thred / Our eyes, upon one double
string», hazaña que no es fácil imaginarse. Pero pretende, por
supuesto, predicar lo imposible. Según los requisitos del ingenio
metafísico, debe adscribir a lo que alaba lo que es físicamente imposible además de lo ilimitado: no sólo debe poner en orden toda

---

* Todos bailan en un círculo y suponen, / pero el *concepto* se halla
sentado en medio, y sabe.

la riqueza caleidoscópica de la tierra, sino que debe introducir las
posibilidades inimaginables de lo imposible, bien consciente de
que con todo su esfuerzo su panegírico debe, a la postre, seguir
siendo una aproximación. Por supuesto, este tipo de eulogía tiene
el efecto de distanciar el objeto de alabanza: Donne no reconstruye
lo que hay dentro de él, sino que nos señala algo que está por
encima de él. En lugar de la recreación de la experiencia intuitiva
que el poeta tuvo realmente, con su cualidad particular, se nos
ofrece un análisis enciclopédico, discursivo. Con todo, este análisis está informado de belleza rítmica: la belleza propia del ritmo
del lenguaje hablado sencillo con toda su capacidad para convencer, un ritmo que es eco del acontecimiento interno y atestigua la
veracidad del informe. Obsérvese el ritmo (indicando «igualdad»
mediante un quiástico * «regreso a lo mismo»), que acompaña al
símil del «sepulcro» (ls. 18-20):

> We like sepulchrall statues lay;
> *All day*, the same our postures were,
> And wee said nothing, *all the day*.

El ritmo mediante el cual se describe a la «nueva alma» como
más allá del cambio (ls. 45-48):

> Wee, then, who are this new soule, know,
> Of what we are compos'd, and made,
> For, th'Atomies of which we grow,
> Are soules, *whom no change can invade*.

o el ritmo meditativo de las líneas que indican la naturaleza no
sexual de ese amor (ls. 31-32):

> *Wee see* by this, it was not sexe,
> *Wee see, we saw* not what did move ...

---

* Del griego *khiasmos,* a saber: inversión en la segunda frase del orden
seguido en la primera.

No puede ser por casualidad que el ritmo elegido por el poeta sea más convincente allí donde la inmutabilidad de la unión es contrastada con fenómenos transitorios.

Tras haber observado en nuestro poema que la médula intelectual de un estado de ánimo intuitivo ha sido concretizada y que una experiencia que debe de haberse desarrollado en el tiempo ha sido reducida a la intemporalidad, podemos observar que la última parte, aquella en la que se ofrece la justificación del cuerpo (el amor empieza en el cuerpo y continuará cuando las almas hayan vuelto al cuerpo), es menos afortunada que el resto desde el punto de vista poético, y esto, a pesar de ocasionales gemas poéticas, tales como (l. 64) «That subtile knot, which makes us man» (línea que convierte en poesía la sucinta definición de la naturaleza psíquico-física del hombre), o (l. 68) «Else a great Prince in prison lies», donde por un momento nos parece ver el Segismundo de Calderón en su torre, privado de la luz de sus sentidos. La última parte del poema raya en un tratado científico de fisiología, es decir, de fisiología del siglo XVII. Cualquier lector encontrará aquí un anticlímax poético (incluso puede sospechar que esta última parte fue escrita en otro momento): después de haber sabido del éxtasis de dos almas convertidas en una, la idea de su vuelta o «descent» a ese cuerpo resulta desconcertante. Puesto que el hombre mortal está constituido de tal forma que puede imaginarse un estado de suprema felicidad sólo como un ápice que debe hallarse aislado, una muerte dentro de la vida seguida por el silencio; el Egmont de Goethe exclama: «Dejadme morir, el mundo no tiene gozo mayor que éste», y el telón deberá descender. Donne, sin embargo, deseaba que la visión extática fuese tributaria de la vida cotidiana que debe seguirla, y que podía verse realizada por el recuerdo de dicha visión. Pero este nobilísimo pensamiento moral, tan profundamente relacionado con la reforma y la regeneración religiosas, no ha llegado a la madurez poética; toda vez que, después de haber compartido un éxtasis que está más allá del tiempo y del cambio, no estamos preparados para regresar al mundo donde el cambio, por leve que sea, es posible. Y la repetición del motivo del testigo que observaría a los amantes en su vida posextática es indicio de que aquí la imaginación poética de Donne se estaba quedando atrás.

Es más, nos da la impresión de que el mismo Donne, a pesar de esforzarse por justificar a la carne, estaba más íntimamente convencido de la realidad y belleza de la unión espiritual que de la necesidad que de esa unión tenía el cuerpo. Bien pudiera ser que la mentalidad de Donne, que era básicamente protestante, sea responsable de esta actitud que se contradice a sí misma. Porque cabe decir que el alejamiento del cuerpo es característica del protestantismo, mientras que en la fe judía los derechos del cuerpo pueden coexistir fácilmente con lo que el Creador reclama del alma inmortal del hombre, y, en la religión católica, se ofrece un puente que va del alma al cuerpo a través del sacramento según el cual Cristo está presente en la unión corporal de los creyentes, que son *membra Christi*. En el monumento protestante que Donne erige a la unión mística, las figuras que encarnan esa unión muestran el toque de una mano más firme de la que muestra el pedestal de arcilla que él quisiera que las aguantase. Donne, de hecho, no conoce ninguna respuesta válida para esa pregunta atormentadora: «But O alas, so long, so farre / Our bodies why doe wee forbeare?». No es una casualidad que la palabra *sex* (l. 31) se utilice en nuestro poema por primera vez en la literatura europea en su sentido moderno del impulso específico, objetivo, definible, pero cuestionable, que condiciona la vida del hombre y la mujer.[3] De nuevo en su poema *The Primrose* Donne dice: «... should she / Be more then woman, shee would get above / All thought of sexe ...»; «ponerse por encima de todo pensamiento sobre el sexo» va cogido de la mano de «Vemos por esto que no era sexo»: en ambos casos, el «sexo» es tratado como un factor de poca importancia que existe para ser superado.

Sin embargo, si el sexo se contempla (¡tan tajantemente!) como algo que debe descartarse, no podemos pretender, por supuesto, encontrar en Donne a un representante del misticismo religioso, que (como sabemos por los estudios sobre psicología mística realizados por Evelyn Underhill) toma prestado del sexo la materia

---

3. Sugerencia que debo al profesor Allen.

prima de la sensibilidad psicofísica con la cual dará la bienvenida, en un plano superior, *pero todavía en el cuerpo de uno* al igual que en su alma, a la invasión de lo divino.

Son los místicos españoles los que, en su procedimiento de dar carne a la experiencia espiritual (al mismo tiempo que comparten la actitud última de Donne de desilusión, desengaño, respecto del cuerpo), han encontrado la forma más directa de reconciliar el esplendor del cuerpo, redescubierto por el Renacimiento, y la belleza sobrenatural de la gracia divina, experimentada en la meditación medieval. Y pese a todo, nuestro poema, con su clara demarcación entre el cuerpo y el alma, seguirá siendo un monumento de claridad intelectual. ¡Qué característico es el verbo *unperplex* (l. 29) que Donne ha acuñado (y al que ha permitido rimar con *sex*: ¡como contrapeso!), qué revelador del deseo apasionado de Donne de clarificación intelectual de las emociones! Y es este impulso lo que ha hecho que John Donne sea tan querido en nuestra época, una época sumamente perpleja, que desconfía de la emoción instintiva y que prefiere, quizá, la claridad del análisis a la síntesis que ya no puede ratificar sinceramente.

En vista de la interpretación del poema de Donne que acabo de sugerir, huelga decir que soy totalmente contrario a la opinión que el fallecido profesor Legouis ofreció en su *Histoire de la littérature anglaise*. Legouis, que evidentemente tiene presentes los numerosos poemas en los que Donne ha ridiculizado el tema del amor platónico (¡piensen en *The Flea*!), ve en nuestro poema un ruego «sofístico» e «insidioso» por la consumación física. Los dos amantes, tras haber gozado durante un día entero la sensación de haber formado una única alma,

> sentent qu'ils sont devenus de purs esprits. De la hauteur où ils planent, que le corps est peu de chose! Pauvre corps, mais qui pourtant mérite sa récompense pour les avoir menés l'un vers l'autre. Il n'est que juste de penser à lui: «Pourquoi s'abstiennent nos corps si longtemps? ... Sans cela un grand prince gît en prison».

Ahora bien, con el objeto de justificar tal interpretación carnal, Legouis ha interpretado la línea 50 («Our bodies why doe wee forbeare?) como si *forbear* significase, no 'soportar, tolerar', como yo lo he entendido, sino 'restringir, controlar' («pourquoi s'abstiennent nos corps si longtemps?». Es más, en la última línea: «Small change, when we'are to bodies gone», que yo he explicado diciendo que se refería a la inevitable vuelta del éxtasis a la vida cotidiana, él, evidentemente, ve una alusión al amor físico. Y lo que nosotros hemos interpretado como una descripción del comienzo del amor (que debe empezar con el cuerpo), como un punto desde el cual alcanzar el éxtasis, él da por sentado que constituye una invitación, *hic et nunc,* a complacer al cuerpo; y la noble línea 68: «Else a great Prince in prison lies», que describe la condición mortal del hombre, él, de alguna manera, la presenta como el clímax de la invitación carnal: el eterno ruego que el hombre individual, compadeciéndose de sí mismo, dirige a la mujer.

Ante tal sabiduría mundana gala, tal familiaridad con las seculares estratagemas de un seductor lleno de recursos (de un Valmont en *Liaisons dangereuses*), ¡qué ingenuos parecerán mis comentarios de buena fe! No obstante, a veces ocurre que el candor es la manera más directa de llegar al entendimiento; sucede, sencillamente, que he optado por creer al poeta cuando, al principio, habla con la voz inconfundible de la verdad, de la belleza, y la realidad, del éxtasis espiritual: y si en efecto le creemos aquí, entonces no podemos ver una invitación a la carnalidad en la última parte, lo cual no podría significar más que la primera parte era una simple estratagema. Y las líneas con su resonancia sincera y definitiva, «Wee see by this, it was not sexe, / Wee see, we saw not what did move?», ¿es este el tono de la hipocresía? Sospecharíamos que el hablante sabría en aquel momento que el sexo en verdad se movía (¿o se movería?). Y ese testigo al que Donne recurre al final, «When we'are to bodies gone», resulta increíble pensar que Donne recurre a él para que presencie el acto físico: aquel a quien el poeta ha descrito como «by good love ... growen all minde» (obsérvese la altiva frase agustiniana *good love = amor bonus*).

No, sigo prefiriendo ver en nuestro poema una glorificación del verdadero éxtasis (carente tal vez de convencimiento artístico, por la noble razón sugerida anteriormente) más que una tortuosa exhibición de altiva filosofía neoplatónica destinada exclusivamente a provocar el inevitable desenlace terrenal: Veo en ella, no un *argumentum ad hominem*, o, mejor dicho, *ad feminam*, sino, de acuerdo con el propio Donne, un «diálogo de uno», de, si lo desean, un monólogo de dos.

Hemos dicho que la sensibilidad judía —y creo que esto es tan válido hoy como en tiempo de los patriarcas— admite la coexistencia del cuerpo y el alma en la presencia de Dios, pero sin hacer ningún intento por fundirlos. Así, pues, no es sorprendente que un sensual epitalamio oriental que había encontrado acceso al canon bíblico judío, el *Cantar de los cantares* (ese «herrlichste Sammlung Liebeslieder, die *Gott geschaffen hat*», como lo llamó Goethe), se transformase, mediante la exégesis cristiana, en un tratado alegórico de unión mística. Y es este tema místico el que encontramos en el poema español *En una noche escura*, que cabría describir como el *Cantar de los cantares* católico (ya que, efectivamente, saca su inspiración del cántico hebreo reinterpretado). Este poema, escrito alrededor de 1577 por el monje carmelita san Juan de la Cruz, es un ejemplo perfecto de la forma en que puede hacerse que el cuerpo sea artísticamente tributario de la experiencia mística. El santo católico trata nada menos que de la unión extática, no con un ser humano, sino con el divino, en términos que constantemente funden alma y cuerpo:

1   En una noche escura,
     Con ansias en amores inflamada,
     ¡Oh dichosa ventura!
     Salí sin ser notada,
     Estando ya mi casa sosegada;

2   A escuras y segura,
     Por la secreta escala, disfrazada,
     ¡Oh dichosa ventura!
     A escuras, y en celada,
     Estando ya mi casa sosegada.

3   En la noche dichosa,
     En secreto, que nadie me veía,

> Ni yo miraba cosa,
> Sin otra luz y guía,
> Sino la que en el corazón ardía,

> 4   Aquesta me guiaba
> Más cierto que la luz del mediodía,
> Adonde me esperaba
> Quien yo bien me sabía
> En parte donde nadie parecía.

> 5   ¡Oh noche, que guiaste,
> Oh noche amable más que la alborada,
> Oh noche, que juntaste
> Amado con amada,
> Amada en el Amado transformada!

> 6   En mi pecho florido,
> Que entero para él solo se guardaba,
> Allí quedó dormido,
> Y yo le regalaba,
> Y el ventalle de cedros aire daba.

> 7   El aire del almena,
> Cuando yo sus cabellos esparcía,
> Con su mano serena
> En mi cuello hería
> Y todos mis sentidos suspendía.

> 8   Quedéme y olvidéme,
> El rostro recliné sobre el Amado;
> Cesó todo, y dejéme,
> Dejando mi cuidado
> Entre las azucenas olvidado.

Este poema, como han reconocido sus mejores comentaristas, el francés Baruzi [4] y el español Dámaso Alonso,[5] se divide en tres partes: el principio de la peregrinación del alma, estrofas 1-4; la llegada y el anuncio de la unión mística, estrofa 5; y la escena de la unión misma, estrofas 5-8. Con el fin de percibir el interior del

---

4. Jean Baruzi, *Saint Jean de la Croix et le problème de l'expérience mystique,* París, 1931 [2].

5. Dámaso Alonso, *La poesía de San Juan de la Cruz,* Madrid, 1942.

organismo poético, de nuevo empezaremos haciendo una «lista», como hemos hecho antes al explicar el poema de Donne. En él fue la secuencia de símiles lo que nos permitió penetrar en el procedimiento que utilizó el poeta para escribirlo; aquí, sin embargo, empezaremos con un detalle lingüístico trivial (a primera vista): partiendo del punto de vista de la utilización de los tiempos verbales, hagamos una lista de los pretéritos utilizados en nuestra breve narrativa, ya que es mediante ellos que se lleva la acción adelante; forman, como si dijéramos, el marco dramático, expresando un desarrollo ininterrumpido. Veremos que aumentan al final del poema: en la primera parte sólo hay *salí* (estr. 1); en la segunda parte (estr. 5) solamente *guiaste* y *juntaste*; en la tercera parte, además de *allí quedó dormido* en la estrofa 6, encontramos cinco pretéritos en la última estrofa, cuatro de los cuales corresponden a verbos que expresan movimiento corporal; la acción, como he dicho, se concibe en términos corporales. Este aumento culminante del número de tiempos dramáticos que se da hacia el final coincide, cosa extraña, con una disminución de la acción voluntaria o dinámica por parte de la protagonista: el alma amorosa que en la primera parte salió resueltamente y emprendió su peregrinación es, en la segunda parte, guiada por la noche, y es la noche la que une el alma con su Amado (que es pasivo: *quedó dormido*), con lo cual cesa todo esfuerzo; y en la última estrofa la actividad del alma es de gradual autoextinción: *cesó todo*. Este contraste entre la acumulación de tiempos dramáticos y el *smorzando* de las actividades que los mismos expresan es paradójica: [6] el clímax de la acción se alcanza en la no-acción, en la recepción

---

6. Esta observación no la ha hecho Dámaso Alonso, que habla solamente de la «escasez de verbos» en la primera parte del poema (p. 184); según Alonso, si es que le he entendido correctamente, predominan las construcciones nominales.

Diría que, por no hablar de la última estrofa en la que los verbos indudablemente predominan, incluso en las tres primeras estrofas la fuerza del único verbo, *salí*, del cual, según el análisis de Dámaso Alonso, cuelgan todos los adverbios circunstanciales y paréntesis, aumenta bastante: el verbo principal no está «ausente»; al contrario, se hace sentir en el poder de sostenimiento que tiene, en el apoyo que presta a las frases nominales: el *salí* simboliza la tranquila fuerza de voluntad de esa alma que se abre camino hacia su meta, sin que la perturben la soledad y la noche.

de la invasión mística (que no puede ser más que un don de la gracia divina), en el autoaniquilamiento. El primer pretérito, *salí*, era un ímpetu motivado «con ansias en amores inflamada», por la abrasadora ansiedad de la llama del amor; el *dejéme* del final, aunque expresa abandono de sí misma, se funde inmediatamente en «dejando mi cuidado ... olvidado»: el cese de toda perturbación. La acción del poema español que empieza con un movimiento dictado por el dolor y por el deseo de aquietar este dolor termina con el logro de un olvido libre de dolor.

Después de haber visto el todo en perspectiva y observado las características salientes de su estructura, volvamos ahora al principio y analicemos por turnos las tres partes que hemos aislado.

En la primera estrofa, como ya he dicho, la palabra sobresaliente que empieza el movimiento del poema es *salí*. Sin embargo, podríamos preguntarnos: ¿quién salió?, ¿quién es el protagonista del poema? Diríase que el participio *inflamada* (estr. 1), al que siguen *notada* y más adelante *amada* y *transformada* (estr. 5) indica un ser femenino; y dado que dicho ser habla de unirse a su *Amado,* tendríamos motivos para ver la acción en términos de un amor terrenal. ¿O este aspecto femenino es predicado solamente de ese ser espiritual, el alma (palabra que nunca se menciona en nuestro poema), concebida eternamente como femenina? Obviamente, esta ambigüedad es intencional por parte del autor, no solamente debido a su deseo de expresar en sentido figurado lo espiritual por medio de lo físico: es cierto también que, justamente porque la identidad del protagonista se presenta como evidente por sí misma, sin necesidad de elucidación, nos vemos atraídos inmediatamente a la atmósfera del que habla de su amor (de ella) y podemos compartir, sin hacer preguntas, su experiencia a medida que ésta va desarrollándose en el poema.

Volviendo de nuevo al *salí*: ¿de dónde fue esta salida?, ¿de qué fondo surge este súbito movimiento? Pero son sólo las primeras dos estrofas *tomadas conjuntamente* que nos dan este fondo; en efecto, tal como ha señalado Dámaso Alonso, estas dos estrofas deben tomarse como una sola oración (sin estar separadas por un punto, como se hace en todas las ediciones): contienen las mismas rimas y, si se estudian como una unidad, el período que las abre

mostrará ese *parallelismus membrorum* característico del modelo
hebreo (el *Cantar de los cantares*, 3, 1-2). Compárense los paralelismos en

> En mi lecho, por la noche,
> busqué al amado de mi alma,
> busquéle, y no lo hallé.

> Me levanté y di vueltas por la ciudad,
> por las calles y las plazas,
> buscando al amado de mi alma.
> Busquéle y no le hallé.

y en nuestro poema:

> En una noche escura,
> Con ansias en amores inflamada,
> ¡Oh dichosa ventura!
> Salí sin ser notada,
> Estando ya mi casa sosegada;

> A escuras y segura,
> Por la secreta escala, disfrazada,
> ¡Oh dichosa ventura!
> A escuras, y en celada,
> Estando ya mi casa sosegada.

Estas cadencias musicales, incluso como de baile, ayudan a situar
nuestro poema en el clima del misterio bíblico, en el cual movimientos que parecerían erráticos al no iniciado son guiados por la
Providencia. En la quietud de la noche oímos esos acentos misteriosos, apoyados, como si dijéramos, por *motivos-palabras* que se
repiten con una consistencia que hace pensar en la continuidad de
voluntad y propósito. Aquí las repeticiones no están destinadas a
colocar un concepto bajo una claridad total mediante símiles siempre nuevos, como lo estaban las de Donne; en vez de ello, nos
encontramos con unos cuantos motivos-palabras muy sencillos que
se repiten parsimoniosamente con sólo una ligera variación: a
decir verdad «¡Oh dichosa ventura!» se repite sin ningún cambio,
igual «que estando ya mi casa sosegada»: estos motivos establecen

la homología de las dos estrofas. Otra vez en la secuencia *en una noche escura — a escuras y segura — a escuras y en celada* encontramos una palabra (*escuro*) repetida tres veces, mientras que en la oración *sin ser notada — secreta escala disfrazada — en celada* tenemos solamente afinidad temática, pero afinidad al fin. No es que haya siempre un *eco* musical; pueden oírse suaves contrastes: es un alma agitada por la pasión la que sale de la casa envuelta ahora en el silencio (*inflamada — sosegada*); la oscuridad de la noche (*a escuras*) está en oposición a la seguridad del propósito (*segura*). Y el hecho de que *ventura* rime con *segura* sugiere también una contradicción, aunque ésta es atenuada por el hecho de que a la aventura se la califique de *dichosa*. La decisión del alma es, en efecto, una *aventura* hacia lo desconocido, una *aventura,* no en el sentido trivial que hoy se da a la palabra (una interrupción caprichosa de la vida cotidiana), sino en el sentido en que se ha dicho que en la Edad Media la totalidad de la vida era una aventura: la aventurada búsqueda, por parte del hombre, del *advenimiento* de lo divino. El alma que aquí ha decidido encontrar lo divino se ha comprometido en una aventura existencial y el epíteto *dichosa* nos asegura que el ser divino le dará respuesta. Y la palabra *escala,* con su connotación de altura, es el símbolo del desarrollo del alma hacia arriba (podemos recordar la mística escalera de san Bernardo de Claraval).

Las dos estrofas siguientes también deberían tomarse conjuntamente (aunque nadie más ha hecho tal sugerencia) debido a las mismas rimas en *-ía* y también debido a un discreto paralelismo que las recorre. Aquí volvemos a encontrar la alternancia de motivos que nos asegura el continuo fluir del poema: las palabras *dichosa* y *secreta* de la estrofa 2 reaparecen; «sin ser notada» de la estrofa 2 es continuada por «nadie me veía», y «en celada» por «en parte donde nadie parecía». También podemos anotar que en este par de estrofas el único verbo principal es el imperfecto *guiaba.* Una vez tomada la decisión y anunciada dramáticamente por el pretérito *salí,* la acción puede calmarse para convertirse en un ritmo tranquilo, seguro, prolongado, que sugiere firmeza de dirección. Y advertimos un tono nuevo de serenidad y claridad: «en una noche escura» ha dado paso a «en la noche dichosa»; la noche se ha transformado ahora en un medio familiar en el cual el alma conoce su camino. En esta oscuridad aparece una luz que brilla desde el corazón; y esta luz nos es presentada negativamente la primera vez («sin otra luz ... sino la que ...»), como si, con ello, se la hiciera surgir de la oscuridad. Es este brillo lo que guía el alma (*guía - guiaba*) con mayor certeza que la luz del mediodía. Y con la primera línea de la estrofa 4 se sugiere un estallido de dichoso alivio: «aquesta me guiaba». Del laberinto de la tercera estrofa, que sugiere el movimiento del alma mientras se abre paso a tientas en las tinieblas, surge, como un claro, la guía segura; la luz portentosa, que al principio se nos sugirió tentativamente (negativamente, como hemos dicho) en una cláusula dependiente, ahora, en la cláusula principal, es saludada abiertamente: *aquesta...* De esta manera se permite a la estructura oracional traducir el progreso consistente del alma que se ha esforzado, alentada por una esperanza interna (*segura - dichosa*), hasta que ahora su luz interior brilla a su alrededor, más allá de ella, hacia el objetivo, ya bien claro (*adonde*), hacia ese alguien (*quien*) cuya morada conoce instintivamente («Quien yo bien me sabía / en parte donde nadie parecía»). Aquí tenemos la idea de un conocimiento secreto, exclusivo, del mismo modo que antes se hicieran sugerencias de un viaje secreto, clandestino (la escalera mística estaba «camuflada», *disfrazada*). Puede que en última instancia este motivo de amor subrepticio sea un vestigio de los convencionalismos social-poéticos de la poesía amorosa de los trovadores,[7] pero con Juan de la Cruz ha adquirido un sentido místico; dado que el misticismo cristiano representa la más alta evolución de la creencia cris-

---

7. Cf. la exposición didáctica de este convencionalismo en pasajes provenzales antiguos tales como:

Fals amador mi fan gran destorbier,
Car son janglos, enojos, mal parlier;
Mas ien pero tene *la droitu carrau*
E vauc avan *suavet e u fram*.
Qu'eu l'auzi dir en un ver reprovier:
Per trop parlar creisson maint encombrier;
Per qu'eu *m'en cel* a tot homen carnau.

He escrito en bastardilla las expresiones en provenzal antiguo que anuncian las de Juan de la Cruz; la senda solitaria del alma amante que tranquilamente vaga hacia su meta segura ya está anticipada aquí.

tiana en un Dios personal, que condiciona el alma inmortal del hombre, como ésta, a su vez, presupone a Dios, el alma *mística,* entonces, puede afirmar su conocimiento de ese Dios individual, por así decirlo, como su posesión *personal* en el aislamiento, incluso en el secreto. Con estas últimas líneas la peregrinación ha llegado a su fin: con la alusión a *quien* (ese pronombre ambiguo que afirma a un individuo sin revelar su identidad). Más adelante, este individuo amado al que aquí se alude mediante el *quien* aparecerá como *amado* (l. 4, estr. 5) y finalmente como *el Amado* (en la línea siguiente).

Mediante la técnica de la variación musical y de un desplegamiento sintáctico gradual, se nos ha conducido de la *noche escura* a la luz que brilla más que el día, de la soledad al encuentro con El que es el objetivo divino, de lo que los griegos llamarían στέρησις ('privación') a ἕξις ('posesión'). Estos son básicamente términos de la lógica y de hecho la idea de privación, de ausencia de características positivas, la encontramos expresada por elementos gramaticales negativos como *sin, nadie, ni... cosa, sin, nadie,* que conducen a los positivos *aquesta* y *quien,* a la realización: «no ver nada» conduce a ver al Amado. El misticismo, a decir verdad, sienta la privación, la renuncia y la purgación, como el punto desde el cual se parte la realización: ampliando el principio cristiano según el cual no tener es en última instancia tener, que solamente cerrando los ojos al mundo exterior se ve verdaderamente (los ojos del corazón, *oculi cordis,* son más penetrantes que los ojos de los sentidos), y que la luz del corazón brilla con más esplendor que cualquier otra luz.[8]

Y ahora comprendemos las jubilosas exclamaciones con las que empieza la siguiente parte (que consiste en una sola estrofa):

---

8. Para este concepto nada clásico y nada platónico de la oscuridad, cf. el artículo magistral de Rudolf Bultmann, «Zur Geschichte der Lichtsymbolik im Altertum», *Philologus,* XCVII (1948), pp. 1-35, que data la pérdida del concepto clásico griego de la luz de la decadencia de la *polis* griega: mientras que en la Grecia clásica la luz del día era considerada no sólo el medio perfecto de orientación, sino también una fuente primaria de iluminación mental, en posteriores religiones misteriosas, el hombre, que se había vuelto dualista y había perdido la confianza en la luz del día, pensaba que el conocimiento supremo le es revelado solamente por la intervención de

> ¡Oh noche, que guiaste,
> Oh noche amable más que la alborada,
> Oh noche, que juntaste …!

También aquí hay una paradoja: «noche que guiaste». Es más natural pensar que lo que guía es la luz: pero, como sabemos, la noche se ha transformado en luz ($\sigma\tau\acute{\epsilon}\rho\eta\sigma\iota\varsigma$ aparece en el esplendor de $\acute{\epsilon}\xi\iota\varsigma$). Y esta noche radiante también ha «juntado» (*juntaste*). Este *juntaste* es el clímax de la secuencia *guiaba - guiaste - juntaste*; ya hemos observado que en «aquesta me guiaba» había un tono nuevo de tranquilidad (el ímpetu de la fuerza de voluntad, anunciada originalmente por *salí,* ha remitido, al doblegarse el alma ante la luz interna); ahora con «¡oh noche que juntaste!» el hecho de guiar se ha convertido en algo plenamente conseguido y la iniciativa pasa de la luz del corazón a la *noche* misma; y es sólo la noche la que produce la unión. Este símbolo poético de la noche, como la mediadora del matrimonio espiritual, es original de Juan de la Cruz, como ha señalado Baruzi, el cual haría también una distinción entre el *símbolo* de la noche tal como se emplea en nuestro poema y la *alegoría* de la noche tal como la encontramos explicada en los comentarios en prosa de nuestro autor.[9] Puesto que, mientras la alegoría consiste en un juego intelectual en el cual se hace que una serie de cualidades fijas pertenecientes a un reino se correspondan a una serie de cualidades fijas pertenecientes a otro reino (de manera que en cualquier fase es posible una «traducción» literal), un símbolo representa una identificación emocional de un complejo de sentimientos con un objeto

---

poderes supernos que brillan en la oscuridad. En los textos gnósticos se dice de la luz del día que es «luz oscura»; Plotino sólo en la visión extática reconoce la «luz verdadera»; Dionisio el Areopagita habla de la «oscuridad divina». Al templo griego que se alza en plena luz del día y cuyos detalles son claramente perceptibles por el creyente que se halla ante él, lo contrasta Bultmann con la sombría iglesia cristiana que priva al creyente, que se encuentra dentro de ella, de la luz del día, al mismo tiempo que para él debe encenderse una luz artificial, una imagen de inspiración divina que invade su corazón. Los místicos cristianos amplían a propósito las opiniones de Dionisio sobre la oscuridad divina.

9.   No creo, por ejemplo, que en las estrofas 1 y 2 tengamos que ver con «dos» noches: *noche de los sentidos, noche del entendimiento.*

externo que, una vez conseguida la identificación inicial, produce imágenes siempre nuevas, con su propio ritmo y su propio desarrollo, no siempre traducible. El símbolo se despliega continuamente ante nosotros en el tiempo, mientras que la alegoría, una vez desarrollada, queda fija para siempre, al igual que la relación de sus detalles. La alegoría del amor en el *Roman de la rose* puede traducirse paso por paso; por ejemplo, la rosa se caracteriza por las espinas, por un olor delicioso, etc., y son obvias las implicaciones alegóricas de todo ello. Pero la cruz de Cristo es un símbolo: una vez el sufrimiento de Cristo ha quedado simbolizado por este particular instrumento de tortura hecho de madera, una vez Cristo ha «tomado la cruz sobre sus espaldas», esta cruz puede convertirse, con el tiempo, en la «balanza» en la que se pesan los pecados del mundo, el «árbol» de la vida que vence a la muerte, la «lira» de Orfeo, etc. Y con Juan de la Cruz la noche es un símbolo de igual modo intraducible, generador de situaciones y emociones nuevas que deben ser entendidas a medida que se despliegan en el tiempo: primero era solamente el medio en el que el alma solitaria emprendía su aventurado viaje; ahora se ha convertido en la guía y (aquí no hay ninguna «traducción» posible) hasta el mediador entre el Amante y el Amado. De hecho, la noche misma es atraída a la atmósfera de *amar*: «noche amable». Quizá se sugiera una ecuación entre la noche y el amor; ciertamente es el amor lo que une a los amantes y, sin embargo, de la noche se ha dicho: «¡oh noche que juntaste...!». Luego, noche = amor. Y, junto con *amado* y *amada,* nuestra *noche amable* forma un triángulo (implicando la relación trino y uno).[10] Las tres variaciones de la raíz *amar* simbolizan esta alquimia mística.[11]

10. El recurso de indicar la reciprocidad del amor mediante la repetición de la raíz *amare* es muy conocido desde la línea de Dante que dice: «Amor che a nullo amato amar perdona».

11. Cf. *Llibre de Amich e Amat,* de Ramon Llull, donde la relación entre los protagonistas (el alma y Dios) se expresa de forma parecida por medio de dos variaciones de la raíz *am-,* aunque el «símil marital» no resulta igualmente claro, debido al género masculino de ambos nombres. Cf. también en el *Romance* I de Juan de la Cruz las palabras parecidas que se emplean para describir a la Trinidad: «... tres personas y un amado / entre todos tres había. / Y un amor en todas ellas / y un amante las hacía; / y el amante es llamado / en quien cada cual vivía ...».

La *noche amable* que figura como la esencia básica de la unión, de la transformación de la *amada* en el *amado,* es aludida de hecho en la línea 2 de la estrofa 5 con las palabras «amable más que la alborada». Aquí podemos ver una continuación del motivo (estrofa 4) «más cierto que la luz del mediodía», en el que se invierte la evaluación normal de la noche y el día. La alabanza que se dedica a la noche a expensas del día también es completamente contraria a la tendencia de los himnos cristianos, que saludan a la estrella matutina o al canto del gallo como anuncio de que los poderes de las tinieblas y del mal han sido derrotados por los del bien. Tampoco, obviamente, hay que comparar nuestro apóstrofe: «¡oh noche amable más que la alborada!» con el «o vere beata nox!» de la liturgia del Sábado Santo, que prepara al creyente para la más importante, la supremamente importante, resurrección del Señor, que tendrá lugar el Domingo de Pascua. Quizá la inspiración poética proceda no sólo de la tradición general del misticismo cristiano (véase nota 6), sino también (otra vez) del género trovadoresco denominado el *alba,* en el que tan a menudo la gloria de la noche, la noche del amor, es ensalzada con menosprecio del alba.[12] La situación dramática, por supuesto, no es la misma: no hay apostado en la torre ningún guardia amistoso que advierta a los amantes (a menudo en vano) del peligro del alba que se aproxima, pues aquí los amantes no tienen por qué tener peligro alguno.

Y aquí convendría comentar que la metamorfosis mística tal como la describe Juan de la Cruz (la *amada* uniéndose al *Amado* en uno) no entraña ninguna transformación complementaria (Amado > amada); es decir, ninguna igualdad entre los amantes, como sucedía en el caso de Donne. El amor que Donne describe, incluso en un plano espiritual, sigue siendo el amor que jamás invitaría a una interpretación metafórica de la unión con el divino, debido a este concepto (muy moderno) de la igualdad básica entre

---

12. Cf la escena en *Llibre de Amich e Amat*: «Cantaven los aucells l'alba, e despertà's l'amic, qui es l'alba; e los aucells feniren llur cant, e l'amic morí per l'amat, en l'alba», donde el estribillo en prosa *l'alba* indica la situación original.

los dos amantes. Si nuestro poeta católico es capaz de utilizar el amor humano como figura del amor por el divino, es porque el mismo amor humano, según la tradición secular, no entraña ninguna igualdad: la amada se somete al amado.

Hemos tratado la estrofa 5 como representante de la culminación lírica del poema, interpretación corroborada lingüísticamente por la secuencia de tres apóstrofes a la noche. Este estilo exclamatorio ya ha sido anunciado por la repetición de «¡oh dichosa ventura!», insertada parentéticamente. Pero ahora la nota exultante llega a un *épanouissement* pleno y se expresa mediante una pauta que en la liturgia judeocristiana (no se encuentra en la liturgia pagana según Eduard Norden), se reservaba para dirigirse a la deidad: un vocativo, seguido por cláusulas relativas que describen los triunfos o los favores de Dios, las cuales, a su vez, suelen ir seguidas por la petición de más favores [13] (aunque, en nuestro poema, no puede desearse ningún favor divino más; el alma desea solamente verter su gratitud al poder carismático del amor).

Veamos ahora la escena de la *unio mystica*: con las primeras líneas de la estrofa 6 nos damos cuenta inmediatamente de una quietud y una compostura nuevas, tras las notas exultantes y resonantes de la estrofa precedente. Observemos primeramente la palabra *pecho,* palabra que puede tener tanto un significado moral (en este caso, tal vez «corazón») y, por supuesto, un significado físico.[14] Seguramente la línea 2 debemos entenderla en el sentido moral: «que entero para él solo se guardaba», línea que por primera vez hace explícita la motivación, la motivación monogámica, de la peregrinación: de aquel *salí* que al principio pudo parecer impulsado por la pasión súbita, pero que ahora se nos revela como nacido de una arraigada fidelidad al ser divino. Y sin embargo, con el «pecho florido» de la primera línea no podemos dejar de obser-

13.　Cf. en la *Chanson de Roland,* líneas 2.384 ss.: «*Veire Paterne, ki* unkes ne mentis / Seint Lazaron de mort resurrexis / E Daniel des leons guaresis, / *Guaris* de mei l'anme de tuz perilz …!».

14.　Este doble sentido fue posible solamente mediante la colocación de la palabra singular *pecho* en lugar de «entre mis pechos» del *Cantar de los cantares.* Obsérvese también que en el poema hebreo es del Amado de quien emanan los perfumes «es mi amado una bolsita de mirra, que descansa entre mis pechos» (*Cantar,* 1, 13).

var una sugerencia de sensualidad; aquí el alma separada del cuerpo a la que hemos venido siguiendo en su avance adquiere un cuerpo místico. La frase preposicional «en mi pecho florido» tal vez nos recuerde las frases parecidas de «en una noche escura» y «en la noche dichosa»: el marco del fondo de la noche oscura da paso a ese pecho perfumado por las flores sobre el que reposa el Amado: «En mi pecho florido … allí quedó dormido».

Pero este *allí* ('sobre mi pecho, *allí* descansó'), en este adverbio lógicamente superfluo, algo idiomático, ¿no advertimos una insistencia emocional ('allí, en este lugar') como si se tratase del pecho de un objetivo alcanzado... por el Amado? Hasta ahora hemos tratado la peregrinación solamente como si fuese la lucha que libra el alma en pos de su meta. Y quizás al describir su esperanza hayamos pasado por alto, demasiado a la ligera, la referencia que en la estrofa 4 se hace al amado que esperaba en el lugar de la cita. A estas alturas en la palabra *allí* ya podemos captar la delicada sugerencia del anhelo plácido, firme, que el ser divino alberga por el alma humana,[15] cuya liberación del ansia se expresa ahora en el *allí* suavemente culminante (sin duda eco de esa *aquesta,* ese suspiro de alivio con el que la amada saludó a la luz que la guiaba).

Allí duerme el ser divino. Y es mientras él duerme que el alma conoce su arrebato místico final (que no se describe hasta la última estrofa). Este sueño de Cristo, ¿cómo hay que entenderlo? (Los críticos, todos los cuales guardan silencio a este respecto, debieron de pensar únicamente en el amado del *Cantar de los cantares,* al que se muestra «como un manojo de mirra, que yace entre mis pechos»; pero allí no se dice que esté durmiendo). La única sugerencia que me parece satisfactoria es la sagrada leyenda medieval del unicornio, el cual, como símbolo de Cristo, se duerme sobre el perfumado pecho de una virgen. Visto sobre este fondo, el *pecho florido* «que entero para él solo se guardaba» adquiere un significado especial. Y en la escena idílica centrada en el ser divino en reposo se mitiga toda actividad, se hace callar a todos los parti-

---

15. Cf. en el *Cantar de los cantares,* 7, 11: «Yo soy para mi amado, y *a mí tienden sus anhelos*».

16. — SPITZER

cipantes: la divinidad, el alma humana, y la Naturaleza, representada esta última por los cedros (que sugieren un paisaje bíblico) suavemente acariciados por el aire. La cualidad idílica de la escena se ve realzada por la repetición de la conjunción *y*, que da a entender una ternura sin fin: («y yo le regalaba / y el ventalle de cedros aire daba»). La palabra *aire* se repite en la primera línea de la estrofa siguiente; nos parece estar todavía en la misma atmósfera suave, arrullada por la leve brisa, que tal vez juguetea con el cabello del Amado que la Amada extiende al aire. Pero no nos dejemos engañar; es el «aire del almena» (*almena,* la palabra española de origen árabe, da a entender un castillo medieval con su torre). ¿Acaso esto no sugiere guerra, un ataque súbito, flechas hostiles? Dámaso Alonso no ha advertido esta nota militar: para él la torre es un lugar de agradable refugio al que los amantes han subido, para gozar, según él, del aire que sopla dulcemente entre los torreones.[16] Pero que sea el sentido común quien decida entre estos dos cuadros contradictorios que dos intérpretes han evocado: ¿son los cedros, incluso los del Líbano, lo bastante altos como para llegar a los torreones? Y las azucenas de la última estrofa: ¿crecerían en la torre? No, sin duda los amantes están al *pie* de la torre (entre las azucenas), bajo los cedros.

Y desde esta torre provista de torrecillas algo golpea y hiere

---

16. Dámaso Alonso, *op. cit.*, p. 70, sugiere que *almena* la tomó Juan de la Cruz de la *Égloga segunda* de Sebastián de Córdoba, en la que transformó en égloga *a lo divino* de Garcilaso: en este poema el desesperado Silvanio, que había sido abandonado por su Celia, visita una torre: «Allí (!) en otras noches de verano había gozado los favores de amor de su Celia, del alma», y allí, sentado «entre almena y almena», recuerda «las noches de verano al fresco viento». Pero solamente las dos frases citadas en último lugar se encuentran en el original de Sebastián de Córdoba, y la frase que empieza con «allí en otras noches» no tiene apoyo en aquel poema: porque Sebastián de Córdoba dice claramente: «Mis ojos el lugar reconocieron, / que alguna vez miré, de allí contento, / los favores de amor que se me dieron»; dicho de otro modo, el sitio donde tuvieron lugar las anteriores escenas de amor no es la torre, sino un lugar que el amante contempla desde lo alto de la torre. Y, en todo caso, la *almena* de «En una noche escura» no tiene absolutamente nada que ver con el «entre almena y almena» de la escena totalmente distinta que describe Sebastián de Córdoba. El deseo de encontrar eslabones perdidos entre Garcilaso y Juan de la Cruz hizo creer al historiador literario en una semejanza de situaciones de la que no hay pruebas en los textos.

(*hería*); este algo, aunque ningún otro crítico lo haya sugerido, tiene que ser *la flecha del amor,* la flecha que se clavó en Santa Teresa, en la escena que la estatua de Bernini nos ha hecho conocer gráficamente. Nuestra escena, desde luego, no debemos imaginarla de forma tan concreta, tan plástica, ni con semejante efecto desgarrador; la flecha que da en el cuello desprotegido sigue siendo el aire solamente, y golpea suavemente «con su mano serena», pero da en el blanco y deja la muerte dulce a su paso. Este es el momento de éxtasis y aniquilamiento («todos mis sentidos suspendía»), el conocido estado «teopático» que experimentaron todos los místicos y que ellos mismos con frecuencia describieron como una mezcla de dulzura celestial y dolor penetrante.[17] Y la mano serena que hiere sugiere una atrevida personificación que, sin embargo, no acaba de materializarse: el «aire del almena» no se solidifica convirtiéndose en una figura de contornos definibles (y mucho menos en la figura del alegre Cupido de Bernini): sigue siendo esa atmósfera vaporosa de un Murillo. Es un agente intangible, inmaterial, que, mediante una actividad imperceptible, produce el efecto culminante, mientras Cristo duerme. ¿Es este aire que hiere serenamente un símbolo del Espíritu Santo, al que a menudo, en los comentarios de Juan de la Cruz, se compara con el aire (cf. la relación del latín *spiritus* con *spirare,* es decir, 'respirar')? Quizá no podamos albergar ninguna esperanza de penetrar en el velo de misterio con el que el santo español ha querido a un tiempo ocultar y revelar el misterio de la actividad inactiva, la actividad, parecida a la Naturaleza, de la deidad.

Veamos ahora la última estrofa, de la que cabe decir que expresa acústicamente la extinción gradual de la vida: un amormuerte. Incluso antes de llegar a esta estrofa nos hemos enterado

---

17. Cf. el poema de Crashaw *In memory of the Vertuous and Learned Lady Madre de Teresa*: «Oh how oft shalt thou complaine / Of a sweet and subtile paine? / Of intollerable joyes? / Of a death in which who dyes / Loves his death, and dyes againe, / And would for ever so be slaine! / And lives and dyes, and knows not why / To live, that he still may dy». El mártir místico que «ama su muerte» no debe ser confundido con el «amante de la muerte» Richard Wagner, de quien hablaremos más adelante. Debe tenerse presente también que el poema de Crashaw es una eulogía de Santa Teresa, no una reconstrucción de sus experiencias místicas.

de que todos los sentidos quedaban suspendidos, como también deben quedarlo los nuestros: las sensaciones excitadas anteriormente (el olfato [las flores], el tacto [el aire]) ahora están adormecidas; la vida de los sentidos, que alcanzó su máxima intensidad en la unión mística, retrocede; el poeta ha estimulado los sentidos solamente para que nos diéramos cuenta del erotismo *espiritual* experimentado por el alma mística que *abandonará* la vida de los sentidos. Y este estado de privación o στέρησις queda simbolizado muy acertadamente por las azucenas inmaculadamente blancas, que se perfilan delicadamente sobre el alba, que carece de un color positivo (a diferencia de la granada de la escena de amor del *Cantar de los cantares*); el místico de la Umbría Jacopone da Todi dice del alma mística sumergida en el mar de Dios: «en ben sí va notando / belleza contemplando la qual non ha colore» ('todo su sentimiento nada en dulzura: contempla una belleza que no tiene color').[18] La sugerencia de una nada beatífica, de un gradual y leteo olvido de uno mismo se consigue en nuestro poema mediante la combinación de dos recursos: se nos ofrece un cuadro de relajación corporal que conduce a la extinción física (*recliné mi rostro, dejéme*), junto con un efecto acústico de conjuro arrullador, producido por la repetición monótona de sonidos. En cuanto a lo primero, *el rostro recliné* sugiere claramente lo físico; *dejéme* da a entender tal vez una mezcla de lo físico y lo espiritual; mientras que, por supuesto, *dejando mi cuidado* describe puramente un estado del alma. El aspecto psíquico-físico y el activo-inactivo de la experiencia mística no podría expresarse de mejor forma que por medio de este ambivalente *dejar*. En cuanto a los recursos acústicos, cabe señalar las dos variaciones del verbo *dejar* (*dejéme - dejando*), y las dos de *olvidar* (*olvídeme - olvidando*), y especialmente la repetición de la rima en *-éme* (*quedéme - olvidéme - dejéme*), que sugiere un gradual hundimiento en el abismo del olvido. Y en las frases «dejéme, / Dejando mi cuidado / Entre las azucenas olvidado», que ofrecen una cadencia final, prolongada,

---

18. Doy por sentado que la mención de *alborada* en la estrofa 5 (en contraste con «estando ya mi casa sosegada») está destinada a prepararnos para un ulterior avance en el tiempo: para la llegada del alba (momento en que la palabra seguirá siendo algo borrosa).

tenemos una transición del acto de abandonar el mundo al estado resultante de este acto: el olvido alcanzado. En la palabra final, *olvidado,* se nos presenta este estado como un hecho consumado que ha debido de tener lugar antes, de manera que cuando realmente llegamos a la palabra *olvidado,* sabemos que la hemos dejado atrás. El alma ya *está* resuelta en Dios. Y este «ya», el adverbio temporal que yo veo implícito en *dejando,* es la contraparte al *ya* explícito de las primeras estrofas («estando ya mi casa sosegada»): desde el principio al final del poema se nos recuerda el avance de la experiencia mística en el tiempo.

Juan de la Cruz ha podido transcribir la línea ininterrumpida, la parábola de esa experiencia en su evolución desde la enérgica búsqueda del autoaniquilamiento, desde la acción humana a la divina; y este es un poema corto de ocho estrofas (como si el poeta quisiera dar a entender que lo que sucedió con tal intensidad no puede medirse con relojes inventados por el hombre), un poema en el cual el misterio se presenta con la mayor claridad y sencillez (como si pensase que su experiencia, que sólo puede darse a los elegidos, tiene, pese a ello, una cualidad límpida que hasta un niño podría entender).

Porque, a diferencia de un místico alemán como Jacob Böhme, que recurre a la acuñación de palabras nuevas en su intento de expresar lo inexpresable, añadiendo el misterio de las palabras a la experiencia misteriosa, nuestro poeta, siguiendo la sobria tradición latina de todo lo que sobre religión se ha escrito en lenguas romances, se contenta con el acopio de palabras que ya le es dado por el lenguaje y, hasta aquí, se limita a un número restringido. Al mismo tiempo, no obstante, multiplica, mediante la repetición, la variación y la disposición sintáctica, la densidad del tejido de interrelaciones semánticas, resucitando los recuerdos (recuerdos del alma y de la carne) que están latentes en los términos populares. Así, aunque el poema contiene solamente palabras españolas de uso corriente que los españoles de hoy pueden comprender tan bien como los del siglo XVI (con la posible excepción del galicismo *ventalle,* 'abanico'), estas palabras están dotadas de una profundidad mística que las hace parecer nuevas (aunque, con todo mi respeto al señor Shapiro, *son* las palabras antiguas).

Y de nuevo tenemos una sugerencia de profundidad aparejada con sencillez en la musicalidad fácil, pero en modo alguno trivial, de nuestro poema. Éste está escrito en la métrica de la lira, esa forma solemne, parecida a la oda, que, sin embargo, se hace cantable gracias al predominio de una rima en cada estrofa, en nuestro poema una rima femenina por medio de la cual la musicalidad del verso español se ve aún más realzada; tampoco las consonantes que hay en estas rimas bisílabas, principalmente fricativas evanescentes [-ð- y -đ-], menoscaban el carácter vocálico de este lenguaje, sino que más bien sugieren el suave respirar del *aire del almena*.

·Cabría decir que, en la poesía mística de Juan de la Cruz, puede verse un alejamiento de la lírica renancentista española respecto de su carácter culto y verbalmente adornado,[19] tal vez por influencia de la sublime poesía lírica del *Cantar de los cantares*, el cual, a su vez, encontramos desensualizado en el caso de Juan de la Cruz: el mundo sensual del citado epitalamio se ha convertido, en manos de nuestro autor, en una región intermedia situada entre el reino de los sentidos y el del alma.[20] Semejante mezcla poética fue posible para un poeta en el que el ideal poético renacentista de belleza y claridad externas se ha encontrado con la tradición del misticismo medieval centrado en la contemplación hacia adentro.

Con todo, puede que debamos enfrentarnos con un problema importante antes de dejar este poema: la expresión de la experiencia mística de un modo que atrae al reino sensual, la presentación del amor místico en términos que podrían interpretarse como descriptivos del placer erótico. ¿Acaso no es esto sacrílego? ¿Acaso no es el subsuelo pagano del catolicismo lo que aquí aflora a la superficie?[21] Mientras escuchaban mi explicación, muchos de

19. Dámaso Alonso ha contrastado las *epitheta ornantia* de Garcilaso con los nombres sin epíteto de Juan de la Cruz.
20. Una expresión como «ninfas de Judea» en otro poema de San Juan demuestra bien la convergencia de las dos tradiciones poéticas.
21. Creo que los españoles sienten más que otras naciones la parte carnal de la personalidad de Cristo, y que de las tres personas divinas tienden a poner más de relieve la segunda («verbum *caro* factum»). De ahí su glorificación mística de la sangre, que de alguna manera les recuerda la sangre de Cristo. Es un error adscribirles un culto *pagano* de las deidades sensuales; son cristianos por cuanto lo sensual les recuerda el descenso de la deidad a la carne.

ustedes se habrán hecho estas preguntas de modo más o menos explícito, ya que en nuestra época, a la que no le han sido dados muchos genios religiosos, la experiencia psicofísica o teopática del santo no es evidente de por sí. Yo diría sencillamente que la descripción del acontecimiento místico en términos físicos proporciona un efecto gráfico de *realidad* que de otra manera tal vez no se hubiese conseguido. También aquí, aunque en otro sentido, el cuerpo hace las veces de «aleación» necesaria: la que da concreción a la emoción impalpable. El valor documental de nuestro poema debemos aceptarlo con reverencia. Realmente aquí la belleza es verdad y la verdad belleza: la belleza de la descripción del místico atestigua su veracidad y la evidencia con la que ese acontecer concreto se desarrolla ante nosotros en el tiempo es indudable: sabemos que este acontecimiento *ha ocurrido*. Recuérdese que la capacidad de dar la evidencia de la carne y del desarrollo temporal a la experiencia espiritual la encontramos por primera vez en el mayor de los poetas medievales, Dante, el cual, en lugar de alegorías intemporales de la Amada perfecta, colocó la imagen gráfica de una Beatrice que realmente anda, sonríe, suspira, dentro de un poema que tiene un principio, una mitad y un final [22] (a diferencia del «Extasie» de Donne, donde nos vimos lanzados de nuevo a la alegoría intemporal anterior a Dante). La lírica moderna, incluso la de carácter mundano, está en deuda con poetas religiosos como Dante y Juan de la Cruz por la evidencia (evidencia de la carne y evidencia del tiempo) que han dado para siempre a la descripción del sentimiento interno.

Pasemos ahora a nuestra tercera visión poética del éxtasis, para lo cual estudiaremos la escena del *Liebestod* de Isolda del final de *Tristan und Isolde,* el «drama musical» de Richard Wagner.

Puede ser que a primera vista esta elección resulte sorprendente, ya que siempre se ha considerado que el texto de Wagner necesitaba de su asociación con la música, ese arte que por defi-

22. Esta diferencia la señaló E. Auerbach, *Dante als Dichter der irdischen Welt.*

nición trasciende las palabras. Y es verdad que aquí el «texto» de nuestra *explication de texte* deberemos arrancarlo del contexto con el que debía estar fundido para siempre. Sin embargo, dado que el mismo Wagner ha incluido el texto de todas sus óperas en sus obras completas, dando así a entender que su poesía, separada de la música, soportaría el examen, está justificado que lo analicemos críticamente. Y quizá sea en el caso de un poeta así, cuyos textos oímos normalmente mezclados con una música embriagadora, o ahogados por ella, cuando más necesaria resulte la interpretación filológica de las palabras.[23]

El escenario es un elevado acantilado de Bretaña desde el que se contempla el océano, donde vemos a Isolda junto al cadáver de Tristán, al que ha encontrado demasiado tarde. En su monólogo dirigido a Marke, Brangäne y Kurwenal, y que será seguido por su transfiguración y muerte, hay variaciones respecto de las palabras de la escena de amor del segundo acto: en efecto, el monólogo se canta siguiendo la misma tonada, el melodioso motivo *Liebestod,* que los instrumentos desarrollan orgiásticamente, que en la partitura es la contraparte de la monodia del *Sehnsuchtsmotiv,* chirriante y discordante:

Mild und leise	wie er leuchtet,
wie er lächelt	wie er minnig
wie das Auge	10 immer mächt'ger
hold er öffnet:	Stern-umstrahlet
5 seht ihr, Freunde,	hoch sich hebt:
säh't ihr's nicht?	seht ihr, Freunde,
Immer lichter	säh't ihr's nicht?

23. Thomas Mann en su ensayo sobre Wagner (*Leiden und Grösse der Meister,* Berlín, 1935, pp. 89 ss.), ensayo al que recurriré con frecuencia en el siguiente comentario, ha citado nuestro pasaje como ejemplo de excelente oficio: el equivalente alemán de la poesía de los *paradis artificiels* de Baudelaire y Poe.
    En la comparación que hace Mann entre Wagner y otros grandes escritores del siglo xix encuentro a faltar el nombre de Víctor Hugo, con cuya *Légende des siècles* pueden compararse los mitos inventados por Wagner, exceptuando el procedimiento adoptado por éste consistente en limitarse a los mitos germánicos medievales; en esto es más bien compañero de «poetas filológicos» alemanes de dudoso valor, tales como Felix Dahn.

15 Wie das Herz ihm
   muthig schwillt,
   voll und hehr
   im Busen quillt;
   wie den Lippen
20 wonnig mild
   süsser Athem
   sanft entweht:-
   Freunde, seht-
   fühlt und seht ihr's nicht?
25 Höre ich nur
   diese Weise,
   die so wunder-
   voll und leise,
   Wonne klagend
30 Alles sagend,
   mild versöhnend
   aus ihm tönend,
   auf sich schwingt,
   in mich dringt,
35 hold erhallend
   um mich klingt?
   Heller schallend,

   mich umwallend,
   sind es Wellen
40 sanfter Lüfte?
   Sind es Wogen
   wonniger Düfte?
   Wie sie schwellen,
   mich umrauschen,
45 soll ich athmen,
   soll ich lauschen?
   Soll ich schlürfen,
   untertauchen,
   süss in Düften
50 mich verhauchen?
   In des Wonnemeeres
   wogendem Schwall,
   in der Duft-Wellen
   tönendem Schall,
55 in des Welt-Athems
   wehendem All-
   ertrinken-
   versinken-
   unbewusst-
60 höchste Lust! *

Es con la muerte de Tristán que la moribunda Isolda queda unida en un éxtasis que señala la separación definitiva del alma

* ¡Qué suave y dulce sonrisa!, ¡cómo abre graciosamente los ojos! Vedle, amigos, ¿no le veis? ¡Cómo brilla con luz siempre más clara! Cada vez más amable se levanta despidiendo los rayos de luz de las estrellas; vedle, amigos, ¿no le veis? Se hincha su corazón, brota en su seno un manantial abundante y majestuoso; de sus labios se escapa suavemente su aliento dulce y deleitoso... amigos, ved... ¿no le percibís, no le veis?... ¿Yo sola oigo esa melodía, tan admirable y misteriosa, deliciosamente lastimera, que todo lo dice, dulcemente consoladora, que partiendo de él me arrebata consigo y me penetra, y hace resonar en torno mío sus ecos graciosos? ¿Esos más claros sonidos, que corren a mis oídos, son las ondas de brisas suaves? ¿Son olas de vapores exquisitos? ¿Cómo se hinchan y susurran en torno mío? ¿Debo respirar? ¿Debo escuchar? ¿He de sorber, he de zambullirme, anegarme en esos vapores? En las grandes olas del mar de delicias, en la sonora armonía de ondas de perfumes, en el aliento infinito del alma universal, perderse... abismarse... inconsciente... ¡supremo deleite! (*Dramas musicales de Wagner*, t. I, Biblioteca «Arte y Letras», Barcelona, 1885).

250 ESTILO Y ESTRUCTURA EN LA LITERATURA ESPAÑOLA

del cuerpo. Isolda percibe el estado transfigurado de Tristán: siente la luz que irradia de sus ojos todavía abiertos («immer lichter / wie er leuchtet»), el perfume de su respiración que todavía exhalan sus labios («wie den Lippen / wonnig mild / süsser Athem / sanft entweht»), la música que emana del pecho que todavía se agita («Höre ich nur / diese Weise / ...?»); observen de nuevo la síntesis de sensaciones características del estado de éxtasis, pero esta vez puestas de relieve por la insistencia programática de un Edgar Allan Poe o un Baudelaire.[24] Tenemos que creer que en la ideología wagneriana del «erotismo santificado» Tristán, el amante muerto, es presentado, no sólo como vivo en la muerte, sino transformado en *santo* cuyo cuerpo, conviniendo los procesos naturales, ha adquirido cualidades milagrosas que lo convierten en un deleite para los sentidos. Que el propio Wagner se daba cuenta de lo difícil de esta filosofía para el público lo sugiere el hecho de que Isolda se siente obligada a recabar la corroboración de sus compañeros: «sah't ihr's nicht?» (se apela a testigos, justamente como en el poema de Donne). Las líneas 7-24, que son algo ampulosas, dan paso a poesía verdadera cuando Wagner hace que Isolda describa la canción que ella, y nadie más que ella, oye salir del cuerpo de Tristán («Höre ich nur / diese Weise / ...?»). El éxtasis místico es incitado (y esto es un rasgo característico de Wagner) no a través del ojo empeñado en la luz,[25] sino a través del oído que oye una melodía sobrenatural, a través de la música gozosa y dolorosa, fuerte y serena al mismo tiempo, que se clava en Isolda como un dardo y la envuelve como una nube («in mich dringt / ... / um mich klingt? / ... / mich

24. Los recursos sinestéticos se encuentran también en la base de la idea, apreciada por Wagner, del *Gesamtkunstwerk* al que deberían contribuir todas las artes. Dicha idea es atacada por Thomas Mann, que la tacha de típicamente mala «del siglo xix», como si, agrega, ¡la suma cuantitativa de las distintas artes deba producir un mayor efecto! Lo cierto, sin embargo, es que toda misa católica es un *Gesamtkunstwerk* y que ya los primeros himnos de Ambrosio muestran una tendencia en esa dirección (cf. mi artículo en *Trad*, III).

25. El mismo Wagner escribió (Th. Mann, *op. cit.*, p. 104): «Es scheint, dass das Auge mir als Sinn der Wahrnehmung der Welt nicht genügt».

umwallend»). Gradualmente las facultades de Isolda van menguando, por lo que ya no puede distinguir las líneas de demarcación entre los sentidos: «... sind es Wellen sanfter Lüfte? / Sind es Wogen / wonniger Düfte?» Y cuando tiene que preguntar: «... soll ich athmen, / soll ich lauschen? / Soll ich schlürfen / ...?», quizá tengamos también una indicación de la gradual recesión de la voluntad, aunque el hecho mismo de preguntarse a sí misma demuestra que todavía no se ha extinguido toda la razón. Pero pronto tiene lugar una curiosa desintegración sintáctica, que es eco de la relajación de la voluntad: los infinitivos se desprenderán del verbo '¿debo?' para aparecer en el último período como semiindependientes, como si ya no pertenecieran a una pregunta impuesta por la conciencia, sino como libres efusiones líricas, que al mismo tiempo son impersonales, sugiriendo el proceso mismo, sin agente personal: *ertrinken-versinken*. Estos infinitivos, que de alguna forma se han librado de la tutela de *sollen* y *wollen* (es decir, de la voluntad), sugieren suspiros de alivio y gozo al sumergirse el alma en el mar de la nada. En la secuencia que empieza poniendo en entredicho la realidad del milagro («Höre ich nur / diese Weise»?), que continúa haciendo preguntas sobre la identidad de los fenómenos milagrosos («sind es Wellen / ... / Sind es Wogen / ...?»), que conduce luego a las preguntas que muestran la desintegración gradual de la voluntad («soll ich ...?»), y que termina con los dulces suspiros de liberación, *ertrinken-versinken,* Wagner ha encontrado un recurso inimitablemente gráfico de onomatopeya sintáctica mediante el cual expresará las etapas finales hacia la unión extática.

Pero, si bien aquí, al igual que en Juan de la Cruz, hay una sugerencia de «todos los sentidos suspendidos», el éxtasis que describe Wagner difiere en un punto esencialísimo. La unión que Isolda anhela ya no es una unión directamente con Tristán (al que perdemos de vista después de la línea 32), sino con los elementos en los que Tristán se ha disuelto: la emanación de perfume, respiración y sonido obtienen de Isolda el deseo de una disolución parecida («mich verhauchen») en el medio perfumado, respirante, sonoro (obsérvese cómo la preposición *um* [«um mich klingt», «mich umwallend», «mich umrauschen»] sugiere un medio que rodea) que se presenta como un mar: «untertauchen / ... / In des Wonnemeeres / wogendem Schwall / ... / ertrinken- / versinken».[26] Tenemos aquí la idea panteísta del fundirse en el universo de dos almas que se han consumido anhelándose mutuamente. En las palabras de Isolda —que oímos cantadas por una contralto grave— no hay ninguna sugerencia de movimiento hacia arriba (dos almas que ascienden hacia el cielo en un apoteosis, como al final del *Holandés errante*); sino más bien de hundirse cada vez más en el mar de la nada. Solamente en la música ascendente de la orquesta, a la que la voz de Isolda se unirá finalmente en su última nota (la nota *Lust* que sube repentinamente, *pianissimo*) hay un anticipo de apoteosis y la sensación de altura, como si a través de la profundidad pudiera alcanzarse la libertad de la altura.

Este mar de la nada no es el vacío que describieran Jacopone y otros místicos (incluyendo Juan de la Cruz): un vacío creado por el alma con el fin de que Dios pueda llenarlo; aparece como una turbulenta masa de olas, perfumes, alientos («In des Wonnemeeres / wogendem Schwall / in der Duft-Wellen /tönendem Schall, / in des Welt-Athems / wehendem All»), gobernada no por un Dios personal, sino por las fuerzas violentas de la naturaleza. Según el sistema de Wagner, el espíritu-mundo, presentado aquí como el «aliento-mundo» (*Welt-Athem*), se identifica con el universo propio (*das All*): ya no es el espíritu de Dios el que sopla sobre las aguas: más bien *Deus sive natura*. Este *All* de la naturaleza, tal como aparece en el clímax de la visión extática, es el verdadero Amado de Isolda. Los participios *wogendem, tönen-*

---

26. Th. Mann (*op. cit.*, p. 132) ha señalado un pasaje del diálogo de los amantes de *Lucinde,* de Friedrich Schlegel, que parece anticipar el estado anímico de Tristán y que Wagner debió de conocer: «O ewige Sehnsucht! — Doch endlich wird des Tages fruchtlos Sehnen, eitles Blenden sinken und erlöschen, und eine grosse Liebesnacht sich ewig fühlen». Estas líneas, supuestamente pertenecientes a un diálogo en prosa, de hecho ya son poesía, pero Wagner ha realzado su carácter poético mediante su onomatopeya sintáctica.

Nuestro pasaje que muestra la progresión de infinitivos de preguntas a exclamaciones es anunciado en el acto II por las líneas de la escena de amor: «Wie es fassen / wie sie lassen / diese Wonne! / ... / ohne Wähnen / sanftes Sehnen, ohne Bangen / süss Verlangen / ...».

dem, wehendem, con su cualidad onomatopéyica y su ritmo dac-
tílico, suman su impacto a la evocación del caso que es el movimiento infinito. Hemos visto que en nuestro poema español se
consiguió un efecto poético mediante palabras y frases sencillas,
populares; Wagner, sin embargo, de acuerdo con el espíritu de la
lengua alemana, debe acumular nuevas combinaciones y compuestos de palabras (*wogendem Schwall, Wonnemeer, Duft-Wellen,*
así como ese tremendo hapax * *Welt-Athem,* que hincha los pulmones de cualquier alemán), con el fin de reflejar lingüísticamente la multitud de formas siempre nuevas. Una vez más, mientras
en Juan de la Cruz la auténtica riqueza vocálica del castellano era
explotada como una invitación a detenerse en los sentimientos serenos expresados en las palabras, en el caso de Wagner la cualidad
consonántica del alemán se ve reforzada por la introducción del
recurso medieval de la aliteración («in des Welt-Athems / *weh*en-
dem All», las «*a*» con su punto glótico tienen un sabor consonán-
tico), como si quisiera expresar el dinamismo de un universo agi-
tado y pulsante. Y este efecto pulsante se ve realzado aún más por
la insistente multiplicación de las reverberantes palabras-rima que
puntúan el prolongado período que va de la línea 26 a la 50 y que,
de alguna manera, sirven, al mismo tiempo, para repetir también
la palpitante intensidad de los sentimientos de la propia Isolda,
los de un alma que busca la libertad, que golpea los muros de su
propia individuación, más allá de la cual puede oírse la agitación
de las fuerzas cósmicas que prometen liberación. El dinamismo
de la disolución que encontramos en el poema de Wagner, describiendo los esfuerzos apasionados del ego para perder su identidad,
contrasta marcadamente con el tranquilo control que informa al
poema español, donde al alma se le permite permanecer indivi-
dualizada; del mismo modo que tenemos el contraste entre la
unión con las fuerzas incomprensibles del universo y la unión con
un Dios personal: a decir verdad, estos contrastes son interdependientes.

Llegamos ahora a las dos últimas líneas: «unbewusst- / höchste

---

* Del griego *hapax legomenon,* a saber: palabra de la cual hay constancia de un solo significado.

Lust!», donde encontramos una ecuación epigramáticamente aislada (unida por la rima) entre los dos términos sobre los que se edifica la filosofía de Wagner (que no es la de Descartes o Kant, sino la de Schopenhauer): el más alto arrebato (*Lust*) es la libertad respecto de la conciencia y la individuación: el Nirvana. Pero es sólo una esperanza de arrebato lo que sugiere la palabra final *Lust* (que, como hemos dicho, sube repentinamente por encima de las notas bajas de «ertrinken- / versinken»). En el poema castellano todas las esperanzas se han cumplido cuando llegamos, o incluso antes de que lleguemos, al *olvidado* final, sobre el cual la voz solamente puede bajar; pero aquí debemos dejar el alma en el umbral de nuevas experiencias, o paraísos, tímidamente, vacilantemente atisbada: «unendliche Werdelust» que permanece tras el fin del poema.

También podemos observar que este «unbewusst- / höchste Lust» es una variación significativa sobre el pasaje del dúo amoroso del segundo acto: «ein-bewusst: / ... / höchste Liebes-Lust!». *Ein-bewusst* (= 'uni-consciente'), que se dice de los dos amantes, es reemplazado por unbewusst (= 'inconsciente'), que se dice solamente de Isolda; y *höchste Liebeslust* se ha convertido sencillamente en *höchste Lust*. Mediante este paralelismo de palabras (reforzado por la identidad del motivo musical) Wagner sugiere evidentemente que para él el éxtasis de la muerte es una consumación del éxtasis del amor: porque el amor, tal como se presenta en el segundo acto, iba asociado con la noche y la muerte (la expresión *Liebes-Tod* misma se encuentra en esta escena) y ya estaba definido como una extinción de la individuación: una extinción conseguida no bajo la luz del día, que perfila claramente las individualidades separadas, sino en la noche del amor, que las hace una: «ewig einig, / ungetrennt»; «ohne Nennen, / ohne Trennen». De esta manera la muerte representa sólo un proceso más radical mediante el cual la individualidad se disuelve. La muerte es una eterna noche del amor. Y justamente del modo en que en el concepto wagneriano del amor está implícito el anhelo de la muerte, también en Wagner la muerte misma posee la cualidad del éxtasis erótico. Que la escena de amor y la escena de muerte vayan acompañadas por la misma música voluptuosa sugiere que en la primera se pone en relieve la muerte-en-el-amor, y en la segunda el amor-en-la-muerte: así, pues, la expresión *Liebestod* es ambivalente. Incluso puede que tenga un tercer significado: 'muerte *al* amor', una despedida al amor; pues, ¿acaso no se está librando la moribunda Isolda de los grilletes de ese asesino instinto del sexo? Quizás el Wagner del período Wesendonk, que no podía librarse de su obsesión por la pasión, ha dejado que Isolda, esa valquiria de los sentidos, muera por cuenta suya, es decir, de Wagner.

Ya hemos mencionado varias diferencias de detalle entre el poema alemán y el español: ahora vemos que son diametralmente opuestos en su tratamiento del amor. Wagner glorificaría el erotismo levantándolo a la altura de un nuevo misticismo; Juan de la Cruz glorificaría (es decir, haría real) la unión mística espiritual descendiendo al medio de la carne. El universo de Wagner es panteísta, panerótico; el mundo de Juan de la Cruz es gobernado por el amor de Dios.

Mientras que para los Padres de la Iglesia el amor erótico era solamente un reflejo inferior del amor a Dios, para Wagner, freudiano antes de Freud, es lo erótico lo que constituye la fuente de todas las variedades del amor.[27] Pero no puede decirse que el panteísmo erótico de Wagner tenga sus raíces en una confianza ingenua, saludable, en los sentidos, como sí cabría decir de los griegos, de un Goethe o de un Walt Whitman: está teñido de melancolía y pesimismo. A Wagner le inspira el deseo de ahogar el peso de la vida y de su individualidad en amor, muerte y en la música del amor-muerte. Habría cantado a las briznas de hierba.[28] Sus flo-

27. Es la misma actitud hacia el amor que Agustín ha llamado *amabam amare*, y que rechazó por considerarla una aberración juvenil, la que constituye el concepto wagneriano del amor: a decir verdad, la misma combinación de palabras *amabam amare* aparece, con una connotación en modo alguno peyorativa, en el primer borrador (no versificado) de *Tristan und Isolde*, en la forma: «Könnte ich die *Liebe* je nicht mehr *lieben* wollen?».

28. Hay que reconocer, no obstante, que Walt Whitman también a veces ha hecho sacrificios en el altar del Amor-Muerte deificado; cf. el poema *Scented Herbage of My Breast*:

res son *fleurs du mal* perfumadas de opio, en contraste con las delicadas azucenas blancas de Juan de la Cruz y las frescas violetas de Donne.

Hay que decir que, considerada estéticamente, la forma poética elegida por Wagner como expresión de su filosofía es tan convincente como la de Juan de la Cruz (y sin duda el maestro alemán ha conquistado con su música dionisíaca más almas de las que haya conquistado artista alguno de cualquier otra nación). Pero debajo de la forma artística de la poesía de Wagner (y de la «unendliche Melodie» de su música) está la informidad última de su filosofía. Puesto que el deseo de escapar de la propia individualidad, ya sea a través del amor, de la muerte o de la música —tendencia que ha conducido a consecuencias trágicas en la historia de la Alemania de los siglos XIX y XX— hay un deseo esencialmente informe y nihilista de sucumbir ante el caos del universo. Pero la filosofía mística que conservaría y purificaría la personalidad, que sólo ante el Creador debería ser aniquilada, es un triunfo de la forma interna sobre el caos del mundo.

En nuestros dos poemas el clímax del deseo está representado por los dos verbos reflexivos *mich verhauchen* y *dejéme*: es característico que el primero se refiera al mero proceso físico de evaporación, el segundo a un acto deliberado impulsado por un ser moral.

You [the leaves] make me think of death.
Death is beautiful from you (what indeed is
    beautiful except death and love?)
Oh I think it is not for life I am chanting here
    my chant of lovers.
I think it must be for death ...
Death or life I am then indifferent, my soul
    declines to prefer, (I am not sure but
    the high soul of lovers welcomes death most).

La concurrencia de fechas es notable (el poema de Whitman fue escrito en 1860, la *Invitation* de Baudelaire en 1857, y *Tristan und Isolde* en 1857).

10. LA «SOLEDAD PRIMERA» DE GÓNGORA
Notas críticas y explicativas
a la nueva edición de Dámaso Alonso *

Dámaso Alonso ha publicado una segunda edición de las *Soledades* de Góngora (Cruz y Raya, Madrid, 1936), notablemente enriquecida sobre la primera (*ROcc*, 1927). Es de aplaudir ese ahínco del ilustre gongorista, que le ha hecho no contentarse con los ya sorprendentes resultados de su primera edición, y seguir afinando y ahondando en la interpretación intelectual y poética de las *Soledades*.

En esta labor animosa de ahondamiento y depuración en la interpretación de Góngora le hemos acompañado, tanto personalmente yo como mis alumnos de la Universidad Johns Hopkins, a fin de contribuir a la mejor resolución de las «dificultades vencibles» y a la posible reducción del número de las «invencibles». Como resultado de nuestro esfuerzo de cooperación, recogemos aquí algunas observaciones para la interpretación de la *Soledad I*:

Dedicatoria. Versos 1-4: «Pasos de un peregrino son errantes / cuantos me dictó versos dulce musa / en soledad confusa / perdidos unos, otros inspirados». Dámaso Alonso interpreta los dos últimos versos de la siguiente manera: 'pasos y versos, perdidos unos en confusa soledad, inspirados otros'. Hago mía la sugestión de Hermann Brunn (*Gongora's Soledades*, 1931), de que «en soledad confusa» se refiere en común a «perdidos unos y otros inspirados» y que *confusa* significa 'salvaje' (dicho de la maleza) en

---

* Artículo publicado en *RFH*, II (1940), pp. 151-176.

relaciona con *perdidos unos* [pasos] y 'confusa, oscu-
cuanto se relaciona con *otros inspirados* [versos].[1]

Verso 5: «de venablos impedido». Dámaso Alonso traduce
'rodeado del tropel de venablos de tus cazadores' y en *La lengua
poética de Góngora*, p. 124, sugiere también la posibilidad de interpretar 'cargado o embarazado'.[2] Yo me decidiría por la segunda
hipótesis, señalando uno de esos calcos semánticos sobre el latín
tan gratos a Góngora tipo *traducir* 'pasar de un sitio a otro' (*Lengua*, p. 68). Cf. «impedire aliquem amplexu», en Ovidio; «impedire capul myrto, crus pellibus, equos frenis», en Horacio. El poeta alemán Stephan George traduce también 'umgeben, umwickeln'.

Soledad I. Verso 3: «media luna las armas de su frente, y el
sol todos los rayos de su pelo». Dámaso Alonso explica: 'armada
su frente por la media luna de los cuernos, luciente e iluminado
por la luz del sol, traspasado de tal manera por el Sol que se confunden los rayos del astro y el pelo del animal'. Se trata de Taurus,
la constelación del Zodíaco. Sin negar la interpretación del editor
(y tampoco la de W. Pabst, *RHi*, LXXX, p. 163: «Visto de frente,
el cuerpo de un toro tiene la redondez y color de un sol, sus cuernos forman una media luna»), hay que partir del signo gráfico
tradicional con que se representa a Taurus en astronomía, y que
es evidentemente una media luna superpuesta a un sol; en este
caso, a un círculo. La imagen gráfica es la que ha dado a Góngora
la idea de los cuernos-luna y del cuerpo-sol (que tanto puede ser
un cuerpo *redondo* como el sol, según Pabst, como un cuerpo
bañado de sol, según Dámaso Alonso). Como siempre, Góngora
ve en los emblemas (por ejemplo la *cadena* del blasón del duque

---

1. La traducción de Vossler en su *Poesie der Einsamkeit in Spanien*, I,
p. 148, me parece que representa un retroceso:

> Die Schritte hier und Reime eines Pilgers,
> Aus denen freundlich meine Muse flüstert;
> Von Einsamkeit umdüstert,
> Seelenverlorne sind 's und geistgeborne.

La oposición entre alma y espíritu, que no se encuentra en el texto, es una
idea completamente moderna, y no aparece, en cambio, el doble papel de la
«soledad», confusión laberíntica pero inspiradora.

2. Cf. «de flores impedido» (*Soledad* I, v. 184).

de Béjar, en la *Dedicatoria*) elementos simbólicos: siendo el sol
la forma del cuerpo del Toro, todo su pelo tenía que desprender
rayos de sol.

Verso 6: «en campos de zafiro pace estrellas». Me sorprende
que Dámaso Alonso prefiera (p. 341) la primera versión «en dehesas azules pace estrellas», a causa de *dehesas*, 'representación inmediata, jugosa, hispánica, andaluza', y *azul*, 'sensación de color,
directa, visual'. Pero, ¿no es él el primero que nos ha enseñado
que el mundo de Góngora es un mundo irreal y artificial en el que
el gusto del terruño, la *Heimatkunst*, nada tiene que ver? Ese
paisaje celeste donde el Toro apacienta estrellas en campos pobla-
dos no de flores, sino de piedras preciosas, es algo que está muy
en armonía con esa irrealidad hecha real, con ese «otro mundo»
descubierto por Góngora en el que todo centellea y florece. El
cambio de *dehesas* en *campos* es casi paralelo al de *guardianes* en
conducidores de cabras, según ocurre en el verso 92.

Verso 37: «y al sol lo [el vestido] extiende luego, / que, la-
miéndolo apenas / su dulce lengua de templado fuego, / lento lo
embiste, y con suave estilo / la menor onda chupa al menor hilo».
Dámaso Alonso aclara: '... y de tal modo con su suave calor las
[ropas] acomete parte por parte'. Creo, de acuerdo por lo demás
con la primera versión del verso 40 restablecida por el mismo Dámaso Alonso (*no sin süave estilo*), que *estilo* tiene en este caso
sus dos significaciones: 1, 'estilo', 'manera', y 2, 'estilo', 'punzón';
este último sentido es el que explica a *embiste*. El *Diccionario* de
Alemany y Selfa, tan flojo en otros casos, ha señalado acertadamente que se trata de la acción absorbente y punzante de la pluma
con respecto a la tinta. La lengua de fuego del sol, al secar los
andrajos del peregrino, se convierte de pronto en un punzón y
en una pluma que chupa líquido: es una de esas transformaciones
de objetos «a telón descorrido», como cuando la cabaña con su
luz se convierte en un faro con su golfo, en un animal con su carbunclo (vs. 52-63).

Verso 46: «entregado el mísero extranjero / en lo que ya del
mar redimió fiero». Dámaso Alonso interpreta 'reintegrado'. Sin
abandonar esa idea, creo que es preciso comprender *entregado* también en el sentido abstracto de 'librado a, dado a' (cf. *Dedicatoria*,

verso 28: «entregados tus miembros al reposo»). Se trataría de
una expresión jurídica: 'entrar en (!) la plena posesión de lo que
él había rescatado' (!). Cf. las explicaciones etimológicas del
REWb, s. v. *integrare* e *integre*: el sentido originario de las palabras románticas correspondientes es 'devolver íntegramente' y
Góngora nos retrotrae a este sentido etimológico. Cf. la observación que he anotado más arriba sobre *impedido*. El tono jurídico
se hace sentir también en *restituir* (v. 36) y *redimir* (v. 47). Por
otra parte, *restituir* y *entregar* forman grupo con el *dar* del que ya
he tratado..., y se alternan con él para evitar verbos más triviales.

Verso 48: «entre espinas crepúsculos pisando». Es grato ver
a Dámaso Alonso calificar de «bello verso» un pasaje del que L. P.
Thomas (*Gongora et le gongorisme*, p. 101) aún podía decir en
1911: «Sería difícil encontrar un zeugma más duro y más desa-
gradable». Citaré, además del verso alegado por Dámaso Alonso,
«si tinieblas no piso con pie incierto», el cuarteto del soneto:

> Descaminado, enfermo, peregrino,
> en tenebrosa noche, con pie incierto,
> la confusión pisando del desierto,
> voces en vano dio, pasos sin tino.

B. Croce, que cita este poema en su artículo sobre Góngora
(*Critica*, 1939, p. 345), se rebela con razón contra la transformación de Góngora en un poeta simbolista y mallarmeano (¡y eso
que no conocía aún la tentativa de ver en Góngora un valerysta!).
Creo que por medio de este verso puede probarse en qué medida
la actitud de Góngora difiere de la de los simbolistas: Góngora
ha llegado, por un procedimiento de refinamiento gradualmente
intensificado (*pisar el desierto de...* > *pisar tinieblas, crepúsculos*), a su expresión paradójica, y probablemente la paradoja es lo
que le ha interesado, mientras que un simbolista moderno expresaría de un golpe, con la misma expresión, lo vago y lo irreal.
Entre Góngora y los simbolistas hay la misma diferencia que entre
la «claridad difícil» (es la fórmula que emplea Dámaso Alonso, y
yo agregaría: claridad *hecha* difícil) y la oscuridad primordial.

Verso 62: «Rayos —les dice— ya que no de Leda / trémulos
hijos, sed de mi fortuna / término luminoso». Dámaso Alonso

aclara: 'ya que no seáis los fuegos de Castor y Pólux..., sed, por lo menos, el término luminoso de mi mala fortuna, halle, por lo menos, descanso en vosotros mi desgracia'. Creo que es necesario admitir nuevamente un doble sentido de la palabra *fortuna*: 1) 'fortuna, suerte' y 2) el sentido marítimo de 'tempestad en el mar', de modo que el senido que concuerda con toda la nomenclatura marina de los versos precedentes (*declina - farol - ferro - golfo*) y siguientes (*norte de su aguja, el Austro*) sugiere una «segunda» interpretación: 'rayos, puesto que no sois el fuego de San Telmo [= puesto que no me encuentro realmente sobre el mar, sino sobre el continente], sed por lo menos el término luminoso de mi vida tempestuosa, de mi destino atormentado'. Y así caracterizaría el protagonista la metáfora «marítima» como puramente metafórica. El sortilegio por el cual el poeta nos hacía ver la orilla en forma de mar se ha roto por sí mismo.[3] Hay una

---

3. ¿Se ha hecho notar que Góngora tiene afición a esas metáforas que por su progresión efectúan metamorfosis ante nuestros ojos, preludiando así el procedimiento de Proust? Véase, por ejemplo, el célebre pasaje analizado por E. R. Curtius en el notable capítulo «Estudio de lilas» de su *Französischer Geist im neuen Europa*, p. 59: «Le temps des lilas approchait de sa fin, quelques-un effusaient encore en hauts lustres mauves les bulles délicates de leurs fleurs, mais dans bien de parties du feuillage où déferlait, il y a seulement une semaine, leur mousse embaumée, se flétrissait, diminuée et noircie, une écume creuse, sèche et sans parfum». ['El tiempo de las lilas tocaba a su fin, algunas aún abrían las delicadas arañas malva las delicadas burbujas de sus flores, pero en muchas partes del follaje, donde reventaba explayándose, no hace más que una semana, su espuma embalsamada, se marchitaba, disminuido y ennegrecido, un grumo hueco, seco y sin perfume.', trad. cast. con el título de *Marcel Proust y Paul Valéry*, Losada, Buenos Aires, 1940.] Así como asistimos aquí al pasaje gradual de las lilas en líquido, de igual modo presenciamos en el de Góngora la transformación del mar en cabaña sobre la ribera. Sólo que Proust define, por su transformación metafórica, la vida propia de una flor, mientras que Góngora se complace en hacer cambiar sus formas a los objetos. (Cf. los versos siguientes: 44, «montes de agua y piélagos de montes»; 234, «armado a Pan o semicapro a Marte»; 829-830, «coronan pámpanos a Alcides / clava empuñe Lïeo»; 870, «topacios carmesíes y pálidos rubíes»; cf. finalmente lo que Brum llama «Ueberkreuzung» con lo que yo digo del *kenning* en Calderón, *ZRPh*, LVI, p. 100). Este caso es algo distinto del tipo de estrofas de terminación sorprendente que ha señalado Pabst, y que comienza, por ejemplo (952-964), por una joven campesina que va a casarse, para terminar en una visión de las tumbas reales de los egipcios: no hay ahí «metamorfosis», sino una especie de *psicagoge*.

oposición nítida entre *trémulos* y *término*: el fuego de San Telmo tiembla como todo en un barco, el «término» participa de la solidez y fijeza del continente. La expresión *ya que no... sed...* viene a coincidir con el tipo *A sino B* que tan acertadamente ha analizado Dámaso Alonso en un capítulo de *La lengua poética*. Esta construcción, que propone como alternativa al espíritu del lector dos posibilidades iguales, una de las cuales aparece algo más alejada, está en armonía profunda con el preciosismo conceptista del poeta, que ofrece a su público la elección entre varias expresiones igualmente posibles, porque su filosofía de la lengua no posee (o ha abandonado) *la* expresión única, *la* palabra propia que expresaría el pensamiento. Las metamorfosis que Góngora hace experimentar a la realidad se manifiestan por medio de una lengua móvil en la que toda expresión puede servir. Para el estudio de *fortuna* en el sentido de 'tempestad' en español, catalán y portugués, confróntese Tallgren, *NM*, 1921, p. 52 (en el siglo XVI: «corrió fortuna en el golfo de Marsella»), luego Schevill, en su nota al verso 1.164 de *La dama boba* de Lope («...is common in the writers of the Renascence») y por último H. R. Lang, en *Ro*, XLV, p. 406: en el *Cancionero de Baena* y la *Crónica de don Juan II* (año 1434), y por tanto, probablemente, el más antiguo ejemplo conocido hasta ahora: *comenzó tan grande fortuna de aguas y nieve*, que se empareja con los *fortuna d'aura, de vent, de temporal, de mar*, del antiguo provenzal, y los *fortuna di mare, di tempo, di vento* y el *fortunale* italianos que cita el *Dizionario della Marina*.

Verso 75: «animal tenebroso cuya frente / carro es brillante de nocturno día». Dámaso Alonso, p. 280: 'Hay un animal (sea el que fuere) que, según la tradición, tiene en la frente un carbunclo', Y agrega, p. 156: 'el carbunclo ... que trae en la cabeza cierto animal amigo de la oscuridad'. El animal que lleva un carbunclo que esparce luz durante la noche es, «según la tradición apócrifa», ese tigre o ese ciervo de los que habla Faral en sus *Sources latines des contes et romans courtois*, p. 96. Véase, por ejemplo, en el *Roman de Thèbes* (vs. 4.289 ss.):

> Ele [la tigresse] aveit enz el front luisant
> Un escharboucle mout luisant:
> Ne cuit que onc en nule beste
> Veist on itant gente teste;
> Si aveit ele tot le cors
> Plus reluisant que nen est reis.

Faral dice que «la descripción del ciervo en [*Le Roman d'*] *Eneas* es una réplica de la de la tigre del *Thèbes*, y cita textos que desde san Agustín testimonian la creencia en el carbunclo que brilla en la noche. La imitación del pasaje del *Thèbes* por el autor del *Eneas* es muy posible, pero hay que recordar también el ciervo con una cruz de oro entre los cuernos que se le apareció a san Huberto, según la leyenda que sitúa a este santo en la corte de Pepino de Heristal. El ciervo cuyos cuernos sirven de candelabro en el *Eneas* (vs. 3.543 ss.: «Que la nuit servoit al mengier / Si est en leu de chandelier ... Merveilles ert sa teste bele, / Quant uns granz cierges li ardeit / Sor chascun raim que il aveit») está bastante cerca del ciervo que lleva una cruz de oro entre los cuernos. La imagen de los cuernos del ciervo formando un candelabro está probablemente más «vista» que la de la tigre con carbunclo. Sea como fuere, esta es «la tradición apócrifa» con la que se relacionan los detalles dados por Góngora. Dámaso Alonso ha hecho bien en dejar de lado el asunto antiguo, bastante emparentado, que propone Zdislas Milner. Como una leyenda antigua no sería designada como «apócrifa» por nuestro poeta humanista, esa expresión me parece aludir a una tradición *medieval*, a la ciencia confusa de los lapidarios y de los «romans» de la Edad Media. El *animal tenebroso* de Góngora podría, pues, ser muy bien la tigre que se oculta en la espesura.[4] En un pasaje de *Floire et Blancheflor*, citado por

4. La doctora A. Hatcher me sugiere un paralelo con los versos de William Blake, en su poesía *The Tiger* (1794):

> Tiger, tiger, burning bright
> In the forest of the night,
> What immortal hand or eye
> Could frame thy fearful symmetry?
>
> . . . .
> When the stars threw down their spears,
> And watered heaven with their tears,
> Did He smile His work to see? ...

Faral, hay algunos elementos cuya tradición pudo quizá haber llegado hasta Góngora. Véase el verso 1.607 y siguientes:

> Uns escarboucles qui resplent...
> Par nuit reluist *comme soleil*
> Tout environ par la cité;
> Par nuit obscure a tel clarté
> Que il n'estuet a nul garçon
> Porter lanterne ne brandon.
> Soit chevaliers ne marceant,
> Ne autres qui rien voist querant,
> Se par nuit vient a la cité,
> De nule part n'iert esgaré:
> Car *soit sur terre ou soit sur mer,*
> De nule part n'estuet douter.

El penúltimo verso podría corresponder al verso 84 («o el Austro brame o la arboleda cruja») y a toda la concepción del pasaje, que tiende a confundir el continente y el mar en la iluminación proyectada por el farol de la cabaña. Por otra parte, el animal tenebroso cuya frente es un carro reluciente y al cual corresponde el carbunclo, «norte de su aguja», podría ser una de las constelaciones llamadas la Osa o el Carro: prolongando idealmente las ruedas traseras del Carro Mayor u Osa Mayor, se llega, como se sabe, a la Estrella Polar, que sería el norte (cf. verso 393). Esta idea ingeniosa, que debo a mis alumnos de la Universidad Johns Hopkins, podría armonizar muy bien con el recuerdo de la tigre porta-carbunclo del *Thèbes*: en la célebre primera estrofa de nuestra *Soledad* vemos que la imaginación de Góngora trabaja sobre varios planos; por lo tanto, una explicación no excluye necesariamente a la otra, sino que por el contrario el recuerdo libresco («apócrifa») con que el poeta juega puede agregar un nuevo aspecto a la constelación visible en el cielo nocturno. Góngora no transforma solamente los datos de la realidad, sino que los enriquece por medio de interpretaciones alusivas que los desdoblan. ¡Quién sabe si la expresión *indigna tiara*, que Dámaso Alonso traduce con acierto por 'corona o tiara, que, indignamente —sin merecerlo—, lleva en la cabeza', no contendrá una alusión más precisa a la tiara papal! Así como el papa, ser humano, está investido de un poder sobrehumano, de igual modo, el carbunclo es una potencia sobrenatural asignada a un animal tenebroso.

Verso 88: «que yace en ella la robusta encina, / mariposa en ceniza desatada». La idea de la madera de encina utilizada como material de combustión y comparada con la mariposa reducida a cenizas parece insistir tal vez sobre *carbunclo,* cuya etimología, que seguramente Góngora tenía presente, evoca el carbón y sus armónicos: fuego, cenizas.

Verso 97: «No moderno artificio / borró designios, bosquejó modelos, / al cóncavo ajustando de los cielos / el sublime edificio». Una vez más hago mía una sugestión de Brunn, *op. cit.,* p. 176, a saber, que no se trata solamente de 'rellenar con el altísimo edificio toda la concavidad inmensa de los cielos', según explica Dámaso Alonso, sino que importa también la correspondencia entre la *forma* de la *cúpula* y la de la bóveda del cielo. Yo iría aún más lejos afirmando que Góngora ha anticipado una idea muy difundida hoy entre los historiadores del arte (¿de qué fecha data?), a saber, que la cúpula (por ejemplo la de Hagía Sophía en Constantinopla) es una imitación (*ajustando*), una reproducción de la bóveda celeste: en efecto, para insistir en esta idea de la inmensidad del mundo es para lo que los arquitectos musulmanes y rusos han multiplicado las cúpulas al construir sus iglesias, mientras que la Hagía Sophía, el modelo, ponía ante los ojos de los hombres una sola e imponente copia de esa bóveda. En un artículo publicado en la revista *Die Tatwelt* (XII, 1936, p. 17), el estético rumano Lucian Blaga nos explica la Hagía Sophía como «un mundo en sí que se cierne en el espacio, limitado por su propia bóveda..., encerrando y sosteniendo un cielo revelado». ¡Es curioso ver al barroco y artificial Góngora negándose aquí a aceptar este «artificio» barroco! Probablemente lo que ha dictado estos versos no es sólo el esquema horaciano y estoico de oponer el primitivismo simple al fasto moderno, sino también el elemento de contención y de mesura clásica que, a pesar de todo, inspira a Góngora. Blaga piensa que la arquitectura barroca no puede comprender el sentimiento de la transcendencia procedente *de lo alto* que animaba a la bizantina. El mundo de Góngora rivaliza con la trascendencia cristiana porque crea un mundo espiritual partiendo *de abajo,* de la sensualidad.

Verso 114: «esfinge bachillera, / que hace hoy a Narciso / ecos solicitar, desdeñar fuentes». Dámaso Alonso: 'esfinge elocuente que (como la de Tebas) propone con hábiles palabras lo que ha de ser pernicioso, y con sus engaños hace engreírse al presumido cortesano'. Puesto que Góngora opone *hoy* a antaño, creo que *bachillera* debe oponerse paradójicamente a la idea de la Esfinge, inmóvil y enigmática: ella es ahora *bachillera,* es decir, no «elocuente», sino, como traduce Oudin, «un subtil causeur et sans fondement un babillard, un qui fait l'entendu»; y esa Esfinge no propone enigmas a Edipo, y sí amores fáciles a un Narciso —ese «narcisista» grato a Freud— que no permanecerá replegado en sí mismo, sino que procurará escuchar los ecos de la adulación. Se trata, pues, de «galantería de palacio», como indicaba Pellicer, o, más específicamente, de la Esfinge convertida en mediadora. Dámaso Alonso, al decir «hábiles palabras» y «el eco de las alabanzas», se acerca a mi idea, pero con la traducción «elocuente» me parece que se aleja de ella. En *mortal* hay tal vez una alusión a la muerte (destacada por Alemany y Selfa, s. v. *bachiller*), que castigaba a los que no podían resolver los enigmas propuestos por la Esfinge: la muerte sería entonces el último resultado de esos amores que comenzaron en una atmósfera de alegría. Este *desinit in piscem* es muy característico de Góngora.

Verso 139: «que hospedó al forastero / con pecho igual de aquel candor primero, / que ...». Dámaso Alonso: 'con aquel mismo espíritu de sencillez y de candor que tenía el hombre en la edad dorada'. Creo que la construcción *igual de* en lugar de *igual a* (¿será por analogía con *diferente de*?) sería difícil de encontrar, y pienso por ello en un igual con el sentido de *aequus* en «aequam memento ... servare mentem» y en el de *aequanimitas,* y doy a *pecho* el sentido de 'actitud del alma' como en latín *puro pectore* (*el pecho y ánimo*) atestiguado por Alemany y Selfa. La *aequanimitas* corresponde aquí al estado de ánimo horaciano del pasaje.

Verso 151: «la cuchara, / del viejo Alcimedón invención rara».

Dámaso Alonso observa que la cuchara sustituye a los vasos esculpidos de Virgilio (*Égloga III*):

... pocula ponam
fagina, caelatum divini opus Alcimedontis.

Así como el vaso es de madera de boj (v. 145), lo propio ocurrirá con la cuchara. Ahora bien, la cuchara de boj es resto de una civilización pirenaica primitiva (véase *ZRPh*, LIX, p. 405, sobre su conservación en el valle de Vió, Alto-Aragón). La alteración del modelo romano por parte de Góngora se debe, pues, a una especie de «hispanización» o «pirineización». En *ZFSL*, XLV, p. 375, y en *Lexikalisches aus dem Katal.*, p. 43 (ver también *REWb* y *FEWb*, s.v. *buxus*) he probado que el español *dibujar*, como el antiguo francés *debouissier* y el antiguo provenzal *de(s) boisar*, 'esculpir' (luego 'pintar' y 'dibujar'), debe de haber significado 'cortar en boj'.

Verso 159: «breve de barba y duro no de cuerno». Dámaso Alonso: '[un macho cabrío], de poca barbilla, de cuerno no muy duro'. La primera versión de este verso era «breve de barba, si novel de cuerno», que ha sido corregida a causa del ocioso y amanerado *si*. Pero *duro no de cuerno* ¿es acaso lo mismo que *no duro de cuerno*? Pienso que hay ahí una alusión escabrosa al erotismo de ese joven macho cabrío que suplanta al viejo: *duro —no de cuerno—* es, según esto, 'duro, ciertamente, pero no de cuerno', es decir, 'de miembro sexual duro'. Esta explicación cuadraría bien con la condición de *esposo* y de *triunfador de celosas lides* que el rival suplantado había tenido hasta entonces. Hay en esta estrofa dos motivos que el poeta ha combinado: la potencia sexual y la glotonería del viejo macho cabrío ramoneando los racimos, ambas aniquiladas por su muerte. El motivo de los apetitos sexuales está subordinado al motivo de la viña que lo encuadra. La muerte del viejo macho cabrío, debida realmente a su sexualidad, aparece como un castigo o venganza de las vides perjudicadas. Aquí vuelve a actualizarse el mito antiguo que explica el nacimiento de la tragedia griega por la historia del macho cabrío castigado con la muerte por haber comido de la viña sagrada de Baco.

(El detalle del macho cabrío que extrema su ὕβρις hasta comer los racimos de la corona del dios es probablemente un hallazgo de Góngora). El señor P. Friedländer me indica el siguiente pasaje de Virgilio, *Geórgicas,* II, vs. 375 ss.:

> pascuntur oves avidaeque iuvencae:
> frigora nec tantum ...
> quantum illi nocuere greges durique venenum
> dentis et admorso signata in stirpe cicatrix.
> Non aliam ob culpam Baccho caper omnibus aris
> caeditur ...

Las *avidae juvencae* han influido también en los *cabritos golosos* del verso 300. En el último verso de la estrofa, «purpúreos hilos es de grana fina» (v. 162), ¿responderá la palabra *hilos* al motivo *sarmiento-vides*, y responderá simétricamente *purpúreograna* a *racimo,* en una síntesis de formas y de colores? [5]

Verso 167: «No de hermosos vinos agravado / es Sísifo en la cuesta, si en la cumbre / de ponderosa vana pesadumbre, / es, cuanto más despierto, más burlado». No sé si, a juzgar por su

---

5. Este pasaje me parece que señala realmente los límites del arte de Góngora: en suma, la «metamorfosis» del viejo macho cabrío en carne coriácea no tiene la fuerza poética que tiene, por ejemplo, la del pino de la montaña al transformarse en tabla de barco (vs. 15 ss.) o la de la lumbre del farol de la cabaña al convertirse en faro de un golfo (vs. 58 ss.), y, en nuestro pasaje es enorme la desproporción entre el aparato técnico y el contenido expresado. Se trata aquí de un juego puramente intelectual de relaciones percibidas entre la carne y el animal, sin intervención del gusto del autor y sin consideración a la posible repugnancia del lector, mientras que un Baudelaire extraería precisamente de la repugnancia, sentida por el poeta y supuesta en el lector, ese «frisson nouveau», ese estremecimiento nuevo de una espiritualización que transfigura lo repugnante. El barroquismo de Góngora se complace en dorar con una belleza ficticia un espectáculo que por sí mismo desilusiona: el hecho consumado del cambio de un ser lleno de vida en un manjar «servido *ya* en cecina». Nótese la técnica del enigma: el término propio *cabrón* o *macho cabrío* no aparece en todo el pasaje (solamente *cabras*); la expresión *el que* hace suponer que se conoce el sujeto de la frase; debemos reconstruir los hechos enumerados *ex post,* después de haber leído toda la estrofa. Este estilo de alusión y de perífrasis, Brunn lo ha llamado «hinchado», en el sentido de que las palabras de la lengua forman esferas alrededor del centro de gravedad, lo «circunscriben», en tanto que el propio centro de gravedad (la palabra que es clave del enigma) no está expresado.

traducción, Dámaso Alonso construye como yo: 'no es un Sísifo en la montaña agobiado por el peso de vinos humanos, que (literalmente: si él) llegado a la cumbre ... es ... más burlado'; es decir, el poeta considera a su durmiente como un equivalente moderno de Sísifo, que no soporta el peso de la piedra, sino el del vino, y que se despierta no de una ilusión ambiciosa, sino de una pesadilla, consecuencia de los excesos (*pesadumbre* y *agravado* sugieren el término directo *pesadilla*, cuidadosamente evitado, por demasiado familiar). Góngora, al evitar como de costumbre el artículo (indefinido), puede presentarnos en compendio esta variante del héroe mitológico. Esta variación «moderna» de un tema antiguo es un procedimiento que ya conocemos: la *esfinge bachillera* (una Esfinge pero charlatana) del verso 114 y el cuerno de la abundancia (Amaltea con cuernos de cristal) del verso 203.

Versos 202-202₁ de la versión primitiva: «orladas sus orillas de frutales, / si de flores, tomadas, no, a la Aurora». Yo leería, con el ms. L, *voca* en lugar de la asonancia *Aurora*; pero Rodrigues Lapa puntúa «sí, de flores tomadas. No a la boca [derecho corre...]», con un *sí* en el que el poeta intervendría. Es evidente que el río en ese momento (más tarde *huye de sí* y se alcanza) avanza ininterrumpidamente (*no revoca los mismos autos*..., según la excelente explicación de Dámaso Alonso) y que la negación está fuera de lugar. Por lo demás, con el punto en medio de la línea la fluencia del río quedaría singularmente interrumpida en este período, que, según la feliz expresión del mismo Dámaso Alonso (*RFE*, XIV, p. 360) es «isócrono compañero del largo fluir de las aguas». El verso para mí sería como sigue: «si de flores tomadas no a la boca. [Derecho corre...]». Se trata real y efectivamente de la fórmula 'A si no B', con *si* conjunción condicional (Dámaso Alonso), pero por otra parte B debe ofrecer un encarecimiento sobre A, como también el mismo Dámaso Alonso lo ha mostrado. Ahora bien, las flores, aun «tomadas a la Aurora», harían menos efecto que los frutos del verso precedente. Por el contrario, si aceptamos la observación de Rodrigues Lapa de que *tornadas* tiene más intensidad expresiva que *orladas*, llegamos a la siguiente interpretación: 'sus riberas *bordeadas* de árboles frutales, si no *ocupadas* por (o henchidas de) flores en la desembocadura'. Quedaría así abarcado todo el recorrido del río (como ocurre ya en el verso 200: «con torcido discurso aunque prolijo»,[6] y también en los versos 209-211), antes de enumerar sus diversas etapas (*derecho corre - huye un trecho de sí, y se alcanza luego - desvíase*). Por tres veces el poeta se ocupa del río, de ellas la segunda estaría dedicada a sus caprichos y a sus resoluciones, en tanto que en la primera y en la tercera la mirada del observador se posa sobre los puntos extremos de su curso, la fuente y la desembocadura.

Verso 281: «Vulgo lascivo erraba / al voto del mancebo, / el yugo de ambos sexos sacudido—». Dámaso Alonso: 'Andaba de una parte a otra una multitud alegre y retozona de serranos, que, a lo que le pareció al forastero, debían de ser todos mozos no oprimidos por la coyunda matrimonial'. Pienso que los jóvenes de sexo explícitamente masculino sólo entran en liza en los versos 290-291: *juventud florida - cuál dellos*... (treinta «robustos montaraces» [!] según la versión primitiva) y que en los versos que nos ocupan se trata de jóvenes de *ambos sexos* [!] que discurren de un lado a otro «lascivamente», es decir, libremente, y permitiéndose intimidades. La nota licenciosa está contrapesada por *al voto del mancebo*: no es un hecho, sino una opinión personal del protagonista.[7] ¿Se ha notado ya que en Góngora, cuya

6. Hay que hacer entrar, en la traducción de este verso, el juego de palabras con el doble sentido de *discurso*: 1) 'curso del río'; 2) 'discurso' (¡de ahí *prolijo*!). 'Que va torciendo lentamente su largo curso' (D. A.) no responde al *concepto*, que ha escapado a la censura de Pedro de Valencia.

7. Es de notar la importancia del «freno» en esta poesía de la sujeción. Véanse por ejemplo, verso 242, «mudo sus ondas, cuando no *enfrenado*», y verso 442, «temeridades *enfrenar* segundas». Además, las estrofas que «se cierran»: verso 401, «cuyo famoso estrecho [de Gibraltar] / y una y otra de Alcides *llave cierra*» y, al final de la Dedicatoria, «la real *cadena* de tu escudo». Compárese también el verso 881 —«... si la sabrosa oliva no *serenara* el *bacanal diluvio*»—, en el cual *serenar* constituye el «freno» del *bacanal diluvio*. Hay pocas estrofas que terminen con una *abertura* de perspectiva: por ejemplo, el verso 89, «mariposa en cenizas *desalada*», y quizá también la estrofa 602-611, que comienza con el vuelo *regulado* de las grullas y termina con los caracteres *alados* que ellas trazan «en el papel diáfano del cielo». Góngora es un poeta que se *repliega* en sí mismo en una *soledad* que rechaza a este mundo para construir uno nuevo, al modo de ese botón de rosa del verso 727, «rizado verde botón *donde* / abrevia su hermosura virgen rosa»,

imaginación lujuriosa sabe imponerse restricciones, la palabra *lascivo* está siempre contrapesada por una palabra contraria que por decirlo así «frena» la imaginación? Véanse además los siguientes ejemplos: versos 256-257, «lasciva el movimiento, mas los ojos honesta»; verso 293, «cuyo *lascivo* esposo vigilante / *doméstico* es del Sol nuncio canoro»; verso 483, «cuyo número — ya que no lascivo — / por lo bello, agradable y por lo vario / la dulce confusión hacer podía» (*lascivo* es negado por la fórmula A si no B); el verso 202 de la primitiva versión: «hacen sus aguas [las del río] con lascivo juego» es seguido por el 206: «engazando (!) edificios en su plata»; verso 761: «El *lazo* de ambos cuellos / entre un *lascivo* enjambre iba de amores / Himeneo añudando»; verso 803, «*lasciva* abeja *al virginal* acanto / néctar le chupa hibleo». En vista de la oposición *moral-honesto,* señalada más arriba, no creo en una vuelta a la significación latina 'gozoso, desenvuelto' como parece pensar W. Krauss, *RF, LI,* página 80.

Verso 291: «pendientes sumas graves [*de gallinas* negras]» tal vez se corresponde con «la manchada copia / de los cabritos» del verso 298. ¿Hay aquí un juego de palabras con las sumas matemáticas (escritas con tinta) y con una multitud de postes, de títulos,[8] con los que se compararía la muchedumbre de cabritillos manchados? Compárese la asociación de *suma* con *negro* y *pluma* en *Soledad II,* v. 883: «cuanta / negra de cuervas suma / inflamó la verdura con su pluma, / con su número el Sol». Se trata aquí de una muchedumbre de cuervos.

_____

o al modo de la joven con que se compara ese botón, «la que *en sí* bella se esconde»... Me parece que Vossler no acierta al discutir la validez de la definición que hace algún tiempo intenté dar del arte de Góngora: «Bändigung des Lebens durch Kunst» ('dominación de la vida por el arte'). No sólo el «lingüista» que hay en mí ha sentido esa sujeción de la cosa al verbo. La concepción de la *soledad* gongorina, tal como la elabora el propio Vossler, ese rechazo de la vida para crear otra, artificial, más ideal y más sensual al mismo tiempo que la real, me parece un triunfo del arte sobre la vida.

8. Véase Camoens, *Lusíadas,* IV, v. 101: «chamando-te senhor, com larga copia [*de títulos*]».

Verso 309: «Tú, ave peregrina / arrogante[9] esplendor —ya que no bello— / del último Occidente». Dámaso Alonso: 'esplendor arrogante de ellas [las Indias Occidentales] por tu tamaño (ya que por tu forma no se te pueda llamar esplendor bello)'. Pienso que el *pavo* (de las Indias Occidentales) está contrapuesto aquí al *pavón*, como se ve también por el verso 309 de la primitiva versión: «sea, si enojo no, pompa tu rueda». Frente a la belleza del pavón, del volátil asiático, el gallo de las Indias Occidentales no es hermoso, sino arrogante. Ya en la primera mención del ave, en 1525, Fernández de Oviedo dice de los pavos importados de la Nueva España: «de aquestos las hembras son feas y los machos hermosos, y muy a menudo hacen la rueda, aunque no tienen tan gran cola ni tan hermosa como los de España; pero en todo lo al de su plumaje son muy hermosos».[10] La arrogancia del pavo consiste, pues, en querer imitar al pavo real.

Verso 321: «Lo que lloró la Aurora / —si es néctar lo que llora—, / y, antes que el Sol, enjuga / la abeja que madruga / a libar flores y a chupar cristales, / en celdas de oro líquido, en panales / la orza contenía». Dámaso Alonso: 'La orza ... contenía (en panales divididos en celdillas de líquido oro) miel: ese néctar que lloran los ojos de la Aurora (si es verdad que la Aurora llore néctar), y que, antes que lo seque el sol, ha enjugado ya la abejita que madruga...'. Creo que *lo que*... significa 'el rocío' (que sólo en el verso siguiente se compara al néctar) y que *en celdas*..., *en panales* pertenecen gramaticalmente (ἀπὸ κοινοῦ) a *enjuga* y a *contenía*: según un procedimiento de identificación grato a Góngora, la miel es rocío secado por la abeja matinal [y transformado] en rayos. El *chupar cristales* está puesto muy cerca de *en celdas*... *en panales* para llevar el espíritu del lector a esa transformación rocío-miel. Creo que no hay que borrar la transición gradual, sabiamente conducida, de un fenómeno a otro.[11]

---

9. Es verdad que la rueda del pavo real es también calificada de «arrogante» por Victor Hugo en su poema *Le Satyre I*.

10. Gonzalo Fernández de Oviedo, *Sumario de la natural historia de las Indias*, cap. XXXVI, BAE, XXII, p. 493 (véase también N. Maccarrone, *AGIt*, XX, p. 18).

11. Una dificultad con que tropieza continuamente la traducción-comen-

Verso 379: La descripción del imán y de la brújula contiene ideas medievales que deberían destacarse algo más en la traducción (cf. el pasaje sobre el carbunclo, mencionado más arriba). Después de haber sugerido una fuerza *amorosa*, es decir, psicológica, en la atracción del hierro por el imán («cual abraza yedra escollo»), recurso conocido en Góngora (cf., por ejemplo, el verso 218 y siguientes, donde las yedras que revisten los escollos son «halagos» que el tiempo ofrece a las ruinas), prosigue por el mismo camino: «y, lisonjera, / solicita el que más brilla diamante ...». Dámaso Alonso traduce: 'tiene ... la gran virtud de dirigirse solícitamente hacia la estrella ...'. Pero *solicitar* está tomado también en el sentido de *solicitar a una mujer,* como *lisonjera* lo indica: el imán, amante solicitado por el hierro, se convierte en el amante de la estrella polar, que ejerce una virtud, una fuerza (de 'llamada' y de 'inclinación') sobre ella. (En «estrella a nuestro polo más vecina», Dámaso Alonso no traduce el posesivo: se trata de *nuestro* hemisferio en el cual el imán se vuelve hacia el polo norte.) La imagen prosigue y se hace explícita mediante la expresión «atractiva, del Norte amante dura»: la fuerza de atracción (*virtus attractiva* aparece ya atestiguada en Casiodoro) es, en suma, el amor. Dámaso Alonso atenúa un poco la fuerza de la

---

tario de Dámaso Alonso es la de tener que invertir el orden de las palabras —sintético y latinizante— de Góngora. Así él 'explica' lo que Góngora implica y complica, y si bien ayuda a nuestra comprensión, destruye la emoción de sorpresa y de revelación gradual que nos procura el poeta. Al editor no le quedaba evidentemente otra alternativa, dado el orden de palabras del español moderno. Al comenzar por «la orza» y por «otro de los montañeses» deshacemos desde el primer momento la vaguedad implicada primero en el objeto directo (que sólo más tarde se revela como tal) *lo que lloró la Aurora,* luego en la alusión al néctar, y por último en la metamorfosis de ese *lo que...* en una cosa contenida en *celdas de oro* y en *panales.* La misma destrucción de la técnica enigmática de Góngora por el comentario tenemos en los versos 315 y siguientes, cuya traducción nos dice: «otros dos labriegos llevan a hombros una larga vara de que cuelgan cien perdices ...». En cambio, el original nos muestra (y a esto se ha llamado, con más o menos razón, el impresionismo de Góngora) primero dos hombros, sobre éstos una vara que *ostenta* cien picos de aves: la agrupación de Góngora está centrada alrededor de la *vara* y no del «labriego». De igual modo, en la traducción de los versos 153 y siguientes el enigma desaparece con la solución anticipada 'también le sirven ... cecina de macho cabrío'.

imagen traduciendo: 'se confía a *la dirección* de este amante ...'.
Es la idea medieval reforzada en romántico por la similitud fonética de *imán* y de *amar* (en francés *aimant - aimer - amant*). El
pasaje seudoetimológico de *Flamenca,* en que se dice que el verdadero amante (*amans*) es más resistente que el imán (*azimans*),
por ser un compuesto (*ad-imans*), mientras que *amans* es «simple»
(«en lati / le premiers cas es *adamas,* / e compo si d'*ad* e d'*amas*»),
ha sido discutido por S. Debenedetti, *Flamenca,* 1921, p. 20, quien
recuerda la frase de Solino: «ut quasi praedam quandam ada-
mans (!) adamas magneti rapiat atque auferat ferrum». En la célebre *canzone* de Guido Guinizelli a *amore* se le asigna sitio en
el corazón, como *adamas* lo tiene en la «mina de hierro». Algunos
comentaristas traducen *adamas* por 'diamante', otros, probablemente con más razón, por 'imán'. Pero Scalia ha probado (*RRQ,*
1936, p. 278) que gracias a la confusión etimológica —y también
a una fuerza antimagnética del diamante, conocida desde Plinio—
se le han atribuido al diamante cualidades propias del imán. Por
ejemplo, «l'aziman, si tot es durs», del citado pasaje de *Flamenca,* que se corresponde con la «amante dura» de Góngora. Alberto
Magno llama al *adamas* «lapis durissimus» y dice por otra parte
que esa misma piedra es también llamada *diamantus,* que «quidam
ferrum attrahere mentiuntur». Es interesante ver que al cantar
Góngora la influencia de la brújula sobre los grandes descubrimientos de los siglos xv y xvi,[12] se sirva de clisés metafóricos pro-
cedentes de los naturalistas y de los metafísicos de la Edad Media.
Por otra parte, según E. G. Gates (*RRQ,* XXVIII, p. 26), también podríamos ver aquí la influencia de un pasaje de Claudiano
en el que el matrimonio de Marte y Venus aparece bajo la forma
de la atracción del hierro por el imán (y Góngora menciona en
efecto a Marte). Pero la palabra *atractiva* parece indicar también
el tema medieval. Quizá la designación de la estrella polar como
«diamante» ha sido también sugerida a Góngora por la mencionada confusión etimológica entre *adamas* y *diamante* (véase *REWb,*

---

12. Influencia real, que la ciencia de hoy no desmiente: véase, por ejemplo, *Enciclopedia italiana,* s.v. *bussola.*

s.v. *adamas*): el diamante-estrella sería entonces un amante que atrae a la brújula.

Verso 399: «un mar ... estanque dejó hecho». Nótese que Góngora opone *el mar,* el Mediterráneo, al *Océano, padre de las aguas* (v. 405), así como los antiguos (por ejemplo Píndaro) oponían πόντος ο θάλασσα a Ὠκεανός. Todo es antiguo en este pasaje: *padre de las aguas* refleja a *senex* y a *pater,* empleados entre los romanos con referencia al océano; *de su espuma cano* refleja los dos sentidos de *canus* en latín: 1) 'encanecido por la edad', y 2) 'el color del mar' (*Eneida,* VIII, 672: «fluctu spumabant caerula cano», con la idea de la espuma asociada al gris del mar). En fin, el estanque del Mediterráneo recuerda, como me lo sugiere el señor P. Friedländer, el pasaje de Platón (*Fedón,* 109 AB): καὶ ἡμᾶς οἰκεῖν τοὺς μέχρι Ἡρακλειῶν στελῶν ἀπὸ Φάσιδος ἐν σμικρῷ τινι μορίῳ, ὥσπερ περὶ τέλμα μύρμηκας η βατράχους περὶ την θάλασσαν οἰκοῦντας, lo que Marsilio Ficino traduce por «ceu formicas atque ranas circa paludes». Góngora ha omitido la nota peyorativa que recae sobre las hormigas y las ranas, puesto que el pasaje ataca precisamente la vanidad de la navegación. Restablece, pues, contra la divisa de Carlos V, el *non plus ultra* de los antiguos y el *non più oltre* de Dante. Es curioso ver al estoico y solitario Góngora desentenderse de las nuevas conquistas de la navegación,[13] como el anciano que hace oír su voz

13. En Camoens la voz del venerable anciano se pierde en el espacio y los navegantes que representan el *peito lusitano,* alucinados por la visión del Ganges, se hacen a la vela hacia los países desconocidos que van a descubrir: esta voz, que desempeña el papel del coro de los antiguos cuando disuadía a los héroes de empresas temerarias, lleva el eco de las imprecaciones estoicas de un Horacio y de un Estacio (los paralelos de Ícaro y Prometeo sumándose a la «vã cobiça d'esta vaidade a quem chamamos fama» indican bien que provienen de la *Oda I,* 3). Elise Richter, en su artículo sobre Camoens (*GRM,* 1925), ha destacado con razón que la poesía del mar era desconocida en la Edad Media, cuyas hazañas caballerescas se cumplían en el continente. Si se piensa en Tristán y Brandán, convendría tal vez matizar esa idea en el sentido de que el mar no era un personaje actuante, sino más bien un telón de fondo; y no hay que olvidar el Ulises de Dante, que se anticipa a Bacon: «de'vostri sensi ... non vogliate negar l'esperienza ... Fatti non foste a viver come bruti, Ma per seguir virtute e conoscenza» (*Inf.,* XXVI, 115-120), motivo *intelectual* que hace que Dante sea más moderno que Camoens y Góngora. Hay que decir que Góngora es por un lado más radical que

desencantadora a los navegantes portugueses al final del canto IV de los *Lusíadas*, y retornar a ese espíritu griego, clásico y mesurado, del siglo v antes de Cristo, que consideraba como ὕβρις la tentativa de ir más allá de las columnas de Hércules. (Véase Franz Dornseiff sobre *Gibraltar y la leyenda antigua*, reseñado en *RFH*, I, p. 282.)

Verso 425: «el istmo que al Océano divide, / y — sierpe de cristal — juntar le impide / la cabeza, del Norte coronada, / con la ... cola escamada / de antárticas estrellas». Dámaso Alonso: 'y como si el mar fuera una serpiente de cristal, le impide ...'. Uno de los oyentes de mi curso, el padre Owen, me sugiere que se puede ceñir la imagen aún más estrictamente: Góngora habría pensado en la serpiente con la cola en la boca como símbolo de la unidad de los mares. Esto podría encontrar apoyo en el verso 473, en el que se dice del estrecho de Magallanes: «la bisagra, aunque estrecha, abrazadora / de un Océano y otro, siempre uno ...». En el folleto de E. Küster, *Die Schlange in der griech. Kunst und Religion* (1913) no he encontrado nada acerca de ese símbolo entre los griegos. P. Friedländer me indica la viñeta que ha reproducido Norden en la portada de su libro *Agnostos Theos*: una serpiente que se muerde la cola, con el epígrafe ἕν τὸ πᾶν. El autor dice (p. 249) que ha encontrado esa viñeta en uno de los

---

Camoens, puesto que para él *toda* navegación es en efecto *codicia* sin exceptuar (cosa que hace el poeta portugués, más cristiano) ni siquiera las expediciones contra los infieles. Por otra parte, Góngora ha sintetizado las dos actitudes posibles —la temeraria de los *conquistadores* y la prudente del anciano de Camoens— en una descripción *triste,* pero radiante de belleza, yo diría, de una belleza triste, que, mientras condena la vanidad, glorifica la Victoria. Al mismo tiempo que niega el valor de esta *codicia,* de la cual derivan todas las hazañas gloriosas, Góngora las aderaza con los colores más deslumbrantes y más atrayentes de su paleta: actitud barroca característica, que dora de belleza un *desengaño* profundo. Se comprende por qué la escena de estas *Soledades,* en que aparecen en contraste continuo el mar y el campo, la edad de hierro y la edad de oro, los cuadros de lucha y de seguridad, de triteza y de alegría, está situada al borde del Océano. Era el vasto marco adecuado a ese retiro en la soledad negadora de todas las cosas exteriores (tanto de los paisajes marítimos como, en el fondo, de los bucólicos), libre para poder recrearlas artificialmente por entero: la *culta Talía* de Góngora parece evocar con placer parejo tanto las navegaciones que rechaza como los placeres campestres que alaba.

mejores manuscritos de textos de alquimistas griegos y que la leyenda se emparenta con la doxología de la epístola paulina ἐξ αὐτοῦ καὶ δι' αὐτοῦ καὶ δι' αὐτὸν τὰ πάντα (αὐτός = Dios) que se remonta a los estoicos paganos,[14] y en último término a Heráclito (... ἕν πάντα εἶναι. No hay que excluir totalmente la posibilidad de que Góngora, tan aficionado a los símbolos emblemáticos, haya empleado el signo alquimista de la totalidad mística para significar la unidad de los mares. Puede, pues, concluirse que, como tantas otras veces, Góngora ha hecho obra de ecléctico al mezclar —lo que en mitología se llama *teocracia*— dos tradiciones: la concepción homérica del océano que rodea a la tierra y una concepción metafísica de la unidad-totalidad, no menos antigua y particularmente difundida en la literatura helenística. Tampoco hay que excluir los versos de Horacio (I, 3), «Nequiquam deus abscidit / prudens Oceano dissociabili / terras, si tamen impiae / non tangenda rates transiliunt vada», hayan podido influir en nuestro pasaje: el 'Océano que disocia o separa en vano' bien puede sobrevivir un tanto en «el istmo que al Océano divide ... y ... juntar le impide ...».

Verso 447: «El promontorio que Éolo sus rocas / candados hizo de otras nuevas grutas / para el Austro ... / para el Cierzo ... / doblaste alegre, y tu obstinada entena / cabo le hizo de Esperanza buena». Alusión tal vez al cambio del *Cabo das tormentas* o *tormentoso* (como lo había llamado Bartolomé Díaz en recuerdo de las tormentas que allí había soportado) en *Cabo da Boa Esperança,* impuesto por el rey Juan II. Este nombre de *cabo tormentoso* está por lo demás anticipado en el verso 395 («no hay tormentoso cabo que no doble», con el mismo verbo *doblar*). Góngora se sirve de las islas de Éolo —que según los griegos están al norte de Sicilia (Lipari) y fuera de su mundo—, para representar los límites extremos del mundo alcanzado por los navegantes. Los nombres de las tierras legendarias de los anti-

---

14. Marco Aurelio, dirigiéndose al universo, dice también: ἐκ σοῦ πάντα, ἐν σοὶ πάντα, εἰς σὲ πάντα. Cf. la doxología helenística «una quae es omnia, dea Isis», en *CIL.*

guos subsisten, pero su localización se desplaza a medida que el horizonte geográfico se ensancha.

Verso 477: «Esta pues nave, ahora, / en el húmido templo de Neptuno / varada pende a la inmortal memoria / con nombre de Victoria». Dámaso Alonso: 'Esta nave, llamada Victoria, pende hoy varada en el húmedo templo de Neptuno para recuerdo de aquella proeza'. De los cinco barcos de la armada de Magallanes, sólo la «Victoria» volvió sana y salva a España, pero sin el héroe de la empresa, muerto antes del regreso. Góngora quiere, pues, indicar que esa muerte ha sido borrada por la inmortalidad de las proezas asociadas al nombre del barco. Mientras que los antiguos tenían la costumbre de suspender en el templo de Neptuno, como *ex-voto,* una plancha de los barcos que volvían, aquí se trata de un *ex-voto* puramente ideal (Brunn, *op. cit.,* p. 117): el *ex-voto* está suspendido en el templo *húmedo* de Neptuno, es decir, la gloria *habita ese Océano* descubierto por Magallanes; pero la nave está también *varada a la inmortal memoria* (hay que construir *a* con sentido local) 'amarrada al muelle, al puerto de la gloria'. Esta expresión es paradójica en sentido propio, pero idealmente verdadera: la inmortalidad es lo único estable en que podía apoyarse la nave. Se advertirá que Góngora habla en toda la estrofa únicamente de un barco, no del héroe, y como el *glorioso pino* del verso 467 es idéntico a la *Victoria* del verso 480, es enteramente injustificado el reproche de Jáuregui: «estos leños entendidos por las cinco naves que sacó de España Magallanes, vienen después a parar en un *glorioso pino,* sin que se diga qué fue de las otras». También es injustificado decir que el verso «Zodíaco después fue cristalino», no es una buena descripción de la navegación a través del estrecho: la nave (no Magallanes) ha dado realmente la vuelta al mundo (*zodíaco*).

Verso 580: «Este, pues, centro era / meta umbrosa al vaquero convecino, / y delicioso término al distante, / donde, aun cansado más que el caminante, / concurría el camino». He destacado de diferentes maneras las aliteraciones por *c*, por *t*, por *d* y por *m/n* que intentan probablemente dar la impresión de la convergencia de todos esos caminos laberínticos en un punto central. Este juego de aliteraciones múltiples, que no sólo se contrapesa en los dos hemistiquios (*cansado-caminante*) según el principio analizado por Dámaso Alonso (*RFE, XIV*, p. 334), sino que penetra toda la contextura del verso, esta ubicuidad de la aliteración me parece del gusto de un Lucrecio. De la copiosa documentación de la señorita Rosamund E. Deutsch, *The pattern of sound in Lucretius* (Bryn Mawr, 1939, pp. 43-44), entresaco pasajes como el siguiente (II, vv. 17-19):

> nihil, aliud sibi na*t*uram *at*rare, nisi ut, cui
> corpore *s*eiunctus do*l*or ab̃sit, mente frua*t*ur
> iucundo *s*ensu cura *s*emota metuque?
> et quaecumque magis con̄denso con̄ciliatu
> exiguis intervallis con̄vecta resultant.

Podría preguntarse si las simetrías descubiertas por Dámaso Alonso en el artículo citado no eran ya antiguas. Cf. Deutsch, *op. cit.*, p. 21: «nam *privata* dolore omni, *privata* periclis», «*unica* quae gignatur *et unica* solaque crescat»; p. 40: «*inque* dies glis*cit* furor *atque* aerumna grave*scit*»; p. 41: «tecta sup*erne* timent, metuunt inf*erne* cavernas». Según el capítulo VII de la señorita Deutsch, esos hábitos de Lucrecio se continúan en la práctica de Catulo y de Virgilio. Un estudio más detallado debería decidir a qué poeta latino se aproxima más la estructura rítmica de Góngora y de sus antecesores.

No veo por qué la corrección del texto de la versión primitiva, «do a descansar no sólo el caminante, / mas concurría el camino», se debería al deseo de evitar la sucesión de las vocales *i-a-c* de *concurría el* (Dámaso Alonso, p. 422), puesto que también ésta ha sido mantenida. Es más bien el deseo de evitar la fórmula *no sólo... mas* y, tal vez, el de reforzar la aliteración con -*d*-.

Verso 598: «[el montañés] a cuantas da la fuente / sierpes de aljófar, aun mayor veneno / que a las del Ponto, tímido, atribuye, / según los pies, según los labios huye». Dámaso Alonso traduce: 'a los arroyuelos formados del caudal de la fuente, que, como serpientes de aljófar, atraviesan el prado, parece que atribuye aún mayor veneno que a las hondas del mar'. Pero *las* [sierpes] *del Ponto* es evidentemente una alusión al *Ponticus serpens* (Celsius), al dragón que custodia en la Cólquide el vellocino de oro: las serpientes de la fuente son más venenosas que el dragón de la Cólquide. Dámaso Alonso explica el último verso: 'que esto podría deducirse de su no beber el agua, de su rapidez en huirla' [a la fuente], lo cual no permite advertir si construye *los pies* y *los labios* como acusativo griego ('huye de (con) sus piernas y de (con) sus labios') o como objeto externo ('huye los pies y los labios'), lo que me parece más evidente. Pero entonces se plantea la cuestión de saber si los que han huido son los pies y los labios de la serpiente (o más bien del dragón) o los de las jóvenes: supongo que, puesto que las jóvenes, sedientas, se han inclinado hacia el arroyo serpentino (verso 585), en ese momento, por la fusión momentánea de las mujeres y del arroyo, éste se ha convertido para Góngora en una serpiente con pies y labios, peligrosa a causa del veneno del amor. (Antes había hablado de la seducción de los pies, pedazos de cristal «robados» por el arroyo.) Esta «contracción de imágenes» recuerda un poco la de los versos 345-350. Se ve por el *ellas* del verso 612 que en todo el pasaje las jóvenes están presentes para la mirada interior del poeta.

Verso 614: «cubren las que sidón telar turquesco / no ha sabido imitar verdes alfombras». Dámaso Alonso ve cierta dificultad en un *sidón* adjetivo en lugar del corriente *sidōnĭo*, 'procedente de, perteneciente a Sidón, en Fenicia'. Ahora bien, el latín ha conocido, junto a *Sidonius-a-um*, un adjetivo *Sĭdōnis, -ĭdis* femenino, empleado, por ejemplo, por Ovidio: *concha sidonis* 'púrpura de Tiro', *sidonis tellus* 'Fenicia'. Este *sĭdōnis* latino, más raro que *sidonius* en la expresión 'púrpura de Tiro', es el que Góngora ha querido imitar. La corrección del señor Millé, *las que* [en] *Sidón...,* debe pues rechazarse.

Verso 625: «espacio breve / en que, a pesar del sol, cuajada nieve, / y nieve de colores mil vestida, / la sombra vio florida / en la hierba menuda». Dámaso Alonso: 'en donde, a pesar del sol, que no podía llegar allí con sus rayos, la sombra florida vio sobre la menuda hierba la cuajada nieve de los miembros de las serranas, vestida con los mil colores de sus trajes'. Pero ¿por qué la sombra sería florida? Y ese sol «que no podía llegar allí ...» sería un verdadero *lucus* (sol) *a non lucendo.* Construyo *nieve cuajada a pesar del sol,* tachando la coma después de *sol,* y entiendo que los miembros de las jóvenes formaban trozos de nieve cuajada a pesar del sol de sus ojos (que hubiera debido fundir esa nieve), o que el sol (al que ellas se habían expuesto a lo largo de su camino) no había conseguido fundir; en ese caso, *florida* sería predicativo: la sombra vio esa nieve florida de miembros, es decir, los miembros y trajes de las montañesas formaban las flores (ahora que los grumos de la nieve se habían transformado en flores) sobre la hierba menuda. Gracioso pasaje «à l'ombre des jeunes filles en fleur».

Verso 633: «cual de aves se caló turba canora ... / cuando a nuestros antípodas la Aurora / las rosas gozar deja de su frente». El pretérito *caló* choca entre los otros verbos en presente. Otro caso análogo en el verso 988: «cual *suele* de lo alto / calarse turba de invidiosas aves». Creo que no se ha señalado aún en Góngora este otro «cultismo sintáctico», la imitación del aoristo gnómico griego, particularmente usado en las comparaciones homéricas (cf. Brugmann, *Griech. Gramm.* § 554, 3 b) y entre los latinos por Catulo, LXII, 42: «(ut flos in saeptis secretus nascitur hortis ...) multi illum pueri, multae *optavere* puellae ... (sic virgo, dum intacta manet...)». Cf. Camoens, *Os Lusiadas*, IX, v. 95: «que quem quis, sempre pôde», lo que equivale al proverbio popular *poder é querer*. Otro pasaje con aoristo gnómico se encuentra en *Soledad II*, v. 17: «Eral lozano así novillo tierno, / ... retrógrado cedió en desigual lucha / a duro toro ...: / No pues de otra manera / a la violencia mucha / del padre de las aguas ... / resiste [la tierra]».

Verso 667: «cuantos saluda rayos el bengala / del Ganges cisne adusto». Dámaso Alonso: 'todos los rayos que, a la aurora, saludan los moradores de la tierra oriental de Bengala, cisnes, no blancos, sino tostados, de las orillas del Ganges'. Pero ¿por qué esos habitantes tostados de Bengala son cisnes? Yo me inclinaría a reconocer en ellos a ese pinzón de Bengala llamado *bengalí*, de plumaje rico en colores y considerado como cantor, que Bernardin de Saint-Pierre ha introducido (no sabemos de qué fuentes) en la literatura francesa (Littré). Pero la palabra *bengalí*, evidentemente hindú, en el sentido de 'originario de Bengala' (lengua, etcétera) es reciente: en Francia sólo se encuentra a partir de 1771, en Inglaterra a partir de 1613, y el *Diccionario luso-asiático* de Dalgado (II, p. 467) nos asegura no haber encontrado nunca ni en inglés ni en portugués el sentido de 'pinzón de Bengala'. Mi amable colega el señor Malakis me sugiere otra explicación: que Góngora llama *cisnes* a los habitantes de Bengala, a causa de sus turbantes blancos, de los que se destaca el color tostado de la piel.

Verso 705: «[Despertó al Sol, no el canto de los pájaros,] sino los dos topacios que batía / — orientales aldabas — Himeneo». Dámaso Alonso: 'sino el cuidado del dios de las bodas, que llamó a las puertas de oriente con dos topacios por aldabas'. Posiblemente también el traductor lo ha comprendido así, pero yo procuraría introducir en la explicación la idea de los dos ojos comparados a topacios (cf. el pasaje de *Soledad II,* v. 796: «por dos topacios bellos con que mira», citado por Alemany y Selfa): la mirada (se sobreentiende impaciente) del dios Himeneo se compara con un golpe de aldabas en las puertas del Oriente. De igual modo, en el verso 1.067, Himeneo anticipa la aparición de Venus. Por otra parte, para Góngora la palabra *topacio* parece asociada a *topar, tope* (cf. *ibid.* el pasaje: «Estrellóse la gala de diamantes / tan al tope que alguno fue topacio»): de ahí el *batir* de la *aldaba*. Se notará que en el epitalamio dirigido a Himeneo (vv. 768 y 780) los dos jóvenes esposos son comparados a un Cupido *con ojos* y a una Aurora *de sus* [del Sol] *ojos soberanos*. El dios tiene, pues, el atributo de sus adoradores.

Verso 725: «con silencio afable, / beldad parlera, gracia muda ostenta». Hay que destacar el juego de palabras logrado con la restitución del sentido etimológico de *afable* (= lat. *affabilis* 'al cual se le puede hablar') sobre el sentido español de 'amable'. De esos dos sentidos parten las dos corrientes de ideas: *beldad, gracia,* por una parte; *parlera, muda,* por la otra.

Verso 729: «las cisuras cairela / un color que la púrpura que cela / por brújula concede vergonzosa». Dámaso Alonso: 'orilla las junturas una orla de ligero color que ofrece «por brújula vergonzosa» —por un pequeño resquicio— tan sólo una promesa del purpúreo color que se encierra dentro'. Pero ¿cómo puede una aguja de imán ser un resquicio? Tomo *por* en el sentido de 'como' (igual que en *querer, tomar* o *tener por amigo*): 'un color que concede (= deja ver) la púrpura como imán discreto', es decir, la púrpura de la rosa (que es una rosa del *Roman de la rose*) atrae como el imán (imagen medieval bien conocida) al amante. Al mismo tiempo, según me sugiere mi oyente el padre Owen, el botón de rosa semiabierto ofrece, visto desde arriba, el aspecto de la «rosa de los vientos».

Verso 742: la sugestión de Brunn (*op. cit.,* p. 178), de que *minador* y *arador* tendrían doble sentido, el uno significando también 'un gusano que roe la manzana o el árbol', el otro 'ácaro de la sarna', está confirmada por el tercer animal mencionado en el verso 746, la víbora.

Verso 743: «Y en la sombra no más de la azucena, / que del clavel procura acompañada / imitar en la bella labradora / el templado color de la que adora, / víbora pisa tal el pensamiento ...». Dámaso Alonso: 'Y al ver en el color ... de la bella labradora, una sombra del templado color de azucena de su amada, una pálida imitación de su belleza, parece que en aquella sombra de azucena pisa el pensamiento una víbora'. Al parecer el editor no traduce el *no más*. La serpiente se encuentra a la sombra de la azucena («latet anguis in herba», Virgilio), pero el poeta quiere decir que *ya* en la sombra de la azucena (ni siquiera en su realidad), es decir, en la belleza de la campesina que no es más que una pálida copia de la de su dama, se esconde el veneno amargo de su pensamiento triste. Se trata de un matiz de *no más* 'solamente' que no menciona ni Melander en sus *Studier i mod. språokvetenskap,* VII, p. 79, ni Wagner en su reseña de la *RFE,* XI, p. 73. Sin embargo, uno de los ejemplos de Melander, tomado de Calderón, *El médico de su honra,* acto I, verso 624, lo muestra claramente:

> (que quien decía bella, ya decía
> infelice: que el nombre incluye y sella)
> *a la sombra no más* de la hermosura
> poca dicha, señor, poca ventura.

Kressner traduce: «*auch nur* dem Schattenbild der Schönheit» 'aun sólo [aunque sólo sea] a la sombra de la hermosura'. Hubiera debido traducir *schon...*, es decir, '*ya* a la sombra de la hermosura'. Es el matiz del francés «rien que pour ce nom de Charley prononcé devant moi, me voilà repris, enragé» (según Tobler, V. B., III, p. 107), donde *rien que* sirve para «indicar que *ya* por la presencia de esta expresión determinativa, y sin necesidad de nada más, tiene validez el resto del contenido de la afirmación». *En la sombra no más* del pasaje de Góngora es, pues, una intensificación del pesimismo del enamorado.

Versos 755-767: ¿Se ha destacado ya el dibujo interior de una estrofa como ésta, en que la idea del «yugo matrimonial», impuesto a los dos jóvenes, provoca una alternancia de unión, de separación y de reunión de dos personas o grupos? La expresión *Los novios* del verso 3 forma una unidad; luego los dos novios se separan: *él-ella*; el *lazo de ambos cuellos ...*, *añudado* por himeneo, los reúne; *la alterna ... voz* de los dos coros divide en dos el grupo, unido sin embargo en el culto de Himeneo. Así el lazo del matrimonio se encuentra hacia el centro (v. 7) de la estrofa de doce versos y la divinidad de Himeneo se cierne por encima de toda la estrofa. La estrofa que sigue a los coros (vv. 845-851) ofrece, junto con la que los precede (vv. 755-767), un dibujo en aspa (quiasma): el poeta empieza por un *alterno canto* (v. 845) y hace ver en seguida los *novios* (v. 847) y el *yugo* (v. 848), pero en cambio las *cervices* (aludiendo de nuevo a *ambos cuellos* del verso 761) no están aún suficientemente *domadas*; con todo, esos novios siguen juntos volviendo al templo como los *novillos* atados al arado. La unión por lo menos existe, pero la actitud voluntaria la hace tumultuosa y desordenada (*breve término surcado — pendiente arado*). El *pajizo albergue* que *los aguarda* tranquilamente, con serenidad (v. 851), se opone al *numeroso concurso impaciente* (v. 755): todo tiende sin embargo hacia la paz duradera. Se puede comparar este dibujo interior al de la estrofa 882-892, donde la danza («bailando numerosamente», v. 890) de las doce jóvenes está figurada por grupos de número diferente: vemos primero 6 + 6, luego 3 × 4, luego 12, luego 1 (la cantora). De igual modo, los dos luchadores de la estrofa 963-980: 1 (la joven desposada); los luchadores: 2, 2; 1 (*el uno*) — 1 (*otro*); 2 (*honra igual*); 4 (*otros cuatro* [luchadores]). De igual modo también, en la estrofa 1.035-

1.040 los corredores son *dos veces diez,* 20 personas que se dirigen hacia 2 olmos abrazados que sirven de meta, y la estrofa se termina en quiasma: *con silbo igual, dos veces diez saetas.* Este juego con dos se prosigue tenazmente en la soledad segunda y parece en verdad una exteriorización del desdoblamiento de la personalidad del poeta (o del protagonista que observa las cosas como él).

Verso 793: «Ven, Himeneo, y plumas no vulgares / al aire los hijuelos den alados». Dámaso Alonso: '... y haz que los menos vulgares de los amorcillos...'. ¿Por qué no construir *no vulgares* como epítetos de plumas: 'plumas no comunes', 'no mortales'? Cf. Camocns, *Lusíadas,* IX, 41: «Enfin, con mil deleites nao vulgares / Os cspcrcm as Ninfas amorosas».

Verso 813: «casta Lucina — en lunas desiguales — / tantas veces repita sus umbrales». Dámaso Alonso traduce: 'en distintas lunas'. Debe interpretarse 'en meses impares', que acarrean felicidad, según los antiguos: «Numero deus impare gaudet» (Virgilio, *Égloga* VIII, 75); cf. el comentario de Servio que enumera la triple potencia de Hécate, las nueve musas y los siete planetas: «Ideo medendi causa multarumque rerum numeros servari»; Paulo *ex Festo*: «Imparem numerum antiqui prosperiorem hominibus esse crediderunt». El señor Paul Friedländer atrae mi atención sobre H. Diels, *Doxographi graeci,* p. 195, donde se encuentran pasajes de los *Placita* de Aëtius Medicus (siglo VI): «... septimo mense parare mulierem posse plurimi adfirmant, ut *Theano* Pythagorica *Aristoteles* Peripateticus *Diocles Evenor Straton Empedocles Epigenes...* fere omnes *Epicharmum...* secuti octavo mense negaverunt... nono autem et decimo mense cum Chaldaei plurimi et idem supra mihi nominatus Aristoteles edi posse partum putaverint». De igual modo, en el verso 906, los desiguales días que deben provocar un buen rendimiento de los trabajos agrícolas no deberían ser comprendidos solamente como días de longitud desigual (Dámaso Alonso: 'los desiguales días de verano y otoño'), sino como *dies fausti.*

Verso 838: «de Aracnes otras la arrogancia vana / modestas acusando en blancas telas, / no los hurtos de amor, no las cautelas / de Júpiter compulsen: que, aun en lino, / ni a la pluvia ...

/ ni al blanco cisne creo». Hay que notar las alusiones al estilo jurídico: *acusar* está empleado, 1) como el francés *accuser un relief*, y 2) en el sentido jurídico; *en blancas telas* sugiere la papelería blanca; *compulsar* significa, 1) 'compulsar, buscar' (en las leyendas), y 2) 'obligar a una entidad pública a entregar actas cuyas minutas guarda', 'examinar dos o más documentos cotejándolos y comparándolos entre sí'; y el *creo,* que dice en primera persona el coro, se relaciona también con el ambiente de los tribunales donde *no se cree* en un testigo, en un documento (ni *aun en lino,* con ser un material más puro y más resistente que el papel).

Verso 894: «largo curso de edad prolijo; / y, si prolijo, en nudos amorosos / siempre vivid, esposos». Quizá se tenga que incluir en la traducción el juego de palabras entre el sentido latino 'provecto' de *prolijo* (*homo aetatis prolixae,* Boecio) y el sentido de 'flojo, suave', al cual se opone *nudo.*

Verso 897: «Venza no sólo en su candor la nieve [el 'estambre vital' de Cloto]». Habría que indicar el juego de palabras con el doble sentido latino de *candidus*: 'favorable' (*fatum candidum,* Tibulo) y 'blanco'.

Verso 942: «cuya lámina cifre desengaños, / que en letras pocos lean muchos años». Dámaso Alonso: 'y la piedra de vuestro sepulcro hable a los que han de venir, desengañando a muchas generaciones futuras con las pocas letras de su inscripción'. En cambio, Brunn, p. 60: 'que la inscripción de vuestra piedra sepulcral, que ha de conservarse muchos años y en ellos ha de ser visitada por muchos, despierte, por su humilde brevedad, tan loable, desengaño en los lectores, que, ante la venerable antigüedad del sepulcro, sentirán una involuntaria avidez de saber algo más sobre los hombres de una época desaparecida hace tanto tiempo'. Quizá *leer* tenga también el sentido de 'enseñar, dar cuenta de' (= rezar): 'que vuestros *desengaños* [inevitables] den cuenta en pocas letras [al menos] de los muchos años [que habréis vivido]'. Se trataría, pues, de un voto de longevidad con alusión a la fórmula corriente *¡que viváis muchos años!* y con referencia al voto del comienzo *¡vivid felices!* Por otra parte, habría ahí una conciencia del lado negro de la existencia humana semejante a la que percibimos en la estrofa siguiente con la mención de los monumentos funerarios de los faraones [15] (en pasaje dedicado a la descripción de la novia, nuevo Fénix radiante) y, semejante también, en el primer himeneo (v. 815), calcado sobre los dos de Catulo, a la que se denuncia en la mención de la escena (tan discordante en la inspiración optimista del poeta latino), de Níobe transformada en

15. W. Pabst, *op. cit.*, 52, dice bien: «La estrofa comienza con una novia aldeana que va a casarse y termina con los monumentos funerarios de los reyes de Egipto: camino largo, en verdad». Pero, en oposición a Dámaso Alonso, procura justificar el pasaje proponiendo que se lo guste como un trozo de poesía autónoma: el poeta se abandona a la evocación del ave Fénix al punto de seguirlo hasta su patria y a través de los siglos de su pasado legendario. Pero creo que hay mucho más que un ahondamiento del *comparatum* en esta comparación tan extremada: hay un paralelismo entre las aves que acompañan al Fénix y las villanas que acompañan a la novia (*villanas ciento*, versos 946-950); además, la idea de la realeza de la joven está reforzada sucesivamente por la realeza del fénix, del Nilo y de los Ptolomeos. Hay, por último, una analogía exacta y *vista* —como siempre, los paralelismos de Góngora nacen en el mundo visible— entre la liza o la arena («palizada») verde y florida adonde va la joven, y ese Egipto en el que el viento pasa entre los grandes *vacíos* que antaño estaban colmados por las pirámides: la gran extensión vacía sirve de *tertium,* la arena campestre (más tarde, en los versos 959 y 962, se la llama *coliseo* y *olímpica palestra*) es la variante alegre, y el terreno vacío en el sitio donde se levantaban las antiguas pirámides, la variante melancólica (ya que la melancolía y la obscuridad están en Góngora, por principio, incluidas en la irradiación de la alegría, como los espacios infinitos de África vienen a completar el espacio bien delimitado de la arena). Creo precisamente que no hay que considerar esta estrofa como un pasaje autónomo, sino como un trozo de transición: las pirámides egipcias son las que establecen la transición entre la joven-fénix de un lado y el *coliseo* y la *olímpica palestra* grecorromanos, de otro. Entre estos últimos, el *umbroso coliseo,* monumento macizo y sombrío, es el que está más próximo a las sombrías pirámides y el que deja paso en seguida a la luz clara y griega que inunda la *olímpica* (!) *palestra*: se despeja (*despejan...*) el macizo del *bosque fingido* y la luz reina, soberana, perfilando cuerpos desnudos. El señor Friedländer me señala Virgilio, *Geórgicas,* II, 530-531: «velocis iaculi certamina ponit in ulmo / corporaque agresti nudant praedura palaestrae». Y de igual modo, otra vez *palestra* nos prepara para los luchadores: hay una psicagogia continua. Se advertirá que la joven reaparece una vez más en el verso 963 («Llegó la desposada apenas, cuando / feroz ardiente muestra ...») y no se borra sino gradualmente ante las luchas del circo, así como en el verso 1069 la pareja de enamorados reaparece en tanto que el *palio neutro pende.* Góngora es maestro consumado en estas preparaciones artísticas.

Es preciso señalar que toda la escena de las bodas encierra elementos paganos y populares que se habían mantenido a través de la Edad Media, reprimidos y sin embargo preservados por la Iglesia, que se avenía a ciertas costumbres paganas a condición de darles un sello cristiano. El libro de la señorita Sahlin, *Étude sur la carole médiévale* (Upsala, 1940), nos da de ello

mármol y llorando a sus numerosos hijos.[16] Estas notas sombrías
en medio de la alegría nupcial son bien españolas, bien gongorinas
y bien apropiadas al tono de la *Soledad* desengañada y melancólica. Poesía del *desengaño,* cuyo lema podría ser esta inscripción

---

muchas noticias: por ejemplo, las costumbres (p. 168) de cortar los mayos,
de 'adornar con ramas' la iglesia o de llevar en procesiones los mayos («esas
especies de bosques ambulantes») se practicaba no solamente el 1.º de mayo,
sino en todas las fiestas de primavera. Todo eso hace pensar en el *mentir
florestas* del verso 702 y en los *árboles que el bosque habían fingido* del
verso 958. Téngase en cuenta que esta «mentira de la metamorfosis» o de
la creación artística, tan grata a Góngora (cf. verso 2: «el mentido robador
de Europa» y verso 680 «los fuegos ... fingieron día en la tiniebla oscura»)
es una herencia antigua (Ovidio: «mentiri centum figuras»; Virgilio: «nec
varios discet mentiri lana colores»). Pero la Edad Media ha explotado también la idea de la naturaleza creadora de formas y por eso «mentirosa»: en
Alain de Lille, Huizinga (*Mededeelingen der R. Akad. v. Wetenschapen,*
Amsterdam, CXXIV, 6, p. 64) ha destacado, sin referirlas a su origen, las
expresiones: el bosque *miente* la figura de un muro, la alondra *miente* una
guitarra, el cuerno hiere el aire con una herida *mentida,* la guitarra «nunc
lacrymas in voce parit *mentite* dolorem, nunc *falsi* risus sonitu *mendacia
pingit».
La misma observación de elementos paganos se manifiesta en las danzas
delante de la iglesia al celebrar las bodas: la danza con acompañamiento de
canto que ejecutan las doce labradoras (vv. 885 ss.) es probablemente una
carola según la definición de la señorita Sahlin: en Venecia —nos dice en
la p. 181—, la prometida efectuaba un paso de danza cuando se presen-
taba por primera vez a sus suegros y el *brautlauf* germánico así como la
choraula de Vaud indican también el papel esencial de la danza en las celebraciones del matrimonio. Los ritos de fecundidad eran ejecutados por las
vírgenes (p. 171), y el *himno culto* de Góngora que canta la joven *bárbara
musa* está penetrado del deseo de unir la fecundidad de la naturaleza a la
de la pareja recién desposada. Se sabe que los fuegos artificiales (v. 1082)
han reemplazado al tiro al aire destinado a ahuyentar los malos espíritus
(las brujas, etc.). Góngora ha unido, a todo ese folklore pagano-cristiano, el
elemento francamente griego de las labradoras «olímpicas», la *palestra,* etc.,
y también el himeneo grecorromano. Pero insisto en destacar el sustrato de
elementos *populares* que hay en toda la escena.
16.   En los elegíacos latinos se encuentra una exhortación a ser dichoso,
en boca de un personaje que se considera alejado ya de la vida feliz o tranquila de los demás, lo que corresponde a la actitud del héroe de las *Soledades* (Tibulo, III, 5, v. 31):

> Vivite felices, memores et vivite nostri,
> Sive erimus, *seu nos fata fuisse volent.*

Cf. las palabras de Eneas al despedirse de los troyanos (Virgilio, *Eneida,*
III, 493): «Vivite felices, quibus est fortuna peracta / iam sua; nos alia
et aliis in fata vocamur; / vobis partaquies ...».

sepulcral (tal vez no conocida por Góngora)[17] que cita el *Thesau-rus*, s. v. *felix*: «Vivite felices quibus est data vita fruenda, nam mihi non fato datum est felicem morari». Es el estado del alma del protagonista.

Verso 1.052: «[tres sueltos zagales] / la distancia *sincopan* tan iguales, / que la atención confunden judiciosa». Dámaso Alonso: 'salvan la distancia ...'. Creo que hay un juego de palabras a base del doble sentido de *sincopar* 'abreviar' y 'desfallecer': al primero corresponde el verso 1.049, ... *hace breves,* al segundo

---

17. Cf. la polaridad de movimiento y de tranquilidad que ve Góngora en los versos 985 y siguientes entre los saltadores y el premio, el pardo *gabán* que yace, impasible, en el suelo y que es un búho de *perezosas plumas,* mientras que los «deportistas» a su alrededor son una *turba de inviodiosas aves* que se *abaten.* La pereza sombría se confunde aquí con la tristeza, puesto que el búho Ascálafo es la Casandra entre los animales. Cf. Ovidio, *Metamorfosis, V,* 548:

> vixque movet natas per *inertia* bracchia pennas
> *foedaque* fit volucris, venturi nuntia luctus,
> *ignavus* buho, dirum mortalibus omen.

Ovidio opone al búho Ascálafo las Sirenas virginales con plumaje y pies de pájaros, y Góngora opone más bien al búho inerte sus pájaros «envidiosos» que atraviesan el espacio, moldeados quizá, como me lo indica el padre Owen, sobre las arpías descritas por Virgilio, *Eneida,* III, 216:

> virginei volucrum voltus, foedissima ventris
> proluvies uncaeque manus et pallida semper
> ora fame,

que (225)   subite horrifico lapsu *de montibus* adsunt

y (223)   rursum *ex diverso caeli* caecisque latebris
             turba sonans *praedam* pedibus circumvolat uncis,
             polluit ore dapes,

expresiones que recuerdan a las gongorinas *inviodiosos* y *de lo alto,* aunque Góngora, naturalmente, ha tenido que omitir los rasgos repelentes para comparar sus luchadores con las arpías. Finalmente, debe pensarse que la lechuza era el reclamo favorito del pajarero. El trabajo ecléctico del poeta, que combina el búho y las arpías, en lugar del búho y las sirenas, queda bien ilustrado por nuestro pasaje. En los versos 886 ss. de la *Soledad* II, el búho (llamado también Ascálafo) atrae a los pájaros, que *se calaron* (v. 895), envidiosos del oro de sus ojos, y a un gerifalte se le llama *boreal arpía,* lo que confirma satisfactoriamente mi interpretación de I, v. 985 ss.

la vista desvanece del 1.044, *cojea el pensamiento* del 1.046 y *la atención confunden* del 1.053. Por tanto, el sentido sería: 'sincopan la distancia y la hacen caer en síncope'.

Verso 1.027: «mancebos tan veloces, / que cuando Ceres más dora la tierra, / y argenta el mar desde sus grutas hondas / Neptuno, sin fatiga / su vago pie de pluma / surcar pudiera mieses, pisar ondas, / sin inclinar espiga, / sin vïolar espuma». Los miembros de la frase están dispuestos en parejas binarias de modo que *Ceres* corresponde a *surcar mieses* y a *sin inclinar espigas*; *Neptuno* a *pisar ondas* y a *sin violar espuma*. Se trata de un ejemplo de lo que en sánscrito se llama *yathā-samkya*, en latín medieval *metrum aplicatum,* en la poética del Renacimiento *versus correlativi, correspondentes* o *paralleli,* en francés *vers rapportés.*[18] Nótese que el matiz «jubiloso» que caracteriza, según Hatzfeld, esta figura de estilo, por lo menos a partir de la poesía humanista (se cambia el orden natural para aumentar el número de los calificativos, aplicándolos a todo el complejo de rasgos), falta en Góngora, que se contenta con un dibujo más sobrio: en él parece más bien tratarse de una variante de esos «cambios metamórficos» (*Ueberkreuzung,* según Brunn), cuyo *conceptismo* ya hemos señalado (nota a la p. 154), y del ritmo binario que Dámaso Alonso ha dado con tanto acierto, ritmo que corresponde por lo demás al desdoblamiento del yo interior de Góngora.

18. Esbozo aquí una pequeña bibliografía: J. Bolte, *Archiv. f. neu. Spr.,* CXII, 265 y CLIX, ɪɪ (ejemplos l..tinos del siglo XII, y franceses, alemanes e ingleses a partir del XVII); Leo Spitzer, *Aufsätze zur rom. Syntax u. Stilistik,* p. 336 (ejemplos de Henri de Régnier, que sigue al parecer el uso de la Pléiade) y *Roman. Stil.-u. Literaturstudien* I, 18 (en la Pléiade); B. Berger, *Vers rapportés,* Friburgo de Brisgovia, 1930. Hatzfeld, *Anuari de l'Oficina Romanica,* II, 12 (ejemplos españoles de lo que él llama «separación zeugmática»: en Calderón).

11. SOBRE EL SIGNIFICADO DE «DON QUIJOTE»*

... Esta noche nuestra tarea consistirá en explicar el significado histórico e internacional de la novela española *El ingenioso hidalgo Don Quijote de la Mancha*. Empezaremos por el aspecto más modesto que nos ofrece este gran libro.

Es en la infancia cuando el europeo medio se encuentra por primera vez con el ingenioso hidalgo Don Quijote. No sucede así en el caso del americano medio. En América *Don Quijote*, junto con otras cosas españolas, fue víctima de la filosofía de la Ilustración; pero en Europa *Don Quijote* es ante todo un libro para niños, hecho significativo que no debemos permitir que se nos olvide en nuestras eruditas disquisiciones. Son varios los grandes libros de la literatura universal que, pese a no haber sido escritos para el público infantil, han quedado consagrados como obras capaces de ayudar a desarrollar la sensibilidad del ser humano en período formativo: *Don Quijote, Robinson Crusoe, Los viajes de Gulliver, Moby Dick, Gil Blas* y *Tartarin* (esa edición de bolsillo

* Este estudio sobre *Don Quijote* fue escrito por Leo Spitzer hará unos veinte años para leerlo ante los miembros y estudiantes del Departamento de Español del Smith College; en años subsiguientes repitió la conferencia en otros colegios y universidades del país.

Aunque nunca fue publicado en su totalidad en vida del profesor Spitzer, cinco de las páginas finales del escrito fueron citadas, con algunas modificaciones, en *Linguistics and literary history*, pp. 68-73, como conclusión del capítulo «Perspectivism in *Don Quijote*». [*Nota de la redacción de MLN.*]

Publicado con el título «On the significance of *Don Quijote*», en *MLN*, LXXVII (1962), pp. 113-129. (Traducción castellana de Jordi Beltran.)

de *Don Quijote* que escribieron los franceses). Sin duda ello se
debe a que dichos libros contienen ciertos elementos que adultos
y niños tienen en común; dicho de otro modo, elementos que
apelan a la sabiduría humana durante la infancia. Estos elementos
quizá sean: 1) la demostración de un orden mundial justo en el
cual encontrará su lugar la existencia futura del niño; 2) en contraste con esto, el elemento del mundo mágico que tiende a edificar un segundo mundo sobre el real en el que se mueve el niño;
3) la muestra del poder que tiene el hombre para dominar las
situaciones adversas, ya sea mediante la habilidad o las facultades
críticas, y que hace que el niño contemple esperanzado la lucha
que en el futuro librará con la vida; 4) el elemento del humor
que tiende a amortiguar, o a relativizar, los sufrimientos de la
vida y dar al niño la satisfacción de poseer al menos cierta superioridad mental. Mientras que el cuento de hadas satisface el sentido de justicia impersonal que finalmente permitirá el triunfo
de la Cenicienta gracias a la intervención de fuerzas sobrenaturales benignas, en las aventuras de Robinson Crusoe, Gulliver y
Don Quijote abundan de modo especial los dos últimos elementos
(el poder del hombre y la jocosa exhibición de superioridad), que
exaltan los dones personales del hombre. La novela española es la
más sofisticada, toda vez que el niño no se identifica plenamente
con el héroe sino que, al mismo tiempo que simpatiza con el
carácter y la fuerza de voluntad de Don Quijote, se coloca al lado
de esa realidad que Don Quijote descarta tan despreciativamente;
y el niño recibe el privilegio de sentirse superior, intelectual si
no moralmente, a Don Quijote. A decir verdad, es con cierto
pesar que el niño, sin adoptar del todo el prosaico realismo de
Sancho Panza, ve cómo el protagonista confunde los molinos con
gigantes, una bacía de barbero con un yelmo y una muchacha
rústica con una princesa. El niño desea dominar la realidad tal
como es; por el contrario, no aceptará fácilmente su monotonía y
sus limitaciones y simpatiza con Don Quijote cuando éste trata
de sustituirla por una realidad fantasiosa de la misma naturaleza
con que se forjan los sueños. En el desafío que Don Quijote lanza
constantemente a las leyes de la física y la psicología elemental,
la atmósfera de los cuentos de hadas está representada en grado

suficiente como para permitir una transfiguración del mundo real. He aquí a Don Quijote, con su lastimosa armadura, pero con todos los nervios tensos, enfrentándose con frío valor al león de la jaula abierta, justo antes de que la majestuosa bestia exprese su desprecio del quijotismo mostrando sus cuartos traseros al valeroso caballero. El niño estará del lado de Don Quijote en el momento en que éste lance su desafío a la realidad, pero sólo para ponerse en contra suya inmediatamente después, cuando la fuerza de voluntad del héroe se ve contrarrestada por la realidad triunfante. Todas las aventuras de Don Quijote mostrarían la pauta de la lucha heroica del hombre contra el orden mundial establecido, con la subsiguiente derrota aplastante, inevitable, heroica y cómica a un tiempo, como el episodio en que el patético Don Quijote debe soportar la prueba del queso que se funde y gotea sobre sus ojos y barba, todo porque su rústico escudero Sancho, sin prestar atención a lo que es propio de caballeros, ha guardado el queso en el yelmo de su amo; y para culminar el castigo, se obliga a Don Quijote a pensar que su cerebro, agotado ya por tantas lecturas, también se está derritiendo... Estas escenas violentas revelan el funcionamiento de un orden mundial inexorable que une el desprecio al castigo; pero este recrearse momentáneamente en la crueldad pronto dará paso a la compasión, como si fuera mediante una catarsis. Si el niño sigue fielmente la lección que ha aprendido en este libro, andando el tiempo adaptará su propia fuerza de voluntad a las críticas y podrá comprender la realidad, sin despreciar demasiado al hombre de tipo imaginativo que fracasa al enfrentarse con la vida, y sin simpatizar con demasiada viveza con el llamado «realista afortunado» que conoce solamente las leyes de la mecánica y del conductismo. Tal vez recordará las palabras de Don Quijote tras la aventura del león: que el valor es una virtud a medio camino entre la cobardía y la temeridad, y que convertirse en valor resulta más fácil para la temeridad que para la cobardía. Se dará cuenta de que el Caballero del Verde Gabán tiene razón cuando dice que las *palabras* de Don Quijote son buenas y sabias sin excepción, mientras que todos sus *actos* son insensatos y estúpidos. Como es obvio, la vida pide que haya armonía entre las palabras y los actos.

Ahora, alzando los ojos por encima del horizonte del niño, ¿qué seguimos viendo en este libro que resulte esencial para la humanidad? Para averiguarlo, consultemos al autor. Es este un buen método para el crítico literario, ya que, como ha dicho Joseph Bédier, erudito francés en poesía épica medieval, el más torpe de los narradores comprende mejor su cuento que el más inteligente de los críticos: regla que con demasiada frecuencia olvidan los críticos que se fían en exceso de su propia inteligencia. En el prefacio a la primera parte Cervantes empieza con una descripción de su propia actitud hacia el libro al completarlo: pensaba que su mente estéril e inculta sólo podía engendrar una cosa magra, fantástica, seca como una avellana, llena de extraña imaginación; un vástago engendrado en una prisión, por decirlo así, y hacia el cual, pese a ser aparentemente su padre, se siente más bien como su padrastro, en modo alguno obligado a ocultar sus defectos ante el lector, puesto que éste estará en posesión de su propia alma y mandará sobre su libre albedrío y no se le debe pedir que se abstenga de expresar su propia opinión. Cervantes nos dice que su intención original era ofrecer al lector su vástago, desnudo tal como llegó al mundo, sin el habitual adorno de un prefacio, de doctas notas marginales, de sonetos y epígramas laudatorios; mientras intentaba tomar la decisión de actuar contra la tradición establecida, según nos dice, recibió la visita de un amigo que dispersó todas las dudas que todavía albergaba diciéndole que su libro no necesitaba más recomendación ni adorno y señalándole cuál era su verdadero propósito: derribar la máquina mal fundada de los libros de caballerías, provocar la caída y destrucción de esa masa dañina de absurdos que hay en los libros de caballerías, los cuales, aunque aborrecidos de tantos, son alabados de muchos más: «que si esto alcanzásedes, no habríades alcanzado poco». Cervantes, convencido por su amigo, convierte inmediatamente esta conversación en un prefacio.

Diríase, pues, que Cervantes escribió su novela con fines exclusivamente *literarios,* para destruir un género literario; sería la caricatura de un hombre cuyo cerebro ha sido infectado por el virus pillado al leer novelas como las de Lanzarote, Tristán, Palmerín, Belianís, etc., de los cuales se hace un auto de fe en el capítulo VI.

Ahora bien, la tendencia general entre los críticos (incluyendo al crítico-poeta Unamuno) ha consistido en descartar, por no considerarlo importante para nuestra novela, el programa crítico proclamado por el autor del *Quijote*: derribar la máquina de las novelas de escapismo. Al fin y al cabo, dicen los críticos, la forma secular de estas novelas había alcanzado su cenit un siglo antes de *Don Quijote* y en 1560 ya estaba en decadencia. Entonces, ¿cómo iba Cervantes a sentirse empujado a atacar su influencia en 1605? O, incluso si este era su propósito inicial, pronto lo perdió de vista, a medida que la novela fue abandonando gradualmente su alcance didáctico original, creciendo en amplitud, visión y humanidad.

Me permito mostrar mi disconformidad: demasiado ha insistido Cervantes, en el prefacio escrito al terminar la primera parte y en la última página del libro completo, en su programa *literario*. Y si los críticos se han mostrado tan ansiosos de descartar su propósito explícito en favor de otro que, supuestamente, es más afín a la naturaleza humana y a la vida, quizás haya sido porque no han acertado a comprender la magnitud de tal propósito y del problema humano que el mismo entraña. Porque lo que hizo Cervantes fue SENTAR EL PROBLEMA DEL LIBRO, y de su influencia sobre la vida: un problema que se ha desarrollado en el transcurso de los últimos siglos, un problema tan acuciante hoy en día como en tiempos de Cervantes. Él fue el primero en comprender las proporciones de este problema; setenta años antes Rabelais había escrito una novela de cognición humana, celebrando, dentro del marco de una historia popular, las fuerzas gigantescas de un hombre que busca el conocimiento, y el conocimiento en los libros. Rabelais sigue siendo un humanista utópico del siglo XVI; su sucesor español, aunque en su concepto de la estética es mucho más clasicista que Rabelais, ha experimentado a fondo la desilusión de la época barroca (el desengaño, como la llaman los españoles) y la la desilusión, también, ante la insistencia de los humanistas en los libros.

Desde el momento en que, gracias a la invención de la imprenta, la lectura se convirtió en un privilegio del que podían gozar las masas, un privilegio cuya existencia no estaba generalizada en la Edad Media; desde el momento en que los valores culturales empezaron a diseminarse, no a través del oído, el sentido musical, religioso y comunal (*fides ex auditu*, dice san Pablo), sino a través de los ojos, el sentido racional, analítico e individualista, nació el peligro de que la literatura fuese aplicada erróneamente a la vida por individuos que leyesen solos, apartados de la sociedad, tanto más cuanto la humanidad ya no busca, como buscaba en la Edad Media, las verdades eternas más allá de discusión, sino que está decidida a progresar, en su propia fuerza, aplicando la razón y el análisis, y el peso muerto de la tradición se cierne sobre nuestra percepción individual de la vida, lo cual entraña la constante necesidad de tamizar los valores de una tradición gastada. Después de Cervantes, muchos escritores, Molière, Rousseau, Goethe, Chateaubriand, Nietzsche y el Flaubert de *Madame Bovary* y de *Bouvard et Pécuchet,* ejercitarán el derecho del «político literario», es decir, el derecho de tamizar la literatura tradicional y pronunciar un veredicto sobre aquella parte de la literatura que, a su juicio, el paso del tiempo haya transformado en nociva para la comunidad. El problema sentado por Cervantes nunca puede morir en una civilización afirmada en el progreso y en «aprender de los libros» y que, por consiguiente, se ve constantemente amenazada por la lectura continuada de libros caducos o, también, por no leer ciertos libros: los dos burgueses, Bouvard y Pécuchet, han leído, sin digerirla, demasiada ciencia «progresista» y, de hecho, una noche, en el cementerio del Père Lachaise, cavan una sepultura para la poesía. Dado que nuestros hijos nacen en una civilización aficionada a los libros y progresista, el problema del «peligro del libro» es permanente. (También hoy en día a veces son más de temer los libros de ciencia que deleitaban a Bouvard y Pécuchet que la poesía.)

Fue una hazaña de genio prever, como previó Cervantes, el peligro inherente a lo que constituye una de las herramientas básicas de nuestra civilización: la lectura. De hecho, debió de percatarse de este peligro en su propio caso: nos dice, por ejemplo, que solía recoger todos los trozos de papel impreso que en-

contraba en la calle; obviamente no lo haría con la adoración que
san Francisco sentía por todo lo escrito porque podía contener
una de las verdades santas, sino que lo hacía empujado por su deseo de empaparse de un mundo ficticio (al igual que su propio
Don Quijote). Esta víctima del virus libresco no es, por supuesto,
más que un ejemplar de la galería de necios que la época barroca
solía ridiculizar; para entonces la tendencia habitual consistía ya
en retratar no sólo figuras renacentistas de un equilibrio ideal,
sino representantes igualmente clásicos de lo estrafalario; Montaigne ya había mostrado interés por lo transitorio, lo raro, lo caprichoso del hombre, siendo esto *ondoyant et divers*; en Roma se
había fundado una academia de los *Umoristi,* que entretenía a
sus miembros con descripciones del humor nacido de los diversos
humores extravagantes; Ben Jonson había creado su comedia
«Everyman in his humor». Se consideraba que un humor en particular, el melancólico, no era malo del todo, sino que también
engendraba tanto erudición y sabiduría como locura y capricho: el
médico español doctor Huarte había demostrado, poco antes de
que apareciese *Don Quijote,* que la melancolía y sus derivados
«caprichosos» ayudan al talento, al ingenio, del erudito. El caballero de La Mancha es un ingenioso y un caprichoso, un melancólico estrafalario, la versión de un erudito humanista frustrado
que encuentra su curación sólo en el lecho de muerte (tras una
fiebre purgativa) de su «sequedad» de temperamento adquirida,
es decir, de su melancolía condicionada por los libros. La combinación de melancolía, excentricidad y afición a los libros que
conduce a la acción fracasada es idea propia de Cervantes, del
mismo modo que era idea de Shakespeare hacer que la melancolía,
la excentricidad y la erudición meditativa de su Hamlet dieran
por resultado la falta de acción; y tanto la falta de acción del melancólico Hamlet como la acción apresurada del melancólico Don
Quijote muestran los efectos destructores que para la vida surte
un temperamento erudito noble en sí mismo cuando se desarrolla
en exceso sin disciplina mental.

Así, *Don Quijote* es una novela escrita contra cierto tipo de
novela considerada nociva para la comunidad porque puede defor-
mar las mentes de sus miembros más nobles: una crítica de un

género literario condenado por el autor, escrita en forma de novela paródica que, de manera parasitaria, tuvo que adoptar todas las situaciones y recursos del tipo de novela que ridiculizaba. De esta manera Cervantes, este extravagante inventor de tramas como las acopiadas en su novela pastoral *La Galatea* y en sus numerosas obras teatrales, deliberadamente se encarceló a sí mismo en *Don Quijote,* en aparente subordinación a una pauta socorrida de aventuras, situaciones, temas, incluso palabras. La novela de caballerías destinada a poner fin a todas las novelas de caballerías tiene que adoptar una técnica particular: tiene que permitir que la historia se desenvuelva como si lo hiciera para el disfrute del lector crédulo, sugiriendo astutamente al mismo tiempo la reacción del autor-crítico, que a menudo consistirá solamente en un subrayado irónico, por medio del cual alcanza una creación original compuesta de ingredientes que ha tomado en préstamo de las obras criticadas: una recreación del viejo tema. Habrá en el escenario un desfile frenético, exuberante, fantástico de ineptitudes endosadas ostensiblemente por un apuntador irónico. Habrá la jaula del león y el valiente caballero que entablará batalla con la bestia, la cual, sin embargo, mejor informada por Cervantes, se negará, pese a todos los pinchazos de los carceleros, a aceptar el desafío del que se ha erigido a sí mismo en gladiador, y opondrá el majestuoso desprecio de la naturaleza a la extravagancia de Don Quijote; el león se negará a ser un león de romance y obligará a Don Quijote a volver a la realidad.

Y el género creado por Cervantes para hacer que la humanidad volviera a la realidad, el tipo de la contranovela, la antinovela, esto no podía morir con su creador: quizás la novela, como género, tienda siempre a producir toxinas a las que se debe contrarrestar con antitoxinas. En sí mismo el género novelístico es un género híbrido, algo anárquico, que desconocían los estetas clásicos y los cánones literarios de los antiguos: un género híbrido que nació en el último período de la literatura griega, de nuevo en las postrimerías de la Edad Media y, una vez más, en los tiempos modernos, en los que al parecer se ha instalado para siempre: esto es, en períodos cansados de poesía pura. Porque ese género híbrido de la novela nace de la poesía y de algo más, de un factor extrapoético, de una tendencia a enquistarse en la vida, junto con un esfuerzo nato por llegar al arte puro, un nostálgico anhelo de la belleza épica. La forma más antigua de arte narrativo es en todas partes la poesía épica, poesía épica que se mantiene en las esferas del arte puro, de una estilización de la vida, sin ninguna imitación ni caricatura directas de la vida, como testifica su forma versificada: la poesía épica nos presenta el gran pasado legendario o mítico en su belleza como pasado (empleando, por así decirlo, el tiempo del *passé défini* francés y no el *passé indéfini* que saca inferencias para el presente).

Pero la novela puede ofrecer una vida vicaria susceptible de minar nuestra vida real y producir una ilusión en la que las cosas narradas aparecen como presentes y se borran las líneas entre la literatura y la realidad. La forma prosaica contribuye a esta ilusión, haciendo que la novela se nos aparezca como la realidad auténtica, inalterada. La novela arturiana de *Galeotto* fue la razón de que Paolo y Francesca de Dante «no leyesen más aquel día», sino que se besaran en pecado («quel giorno più non vi leggemmo avante»). Porque, mientras estaban leyendo, en sus vidas había penetrado la sustancia novelística, en sueños se habían encarnado en los papeles de los protagonistas amantes: eran Quijotes *avant-la-lettre*, recreándose en la *pestilencia amorosa* (como diría nuestro virtuoso caballero), obviamente porque no sabían dónde distinguir entre los sueños y la realidad. Y la novela era un *Galeotto*, un alcahuete (como dice Dante: «Galeotto fu il libro»), que, al hacer que el pasado apareciese como el presente, indujo a Paolo y a Francesca al pecado. (Si un americano medio —menos pecador que Paolo y Francesca, pero no menos romántico— se llevara un ejemplar de *Lo que el viento se llevó* o de *Anthony Adverse* para matar el rato en un viaje en tren a California, lo haría con la intención de reemplazar su presente «de viajero» por un pasado narrado, de habitar en este libro en vez de en el vagón de ferrocarril: su propósito no sería gozar de una muestra de arte *qua* arte.) Se dice que Balzac, ante un amigo que le visitó cuando estaba trabajando en su novela *Eugénie Grandet*, exclamó, con ojos del que está contemplando una alucinación, «elle est morte!»; la alucinación de la realidad en la novela puede ser tan completa que se apodere del autor mismo. ¡Podemos imaginarnos que Homero o el autor del *Cantar de los cantares* estarían más sobrios!

Al elemento ilusionista del libro español de caballerías, al elemento de ensoñación del *roman romantique* francés, Cervantes y Flaubert oponen su técnica desilusionadora. En sus contranovelas está presente, en igual grado que en sus modelos, un elemento extrapoético, en este caso, el de la crítica. Si los modelos idealistas tienden a seducirnos hacia paraísos artificiales y vicarios, la antinovela derivativa y escéptica nos haría darnos cuenta de las peligrosas trampas de la credulidad. Ambos géneros nos colocan en el plano de la acción: nuestro interés no es «desinteresado», como Kant pide que sea el disfrute del arte, y como es cuando nos encontramos ante un arte épico, puramente narrativo. Debemos aceptar el nacimiento de la novela como un hecho de la modernidad, y la existencia de sus dos variantes hermanas (la primera nacida del anhelo de escapar a una vida vicaria: la novela caballeresca, pastoral, de aventuras; la posterior creada para disipar la ilusión proporcionada por la anterior) como una polaridad necesaria en el arte narrativo postépico.

Cervantes, en aquel libro español que, como ha dicho Montesquieu, hizo que todos los anteriores libros españoles cayeran en el olvido, ha creado la segunda variedad de la novela: la novela crítica. Esta variedad cervantina ha sido ampliada en el siglo xix para dar cabida a la crítica no sólo del efecto pernicioso que sobre la vida tiene la literatura, como en *Madame Bovary,* sino la crítica de ciertas formas de la vida misma, de civilizaciones enteras. Esto lo encontramos en Balzac, Maupassant, Thackeray, Tolstoi, Proust, Thomas Mann, Faulkner; y los dos elementos, el ilusionador y el desilusionador, tienden a fundirse más y más: la imitación que de la realidad presente hace el novelista es tan excelente que fácilmente nos veríamos inducidos a las trampas de la ilusión, de no ser porque sobre las páginas vemos que se alza su dedo en señal de advertencia. La nostalgia por la belleza épica se manifiesta en recursos ilusorios incluso cuando el fin es la desilusión, como ocurre cuando Flaubert adopta la medida extrema de crear belleza poética partiendo de lo feo y lo estúpido. Hoy día preferimos en la novela una exactitud bien definida, rigurosa, crítica, pero, a pesar de ello, de la crítica de una civilización puede surgir, como surge a menudo en las novelas de Steinbeck, Hemingway y Faulkner, la belleza de un duplicado positivo: belleza épica pura, eterna.

Diríase que lo que acabamos de afirmar incita a creer que Cervantes, en su contranovela, o novela crítica, sólo deseaba destruir: ¿no queda en *Don Quijote* nada de aquel esfuerzo por volver a la belleza poética que hemos dado a entender al definir el género híbrido de la novela? Lo cierto es todo lo contrario. En primer lugar, en la narrativa de Cervantes, en su arte de periodizar, en la poesía entremezclada y, especialmente, en los discursos del protagonista, hay belleza poética; dado que (como hemos dicho) Don Quijote siempre tiene razón en lo que dice, pero menos en lo que hace, se le da la oportunidad de decir bellamente lo que no se le permite hacer con igual gracia: expresar en un estilo noble (y no siempre autoparódico) las emociones más nobles del tiempo de su autor, y tratar los temas que predominaban entre los pensadores del Renacimiento. Lo que Américo Castro nos ha enseñado sobre el pensamiento de Cervantes procede principalmente de las oraciones de Don Quijote: al pronunciar su discurso sobre la Edad de Oro, contra el fondo de la plácida belleza de la noche y las estrellas, en compañía de pastores primitivos, cenando frugalmente bellotas y vino, Don Quijote contemplará las bellotas con expresión meditativa, del mismo modo que Hamlet contempla la calavera del pobre Yorick, y verá en ellas los símbolos de una época perdida de sencillez y bondad natural: en lugar de la visión escindida y barroca que del mundo tiene Hamlet (¡aquí la muerte, aquí la vida!), presenciamos en esta escena una noble melancolía cristiana, una moderación clásica, una armoniosa fusión del protagonista con su entorno, del pensamiento y los sentimientos. El logro artístico de Cervantes ha consistido en transformar en poesía la materia prima de los temas filosóficos del Renacimiento, convertir las ideas en poesía, hacer que el «intelecto» cante («faire chanter les idées», como dice Valéry), del mismo modo que Rabelais lo había hecho de manera prosaica y Dante de forma trascendente. Y hay finalmente, al menos en la primera parte de *Don Quijote*, la escurridiza belleza poética de las historias cortas inter-

caladas, esos cuentos que, lejos de imitar el género al que pertenece la trama principal, nos precipitan en una atmósfera de vacío
romántico, donde las leyes del realismo han dejado de existir, y
donde sólo gobierna la imaginación, como, por ejemplo, la historia
de la amazona errante de las montañas, Marcela, o de la muchacha
morisca Zoraida, la cual, al abrazar el cristianismo, se ha convertido en María. Este juego escénico, que es posible gracias a la
presencia en *Don Quijote* de historias independientes que se parecen a las publicadas por Cervantes bajo el título de *Novelas
ejemplares* (la historia de Zoraida-María tiene cierta afinidad con
la de Preciosa la gitanilla), siempre ha intrigado a los comentaristas: si Cervantes empezó su obra con la intención de derribar la
máquina de la novela de caballerías, ¿por qué permite que por
una puerta lateral entre la máquina de historias escritas precisamente con el mismo espíritu que las novelas de caballerías? Si
lo que deseaba era prevenirnos de las interpretaciones fantasiosas
de la realidad por parte de su protagonista, ¿por qué será que las
historias, muy al contrario, generalmente justifican hechos que a
primera vista parecen fantasiosos, pero que, como se demuestra
posteriormente, son totalmente ciertos? La única explicación de
este procedimiento contradictorio es que Cervantes preveía la
sensación de desarmonía o de cosa incompleta que en el lector
produciría una antinovela en su forma pura, y que la naturaleza
armoniosa de Cervantes pedía que el sentido crítico se viese equi-
librado por la belleza de lo fabuloso. Así, pues, la totalidad de la
novela cervantina se divide en dos partes: una enseña la crítica
antes que la belleza imaginativa, la otra restaura la belleza imaginativa ante todo posible escepticismo. Pero, dado que las historias
ilusionistas están intercaladas en la novela crítica (y no al revés)
y dado que, además, se encuentran solamente en la primera parte
de la novela, debemos suponer que Cervantes, al mismo tiempo
que deseaba contrarrestar los efectos corrosivos de la antinovela
mediante la mezcla de ilusión tradicional, no vaciló en subordinar
el enfoque antiguo al nuevo: con él la crítica sale victoriosa en el
siglo de Descartes, incluso en España.

Uno de los milagros de la historia (a la que generalmente los
historiadores profesionales consideran más bien determinista por

encerrar fenómenos y figuras individuales en compartimientos estancos) es que los hechos más grandes a veces ocurran en el lugar y el momento en que menos lo esperaría el historiador. Es un milagro histórico que en la España de la Contrarreforma, cuando se tendía a reinstaurar la disciplina autoritaria, surgiera un artista que, treinta y dos años antes del *Discours de la méthode* de Descartes (esa autobiografía de un pensamiento filosófico independiente), iba a darnos una narrativa que es sencillamente una exaltación de la mente independiente del hombre, y de un tipo de hombre especialmente poderoso: el artista. No es Italia con su Ariosto y Tasso, ni Francia con su Ronsard y d'Urfé, ni Portugal con su Camoens, sino España la que nos dio una narrativa que es un monumento al narrador *qua* narrador, *qua* artista. Porque, aunque los protagonistas de nuestra novela parecen ser Don Quijote, con su continua tergiversación de la realidad, y Sancho Panza, con su escéptica semiaprobación del quijotismo, los dos son eclipsados por CERVANTES, el artista de la palabra que combina un arte crítico e ilusionista de acuerdo con su libre albedrío. Desde el momento en que abrimos el libro hasta el momento en que lo dejamos, se nos da a entender que nos dirige un jefe supremo todopoderoso, que nos conduce adonde le place. (Sin duda, esta tendencia autoritaria misma concordaría con el espíritu de la Contrarreforma; pero, en nuestro caso, el hombre en el que se aloja semejante poder es el artista.) El prólogo que he mencionado nos muestra a Cervantes inmerso en la perplejidad del autor que da los últimos toques a su obra y colegimos que el amigo que, al parecer, acudió a ayudarle con una solución no era más que una voz dentro del poeta que creaba libremente. La primera oración de la narrativa propiamente dicha: «En un lugar de La Mancha de cuyo nombre no quiero acordarme» es una prueba más de que Cervantes insiste en su derecho a la libre invención. Si bien acepto las sugerencias hechas recientemente por Casalduero y María Rosa Lida de Malkiel en el sentido de que lo que tenemos aquí es un recurso habitual en los sencillos cuentos populares y opuesto a la complicada técnica de las novelas en las que se indicaba claramente el lugar de origen de los héroes, creo que también está presente, en este principio de la novela, cierto énfasis sobre el derecho del narrador a indicar u omitir los detalles que quiera, recurso este que ha sido imitado por Sterne y Goethe en el siglo XVIII («Eduard —so nennen wir einen reichen Baron im bestem Mannesalter») y por Melville en el siglo XIX («Llamadme Ismael»), un recurso mediante el cual el narrador recuerda al lector su dependencia respecto de él. Es más, Cervantes finge no conocer a ciencia cierta el nombre de sus protagonistas: ¿el caballero se llamaba Quijada, Quijano o Quijote? ¿Sancho se llamaba Panza o Zancas? ¿Su esposa se llamaba Teresa Panza, Mari-Gutiérrez o Juana Gutiérrez? Cervantes finge no saberlo o que sus fuentes dan nombres distintos. Estas variaciones no son nada más que vindicaciones de su libertad artística para elegir los detalles de su historia entre infinitas posibilidades. Y en la última página del libro, cuando, tras la cristiana muerte de Don Quijote, Cervantes hace que el historiador árabe Cide Hamete Benengeli (cuya crónica había utilizado supuestamente a guisa de fuente) guarde su pluma, que descansará para siempre encima de la espetera, con el fin de salir al paso de cualquier continuación espuria de la novela como la empresa piratesca de Avellaneda, sabemos que la referencia al seudohistoriador árabe no es más que un pretexto que Cervantes utiliza para reclamar para sí la relación de padre verdadero (¡ya no el padrastro!) de su libro. Entonces la pluma del cronista suelta un largo discurso que culmina con las palabras: «Para mí sola nació don Quijote, y yo para él; él supo obrar, y yo escribir; solos los dos somos para en uno»). Un imperioso «solos» que únicamente Cervantes podría haber dicho y en el que no sólo aparece lo que hoy día llamaríamos la reivindicación por parte de un autor de los derechos de propiedad intelectual sobre un personaje por él creado, sino en el que se afirma todo el orgullo renacentista del poeta: el poeta que era el inmortalizador tradicional de los grandes hechos de los héroes y príncipes históricos. Éste, como es sabido, era el transfondo económico del artista del Renacimiento; recibía su sostén del príncipe a cambio de la gloria inmortal que confería a su benefactor. Pero Don Quijote no es ningún príncipe de quien Cervantes pudiera esperar recibir una pensión, tampoco es protagonista de grandes hechos en el mundo exterior (su grandeza radicaba solamente en su cálido corazón), y ni siquiera es un ser del que pudiera dar testimonio alguna fuente histórica, por mucho que Cervantes simulara disponer de tales fuentes. Don Quijote adquirió su inmortalidad exclusivamente en manos de Cervantes, como él mismo sabe y admite. Obviamente, Don Quijote hizo solamente lo que Cervantes escribió, y nació para Cervantes en la misma medida en que ¡Cervantes nació para él! En el discurso salido de la pluma del seudocronista tenemos una autoglorificación del artista, discreta pero al mismo tiempo franca. Es más, el artista Cervantes crece en virtud de la gloria alcanzada por sus personajes; y en la novela vemos el proceso mediante el cual las figuras de Don Quijote y Sancho se convierten en personas vivientes, que surjen de la novela, por decirlo así, para ocupar su puesto en la vida real, convirtiéndose finalmente en figuras históricas inmortales. En su ensayo sobre *Don Quijote*, Thomas Mann ha dicho: «Esto es singular. No sé de ningún otro héroe de novela de la literatura universal que viviera igualmente, como si dijéramos, de la gloria de su propia glorificación (*ein Held der von seinem Ruhm, von seiner Besungenheit lebte*)». En la segunda parte de la novela, cuando el duque y la duquesa piden que se les deje ver las figuras ya históricas de Don Quijote y Panza, este último le dice a la duquesa: «... y aquel escudero suyo que anda, o debe andar, en la tal historia, a quien llaman Sancho Panza, soy yo, si no es que me trucaron en la cuna; quiero decir, que me trucaron en la estampa». En tales pasajes Cervantes destruye a propósito la ilusión artística: él, el titiritero, nos deja ver las cuerdas que mueven a sus marionetas: «mira, lector, esto no es la vida, sino un escenario, un libro: arte; ¡reconoce el poder que de dar vida tiene el artista como algo aparte de la vida!». Multiplicando sus máscaras (el amigo del prólogo, el historiador árabe, a veces los personajes que le sirven de portavoz) Cervantes no hace sino reforzar más su dominio sobre todo ese cosmos artístico que su novela representa. Y la fuerza de su dominio se ve realzada por la naturaleza misma de los protagonistas: Don Quijote es lo que hoy día llamaríamos una personalidad escindida, a veces racional, a veces necia; también Sancho, que en ocasiones no es menos quijotesco que su amo, otras veces es incalculablemente racional. De esta manera el autor hace que le sea posible decidir en qué momento

sus personajes se comportarán razonablemente, en qué otro lo
harán neciamente (nadie es más imprevisible que un necio que pretenda ser sabio). Al empezar su viaje con Sancho, Don Quijote
promete a su escudero un reino en una isla en el que él gobernará,
justamente lo que se hacía en numerosos ejemplos de literatura
caballeresca en el caso de los escuderos. Pero, guiándose por su
juicio crítico (del que no carece del todo), Don Quijote promete
dárselo inmediatamente después de su conquista, en vez de esperar
a que el escudero se haga viejo, como se acostumbra a hacer en los
libros de caballerías. La vertiente quijotesca de Sancho acepta su
futuro reino sin poner en duda su posibilidad, pero su naturaleza
más realista prevé —y critica— la escena real de la coronación:
¿qué aspecto tendría su rústica esposa, Juana Gutiérrez, con una
corona sobre la cabeza? Dos ejemplos de necedad, dos actitudes
críticas: ninguna de ellas corresponde a la actitud del escritor, que
se mantiene por encima de las dos personalidades escindidas y de
las cuatro actitudes. A veces Cervantes ni siquiera decide si las
inferencias erróneas que Don Quijote saca de lo que ve son o no
totalmente absurdas: da a entender que la bacía de barbero le
parece un yelmo a Don Quijote y puede parecer otra cosa a otras
personas: perspectivismo es lo que enseña y puede que incluso
exista un baciyelmo, es decir, una bacía que al mismo tiempo sea
un yelmo: el hecho mismo de inventar una palabra es reflejo de
las formas híbridas de la realidad. Pero mi opinión es que este
perspectivismo realza la figura del novelista.

Con esta tolerancia hacia sus personajes, que es también un
principio algo maquiavélico de «divide y vencerás», el autor logra
hacerse indispensable para el lector: al mismo tiempo que, en su
Prólogo, Cervantes pide una actitud crítica de nosotros, nos hace
depender aún más de él como guía que nos ayudará a atravesar
las intrincaciones psicológicas de la narrativa: aquí, al menos, no
nos deja libre albedrío. Incluso podemos inferir que Cervantes
gobierna imperiosamente sobre su propio ser: él fue quien creía
que su ser estaba escindido en una parte crítica y otra ilusionista
(desengaño y engaño); pero en este ego barroco él puso orden, un
orden precario, es cierto, al que sólo una vez llegó Cervantes en
todas sus obras y al que en España sólo llegó Cervantes (puesto que

Calderón, Lope, Quevedo, Gracián decidieron, al estilo medieval, que el mundo no es más que ilusiones y sueños, que los sueños sueños son). Y, a decir verdad, solamente una vez se ha dado este orden precario en la literatura universal: pensadores y artistas posteriores no dudaron en proclamar la inanidad del mundo: llegaron al extremo de dudar de la existencia de un orden universal y, al imitar el perspectivismo de Cervantes (Gide, Proust, Conrad, Joyce, Virginia Woolf, Pirandello), no alcanzaron a percatarse de la unidad que había detrás del perspectivismo, de manera que, en sus manos, a veces se permite la desintegración de la personalidad del autor mismo. Cervantes se encuentra en el polo opuesto de esa moderna disolución de la personalidad del narrador: lo que él intentó —en el último momento antes de que se desuniera la visión cristiana unificada del mundo— fue restaurar dicha visión en el plano artístico, mostrar a nuestros ojos un cosmos escindido en dos mitades separadas, desencanto e ilusión, que, sin embargo, como por obra de un milagro, no se deshacen. La anarquía moderna contenida por la voluntad clásica de equilibrar (¡la actitud barroca!). Constatamos ahora que no es tanto que la naturaleza de Cervantes esté escindida en dos (crítico y narrador) porque así lo exige la naturaleza de Don Quijote, sino que antes bien Don Quijote tiene un carácter escindido porque su creador era un crítico-poeta que sentía con fuerza casi igual la necesidad de la belleza ilusoria y la de claridad diáfana.

Podría ser que a los lectores modernos el «carácter patológico» de Don Quijote les parezca un caso típico de frustración social: una persona cuya locura está condicionada por la insignificancia social en la que había caído la casta de los caballeros, con el comienzo de la guerra moderna, ya mecanizada hasta cierto punto, del mismo modo que en *Un coeur simple* de Flaubert se quiere que veamos como socialmente condicionadas las frustraciones de Félicité, la criada doméstica, que llevan a la aberración de su imaginación. Sin embargo, quisiera prevenir al lector en contra de interpretar a Cervantes en términos del resentimiento sociológico del siglo XIX que muestra Flaubert, ya que el propio Cervantes nada ha hecho por fomentar semejante enfoque sociológico. Don Quijote consigue recobrar su sensatez, aunque no sea hasta su le-

cho de muerte, y su locura de antes no es más que un reflejo de
esa carencia de razón generalmente humana por encima de la cual
el autor ha querido colocarse.

Muy por encima del cosmos a escala mundial creado por él, en
el que se funden centenares de personajes, situaciones, vistas, temas, tramas y subtramas, se halla entronizado el ser de Cervantes,
un ser creativo que lo abarca todo, un Creador artístico visiblemente omnipresente que graciosamente hace al lector partícipe de
su confianza, mostrándole la obra de arte en fase de creación, así
como las leyes a las que está necesariamente sometida. En un sentido este artista se parece a Dios, pero no está deificado; lejos de
nosotros concebir a Cervantes como alguien que tratase de des-
tronar a Dios y reemplazarlo por un semidiós artístico. Por el
contrario, Cervantes se inclina siempre ante la sabiduría suprema
de Dios, tal como la encarnan las enseñanzas de la iglesia católica
y del orden establecido del estado y la sociedad. Pero, por otra
parte, el novelista, por el mero arte de su narrativa, ha ampliado
la independencia de demiurgo del artista. Su humor, en el que
caben muchos estratos, perspectivas, máscaras, de relativización
y dialéctica, da testimonio de su alta posición por encima del
mundo. Su humor es la libertad de las alturas, una libertad bajo
la cúpula de esa religión que afirma la libertad del albedrío.

Hay, en ese mundo de su creación, al alcance de adultos y
niños por un igual, el aire vigorizante con el que podemos llenar-
nos los pulmones y que agudiza nuestros sentidos y juicio individuales, y la lucidez cristalina de un Hacedor artístico en sus
múltiples reflejos y refracciones. Quizás al niño que llevamos
dentro y que quiere abrirse paso a través del laberinto del mundo
hacia la claridad intelectual, sin que se empobrezca su corazón,
bajo estrellas benignas y ordenadas, no se le escape un arte cuya
sofisticación enriquece al mundo, lo hace más interesante y más
habitable. En efecto, las más grandes obras de arte tienen la facultad, tras hacernos ver las perspectivas más inesperadas, de devolver, al mundo renovado, esa sencillez y riqueza prístinas que
debió de tener el primer día de la creación, esa bienaventuranza
interna de belleza que se complace en sí misma, esa bienaventuranza que tiene tanto de divina como de infantil.

Como probablemente habrán observado, mi interpretación histórica de *Don Quijote* se encuentra en el polo opuesto de la de Unamuno, que cree que la historia de la vida de Don Quijote y de Sancho Panza le fue dictada a la pluma de Cervantes por el supranacional y perenne carácter nacional español, por la innata voluntad española de alcanzar la inmortalidad a través del sufrimiento: el sentimiento trágico de la vida de la raza española encarnado en las figuras del casi santo Nuestro Señor Don Quijote de la Mancha y de su evangélico escudero. En mi opinión, es Cervantes, el dictador artístico, el que dictó la historia a su pluma, y Cervantes, que no era un semicristiano como Unamuno, no sabía de casi-santos ni de santos «hipotéticos», siendo capaz de distinguir claramente el plano terrenal del trascendental; y, en el primero de dichos planos, obedeció a su propia razón soberana. No debemos negarle a Unamuno el derecho a edificar su propia visión poética sobre la novela de Cervantes (dado que el mismo Cervantes, como hemos visto, edificó su visión crítica sobre literaturas anteriores), pero podemos poner en entredicho la validez histórica de la interpretación unamunesca de la novela de Don Quijote, y quizá poner también en tela de juicio la sabiduría de hacer de un personaje novelístico, explícitamente condenado o puesto en entredicho por Cervantes, un héroe nacional de España; ¿era en bien de la regeneración moral de la nación española presentar a un necio divertido en una novela como el verdadero héroe nacional? A mí me parece, entonces, que Cervantes no pertenece a la familia de Pascal o Kierkegaard, que buscaban desesperadamente a Dios, sino a la de Erasmo, Descartes y Goethe, de los humanistas serenos y los plácidos adoradores de lo divino, que lo veían en toda su variedad de formas terrenales.

12. EL BARROCO ESPAÑOL *

El vocablo *barroco* fue al principio una palabra vaga, sin sentido preciso, hasta que hacia 1915 un historiador del arte suizo, Wölfflin, le dio arbitraria y deliberadamente una significación nueva y precisa. Ese sentido a lo Wölfflin de la palabra *barroco* se vio en seguida envuelto en una pequeña gloria mágica por obra de acólitos harto entusiastas, y a la par contradicho por los adversarios. Tras veinte años de vacilaciones la palabra ya ha tomado un valor técnico y se acepta en las discusiones literarias y artísticas; pero su sentido no es ni muy preciso ni muy vago, y por eso debe usarse con circunspección. Es al fin y al cabo lo que ocurre con tantas palabras abstractas de una lengua, por ejemplo, con la palabra *evolución*. Primero pasan por una época de empleo vago, luego viene un esfuerzo de pensamiento a tratar de imprimirles un sentido fijo y conciso, confiriéndoles una nueva *vis magica*. Ese esfuerzo no llega a triunfar del todo, y lo que de él queda es un término técnico suficientemente claro, que los hombres utilizan para denominar un fenómeno limitado, y para poder seguir corriendo tras nuevos ídolos verbales, que a su vez no tardarán mucho en perder el esplendor de su novedad. El enriquecimiento del léxico corriente parece ser paralelo al empobrecimiento del contenido originario de las palabras. Una especie de *desengaño* pesa sobre toda tentativa de conocimiento humano.

* Conferencia basada en una traducción por el poeta Pedro Salinas y dada en el verano de 1943 en la escuela española de Middlebury (Vermont); publicada en el *Boletín del Instituto de Investigaciones Históricas*, Buenos Aires, XXVIII, pp. 12-30; y reimpresa en *Romanische Literaturstudien, 1936-1956*, pp. 789-802.

La palabra *barroco* fue al principio, en el siglo XVII, una palabra francesa que significaba 'bizarre, fantasque', extraño, fantástico. No se conoce su origen. ¿Se refiere a la perla barroca, es decir irregular, expresión conocida desde el siglo XVI y de procedencia indudablemente ibérica, o al nombre de uno de los silogismos escolásticos, tan venidos a menos en el siglo XVII? Lo seguro es que cuando se decía en francés arte o estilo barroco era para menospreciar ese arte o ese estilo. No se aplicaba ese peyorativo a un arte o estilo históricamente determinado. Tal era el estado de cosas hacia mediados del siglo XVIII, cuando un crítico de arte alemán, Nicolai, nos cuenta que los franceses llaman el arte entonces a la moda: *rocaille, grotesque, arabesque, à la chinoise* o de *gusto barroco*. En el siglo XIX la palabra se aplicó definitivamente a la arquitectura de los maestros italianos del XVII, como Borromini, por oposición a lo clásico. Todavía llevaba implícito el tono peyorativo, ya que el arte barroco del siglo XVII no se aparecía sino como una deformación del ideal clásico, ideal que según se creía entonces reproducía la mesura y la euritmia griegas. Wölfflin es quien en Munich, en 1915, en sus *Conceptos fundamentales de historia del arte*, quitó a la palabra *barroco*, aún aplicada al arte del siglo XVII, su tono peyorativo, demostrando que en el arte barroco no había una facultad creadora inferior a las de otros artes, sino una intención artística distinta, otra *Kunstwollen*. Por medio de una serie de paralelismos en que describía, oponiéndolos, el arte clásico y el arte barroco llegó a definir estas dos maneras, según él equivalentes. Si la pintura clásica de un Rafael es lineal, dibujada, la pintura barroca de un Rembrandt es coloreada, pictórica. Si en una Venus del Tiziano, el pintor concede igual atención a todos los miembros del cuerpo, la figura de la Venus barroca de Velázquez estará toda subordinada a un «acento», como unificada. Ese mismo «acento» unificador se observa en otros cuadros en la profundidad de fondo de la composición hacia la cual parece que se sienten atraídas todas las figuras. El arte barroco evita la simetría absoluta y con la asimetría da una apariencia de movimiento a los cuadros de grupos. Para Wölfflin la secuencia Renacimiento-Barroco es una evolución necesaria e irreversible. Siempre, y no sólo en el siglo XVII, después de un arte clásico viene un arte barroco;

a la pintura delineada sucede la pintura pictórica. Y Wölfflin coloca en lugar de la antigua apreciación crítica, clásico = medida, barroco = exageración, la afirmación de una evolución histórica necesaria.

Otros críticos e historiadores fueron ampliando las ideas de Wölfflin, siguiendo tres direcciones principales, las tres indicadas ya en la obra del maestro.

Era, por ejemplo, evidente, que el «acento» que tendía a imponerse a todos los detalles, o sea la unificación propia de la pintura o la arquitectura barrocas, correspondía al acento unificador que había introducido en la vida en general de aquella época el Concilio de Trento (terminado en 1563) que frente a la Reforma, tendía a reorganizar el catolicismo por medio de una Contrarreforma autoritaria acentuando fuertemente las creencias que la Iglesia quería volver a imponer. Así, el sentimiento de la vida de aquel momento histórico se expresaba por un arte exactamente congruente.

Por otra parte los historiadores de la literatura alemana Fritz Strich y Oskar Walzel, sirviéndose de la idea, tan favorecida por los románticos de que un arte de una época debe proyectar una nueva luz sobre otro arte del mismo período (*wechselseitige Erhellung der Künste*), quisieron aplicar las categorías de Wölfflin a la poesía de la época barroca. Y así se intentará probar, con mayor o menor éxito, y especialmente para las obras dramáticas, que éstas aparentan tener una arquitectura como la tiene una iglesia: que la tragedia de Shakespeare es barroca, y la francesa clásica, en el sentido wölffliniano de estos dos términos. Hasta las poesías líricas pueden ser o delineadas, clásicas, o pictóricas, barrocas.

La tercera dirección nacida de Wölfflin consistió en encontrar secuencias homólogas a la del desarrollo del arte en los siglos XVI y XVII en otras épocas históricas. Así especialmente el historiador del arte Worringer encontró antecedentes del arte barroco, tan lleno de movimiento, en el gótico de la Edad Media y vio en los románticos y en los expresionistas de la postguerra sucesores de los artistas barrocos. A través de los siglos «el hombre gótico» —expresión creada por Worringer— se daba la mano con el hombre barroco, el *homo romanticus,* el *homo expressionisticus,* etc. Vistas en conjunto la historia del arte y de la literatura aparecían impulsadas por grandes flujos y reflujos: un clasicismo, y después un barroco, otro clasicismo y tras él otro barroco, y así sucesivamente. Ése es también el punto de vista de Eugenio d'Ors que descubre un barroco portugués del siglo xv en el estilo llamado manuelino. De este modo las palabras «clásico» y «barroco» perdieron su sentido estrecho que las aplicaba a épocas precisas y se convirtieron en vocablos de orientación relativos: se habló de un barroco del Trecento italiano y hasta de un barroco griego, todo ello en detrimento grave de una delimitación clara de los fenómenos artísticos particulares.

He hecho un esbozo de estas tentativas para que asistieran ustedes al nacimiento de un mito, el mito de «el hombre barroco», tan glorificado ahora, como antes era vilipendiado el arte del mismo nombre. Wölfflin en su teoría había arrancado de rasgos de estilo susceptibles de observación y evidentes para la mirada de una persona «para quien existe el mundo exterior». Había imaginado sus categorías, abstrayéndolas de la observación visual, para dar a la historia del arte mayor objetividad, liberándola del «sentimental approach». Quiso dar al arte algo así como una gramática histórica, tomando el arte a modo de cosa suprapersonal, por encima de los artistas particulares. Pero entonces el alma alemana se apodera de sus categorías *gráficas* y saca de ellas el mito del *hombre barroco.* He dicho «el alma alemana» porque hay en ésta una necesidad innata de tomar en serio no sólo la historia hasta el punto de creer que todo desarrollo histórico *de hecho,* que ha ocurrido, era necesario ante Dios (lo cual llega a lo grotesco en la aceptación por los alemanes del *hecho* Hitler), sino de tomar también con la mayor seriedad las categorías formuladas por los historiadores cuando quieren cumplir su misión de explicar un proceso histórico. Y así se olvidan del carácter de construcción y aproximación humanas de esas categorías y divinizan o encumbran hasta la apoteosis lo que para otros pueblos no pasaría de ser etiquetas. Algo más que casualidad parece el hecho de que palabras como *Renacimiento, Romanticismo, Rococo, Biedermeier* (esta última circula sólo en Alemania) hayan sido convertidas en ese país en entidades objetivas, a cuya definición y descripción se consagra a veces mucho más espacio que al análisis de los hechos concretos. En esto Alemania es el polo opuesto del espíritu anglosajón que desconfía por principio de cualquier término de orientación. El historiador holandés Huizinga ha declarado que los alemanes han contribuido ellos solos con más explicaciones que nadie a la aclaración del concepto Renacimiento, desde Burckhardt hasta Burdach. Es natural porque sólo los alemanes ven con los ojos de su alma el Renacimiento como una alegoría. Insisto sobre el carácter alemán de esta tendencia espiritual, sobre esa necesidad alemana de alegorizar, de mitificar un período histórico. El mismo Wölfflin, persona de singular pureza y austeridad de espíritu, se asustaba un poco de esa marea de adhesión que encontró en el público alemán. Y mi amigo Vossler me decía que había aceptado una invitación de una Universidad suiza sólo «para escaparse de sus alumnos alemanes».

Creo, sin embargo, que en esa aceptación entusiasta de la rehabilitación wölffliniana del arte barroco se revela algo más que esas necesidades filosófico-míticas del alma alemana. Se trata, quizá sin que el mismo Wölfflin se diera cuenta de ello, de un cambio de espíritu que se operó lo mismo en Alemania que en el resto de Europa después de la primera guerra mundial: los valores religiosos, tan despreciados, recobraron su posición preeminente. En Francia hubo, lo mismo que en Alemania, una renovación católica; en Escandinavia, en Suiza, en Inglaterra y también en Alemania, una renovación protestante. Y en todas partes encontraron un eco más cordial el arte y la literatura del siglo XVII católico, por lo empapados que estaban de sentimiento religioso. Por ejemplo, Nadler descubrió que toda una literatura católica y barroca de la Alemania meridional había sido enterrada bajo un silencio reprobador por la crítica alemana protestante y deísta del siglo XVIII. España se benefició muy particularmente de esta rehabilitación del catolicismo post-tridentino en Europa. La *leyenda negra* inventada por los enciclopedistas franceses del XVIII se disipó gracias también a la casualidad —si es que podemos llamarlo casualidad— de que en el momento mismo en que Europa se descubría un oído atento a lo español, España tenía escritores como Unamuno y Ortega y Gasset, que sabían formular un mensaje español inteligible para los europeos, abogando por el retorno a una tradición multisecular pero sin caer en una reacción ciega. Tras los historiadores del arte como Meier-Gräfe, que descubre al Greco, y Weisbach, que estudia el arte de la Contrarreforma, todos mis compañeros romanistas, en su mayoría salidos de medios protestantes de un espíritu sobrio, ético, abstracto, se ponen a estudiar, hacia 1924, la literatura española. Karl Vossler, en su «Carta española a Hugo von Hofmannsthal», estudia el Siglo de Oro; Ernst Robert Curtius, en la revista católica Hochland, la generación del 98. Es decir que lo mismo se estudiaba la tradición literaria de España que su renacimiento contemporáneo, a Don Quijote que a Unamuno; y estos estudios, precisamente porque procedían de ojos protestantes a quienes de pronto se les había quitado la venda, eran más penetrantes que la historia de la literatura del Siglo de Oro escrita por un católico de tendencias apologéticas como Ludwig Pfandl (1929). Antes no se veía en el arte y la poesía españoles otra cosa que obscurantismo, fanatismo, exageración, contorsiones, groserías; se comprende ahora la honda fe católica que había en el fondo de ese violento dinamismo. Y así se explica que para un austriaco como yo, criado junto a la arquitectura barroca de la Karlskirche de Viena, educado en los estudios sobre el teatro español de Grillparzer y en sus imitaciones por Hofmannsthal, nunca pareció un problema eso de que el catolicismo mediterráneo (español o italiano) haya encontrado en la misma sensualidad la expresión de lo trascendente. Los protestantes se complacen en ver en el hecho divino algo radicalmente diferente que trasciende de este mundo, y el protestantismo se centra, en suma, de acuerdo con su biblicismo del Antiguo Testamento, en torno al Dios judío abstracto, que no se manifiesta sino espiritualmente y en raras ocasiones, por el trueno, por la zarza ardiente, a Moisés, y le da las tablas de la Ley. El catolicismo mediterráneo comprendió siempre la parte de la carne en el misterio de la Encarnación de Cristo y es el arte español el que expresa mejor el *Verbum caro factum,* la segunda persona de la Trinidad. No es sólo la razón lo que postula lo divino, es también la carne del hombre mismo. Para el intelectual el gran misterio (y así lo entendió el intelectual francés Barrès al volver a descubrir Toledo) no es que haya por encima de su propio intelecto limitado una divina razón universal, sino que ese intelecto humano esté ligado a una carne humana, opaca, espesa; lo cual sería desesperante si la divinidad no hubiera penetrado en ella, si la divinidad misma no se hubiese encarnado. André Gide ha descrito en sus obras literarias analógas angustias del intelectual privado de sus «nourritures terrestres». Permítanme que intercale aquí algún recuerdo personal, porque los que voy a citar me parecen muy expresivos de nuestra época. Cuando yo era mozo y escuchaba en la Sinagoga al rabino de barba venerable que predicaba la misión espiritual de Israel, aquello me parecía demasiado abstracto. ¿Por qué no nos hablaba, me decía yo, de las ilusiones y pecados de la sensualidad que para el hombre de espíritu deben ser las grandes piedras de toque? Aceptaba él, sí, la misión espiritual del hombre, pero al problema de la carne se le daba de lado con harta facilidad. Y, por el contrario, cuando siendo ya profesor de una Universidad protestante alemana, asistía en 1928 a las procesiones casi paganas de la Semana Santa de Sevilla, cuando la catedral se derrama en la calle, cuando las cofradías religiosas llevan en los pasos Vírgenes sobrehumanas vestidas de brocado, abrumadas de joyería, Magdalenas con pelo de verdad, Cristos que en su carne muestran la abyección del martirio, sentíame trastornado hasta lo más hondo de mi alma por algo como un horror entre místico y carnal, a la par; aquí, a dos pasos, se me representaba el descenso de lo espiritual en lo carnal. Ya la divinidad no se dejaba *oír* en las nubes augustas del Horeb de Palestina, sino que se dejaba *ver*, aquí, ahora, hic et nunc, en la Sevilla de 1928, entre el ruidoso tumulto de los vendedores ambulantes de dulces y de globos; y las saetas dedicadas a la Virgen desde un balcón proclamaban la proximidad de lo divino a lo humano; la belleza sensual podía ponerse al servicio de lo divino católico que ha comprendido la carne. Bien sabía yo que algunas de esas imágenes de talla que desfilaban por delante de mí, en un cielo de cirios, databan realmente del siglo XVII, o que por lo menos su estilo era un resto popularizado de ese arte que no se había quedado confinado en los museos. Luego, en los museos de la misma Sevilla, vi a ese Cristo de Murillo que desprende un brazo de la cruz y casi acaricia la cabeza de san Francisco, arrodillado; y ese beato Susón de Zurbarán, de mística mirada, que se desgarra con un estilete de carne a la diestra del pecho, para triunfar sobre el demonio encerrado en la redoma que el beato sostiene con su mano izquierda. Y vi en Granada la cabeza de san Juan Bautista en relieve donde la descomposición de la muerte está pintada y modelada con colores tan radiantes y con tal movimiento de vida que me recordó «La Charogne» de Baudelaire; y aquel armario con sus adornos de plata y de espejos, que nos da la impresión de un tocador de *précieuse* cuando en realidad cada cajoncito está dedicado a reliquias de santos, huesos o restos humanos. Comprendí entonces todo lo abstracto de la enseñanza moral judeoprotestante y toda la profundidad concreta que hay en la carnalidad religiosa del catolicismo mediterráneo, en el cual nunca se nos puede olvidar ese «¡soy de carne, soy de carne!» que el conde Keyserling oyó gritar a un niño español, ese catolicismo español que mezcla lo divino a los goces y desfallecimientos de la carne. Paganismo, puede ser, pero paganismo cristianizado que extrae espiritualidad de la carne voluptuosa, que pone al servicio de Dios hasta la misma carne.

Y con esto ya hemos llegado al centro del problema del barroco español. ¡Qué distantes se nos aparecen ahora las categorías pictóricas y arquitectónicas de Wölfflin, gramática abstracta de un arte que ya se concebía como una abstracción! *El fenómeno humano, concreto, primordial, del barroco español es la conciencia de lo carnal juntándose con la conciencia de lo eterno.* Si el Renacimiento italiano despertó la mirada del hombre occidental, dormida o atemorizada por el trascendentalismo medieval, para ponerla en la belleza sensual de la naturaleza y del hombre, en la Gioconda, en Venus, en Pan, el barroco español, abierto también a los «milagros del mundo», no se olvidó nunca de la caducidad de esa belleza, de la proximidad de lo trascendente a las fiestas de la carne. Para el barroco español no hay más que un breve paso de lo rosa a lo negro, de la carne a la muerte. En él lo eterno se mezcla con lo más efímero: no se puede desarrollar el festín de la vida sin que el *memento mori* se siente a la mesa, y el *me-*

mento mori entra en escena con todos los oropeles del fasto secular. El hecho espiritual se aparece siempre encarnado y la carne llama siempre a lo espiritual. Los dos principios de esta filosofía dualista se han mantenido siempre separados, llamándose el uno al otro. La polaridad no se resuelve jamás en una unidad integrada: lo rosa, aunque esté contiguo a lo negro, no es lo negro. No conocerá el barroco español ni la subordinación del espíritu a la carne, como en el estilo rococó de Watteau y de Fragonard, ni la subordinación de la carne al espíritu, como en Rembrandt y en tantos otros artistas protestantes. Ni tampoco conocerá la disolución de los dos principios en un espiritualismo panteísta, al modo de los maestros italianos del Renacimiento, como en Tiziano, en Leonardo, en Rafael. El dualismo siempre está allí, presente; el tema barroco por excelencia es el *desengaño,* el sueño opuesto a la vida, la máscara opuesta a la verdad, la grandeza temporal opuesta a la caducidad. Ese dualismo está en las dos inspiraciones de Murillo, la llamada realista y la llamada idealista; en las dos inspiraciones de Velázquez, que nos muestra ya el fasto de la grandeza terrenal, ya las mutilaciones de la carne, en sus bufones, sus enanos, en Cristo; y alguna vez la carne delicada, casi como fundiéndose, del rey revestido de la pompa resplandeciente del monarca. Se observa especialmente en el realismo «fétido» de Valdés que pinta la caducidad del cuerpo humano abrumado por las pomposas vestiduras de obispo o de soberano: *sic transit gloria mundi.* La belleza de los cuerpos y los ropajes del Greco están impregnadas de amarillos, de lividez, del verde de la muerte extática y de la naturaleza aborrascada del día del juicio final. La delicada Virgen sonrosada de Zurbarán cobija bajo su manto fastuoso a monjes corpulentos y barbudos. No se funden lo espiritual y lo físico. Ese claroscuro del que surgen los cuerpos descarnados, pero brillantes, de los ermitaños de Ribera no deja duda alguna sobre la irreductibilidad de los dos elementos en pugna, cuerpo y espíritu. Como si la luz deslumbrante del sol de España exigiera a modo de complemento la negrura de la iglesia y la oscuridad del convento. Es indudable que en estos cuadros hay un «acento» como lo quiere Wölfflin. Es la enseñanza espiritual que evoca al más allá; pero ese acento está por encima de la polaridad dualista, siempre mantenida. Tiziano podía entregarse al goce de seguir con paciencia los deliciosos detalles físicos de sus Venus. Velázquez, acostumbrado como estaba a dar un sentido final a sus producciones, tenía que reunir todos los distintos detalles en un haz, hasta en un cuadro, como su Venus, en que no aparece ningún sentido trascendente. El espíritu triunfa en el arte barroco, pero el artista nos invita, a nosotros espectadores, a hacer el mismo esfuerzo que él sintió. Ese es el dinamismo interior que comunica el arte barroco; hay que extraer el principio espiritual del amontonamiento de la carne, como el Segismundo de Calderón aprende a separar la vida del sueño.

Al citar *La vida es sueño* ya volvemos la mirada a la literatura barroca española. ¿Quién ha descrito con más esplendor que Calderón la situación de ese príncipe en el mundo, las atracciones del poder material y del amor, y luego la terrible caída de aquel soberbio y su comprensión del *frenesí* del sueño mundano, de *los sueños que sueños son*? ¿Quién ha sabido manejar mejor que Lope de Vega los fuegos de artificio, los espejismos, los primores de la belleza y de la riqueza, del espíritu y de la poesía, en su llamada autobiografía, *La Dorotea,* para hacernos desembocar en la sombría prédica de *Todo deleite es dolor*? Recuerdo que una vez leía en Istanbul, con mis discípulos las redondillas preliminares del acto tercero de *Barlaán y Josafat,* de Lope de Vega, donde se enumeran todas las bellezas de una naturaleza exótica, árboles, palmeras, arroyos, etc. La enumeración culmina en un *concepto* sobre los arroyuelos que reflejan el cielo. «Aunque en él no nacéis ... pasáis por el paraíso, pues entre santos nacéis.» Hace alusión a san Barlaán, que habitaba esos parajes. Mis discípulos turcos, todas muchachas, sentían muy bien la poesía, pero lamentaban que el poeta español no hubiera terminado en el verso penúltimo. Y es que no comprendían el fenómeno barroco de la polaridad, naturaleza-santos, hombre-santo. Y Góngora, que multiplica en sus descripciones pomposas las bellezas físicas y los rasgos ingeniosos, verbales, se encierra luego en una *soledad* sonora, en un mundo no religioso, ciertamente, pero austero como lo fue el monaquismo del artista. Cervantes, por muy clásico que sea, pasea a su fantástico héroe por un mundo imaginario, para luego hacerle morir como buen cristiano, después de haberse dado cuenta de la vanidad de los sueños librescos. Y por fin los dos maestros más barrocos de la prosa española, Gracián y Quevedo, el uno, Gracián, llevándonos a beber a todas las fuentes de la belleza, de la juventud y del poder del mundo, para luego administrarnos la copa amarga del *desengaño*, erigiendo ante nosotros la fachada gallarda del palacio para destruirlo implacablemente.

> sobre él (el delgado filo de una frágil vida) fabrican los hombres grandes casas y grandes quimeras, levantan torres de viento y fundan todas sus esperanzas ... restriban sobre una no cuerda, sino muy loca confianza, de una hebra de seda. Menos, sobre un cabello. Aún es menos, sobre un hilo de araña. Aún es algo, sobre la vida, que aún es menos.

Y el otro, Quevedo, que tortura a su *pícaro Buscón*, colocándole entre dos polos, que yo he llamado en un estudio con denominaciones que se aplicaron al héroe barroco alemán del XVII, a Simplicissimus: *Weltsucht* y *Weltflucht*, busca del mundo por el héroe y huida del mundo. El mismo autor (sin dejarse llevar a desengañadas declamaciones, como el otro barroco, Mateo Alemán, en su Guzmán de Alfarache) siente esta polaridad, como su héroe, de modo que en la descripción de los aparentes triunfos del pícaro se desliza siempre una macabra ironía, hasta en los epítetos; por ejemplo, *príncipe de la vida buscona, rabí de los rufianes,* frases en que palabras como *buscona* y *rufianes* desdicen del esquema panegírico usualmente dedicado a los príncipes o a los sabios gloriosos.

¿Cómo explicarnos este barroco español? ¿Por qué precisamente este pueblo ha sentido en este momento de su historia la interior necesidad de oponer constantemente esos dos polos, *sueño* y *vida*, manteniéndolos distintos? En primer lugar, ese fenómeno español no es sólo español. Como ha demostrado Hatzfeld, el siglo XVII, directamente influido o no por el espíritu español, y particularmente en los países católicos, ha desarrollado una tendencia paralela. Los Rubens, los Bernini, los Barocci, los arquitectos de las iglesias de Baviera, pintan, asimismo, lo divino apoderándose de lo sensual; ya he citado el Simplicissimus alemán, derivado del arte picaresco español. Hasta en los países protestantes, fundamentalmente, se abre paso el *desengaño*. Yo leo Hamlet, algunos sonetos de Shakespeare, las poesías de Donne, una de cuyas frases, «For whom the bell tolls», se ha popularizado gracias a Hemingway, como producciones españolas barrocas. Pero es evidente que ningún pueblo ha mantenido con tanta energía y constancia la polaridad de lo sensual y lo divino como el pueblo español. Se solió decir en el extranjero que España no había tenido Renacimiento de verdad. Un profesor alemán, el «malévolo señor Klemperer», como le llama Américo Castro, habla continuamente de ese país sin Renacimiento que, según él, es España. Los hechos prueban, por el contrario, que el Renacimiento, tal y como lo conocemos en Italia, existió asimismo en España. Ejemplos de ello son el *Lazarillo,* Garcilaso, la Epístola a Fabio, Luis de León. Castro y Bataillon han demostrado que todos los temas del Renacimiento, hasta el erasmismo, se trataron en España y que Cervantes, el príncipe del Parnaso español, no era el «ingenio lego» que se le creía. Pero si los temas del Renacimiento penetraron todos en España, este país les dio un carácter particular. La fórmula de Vossler es quizá la que mejor su ajusta a la realidad: «España ha conocido el Renacimiento, pero le ha dicho que no». Se refiere, claro, al Renacimiento puro, italiano pagano, enamorado de la belleza sensual. España ha conocido el Renacimiento, le ha dicho: no, y le ha opuesto un medievalismo cristiano radical, de modo que, mientras que en Francia nada hay más distinto que un Villon y un Ronsard, en Italia que un Dante y un Ariosto, en España el camino lleva derechamente desde Berceo —«Todos somos romeros que camino andamos, cuantos aquí vivimos en agone morimos»—, a través de las *Coplas* de Jorge Manrique, hasta *La vida es sueño.* En Francia hubo ruptura entre el Renacimiento y la Edad Media, ruptura que se observa más visiblemente en la historia del teatro. Se prohíbe representar misterios en 1548 y la Pléyade adviene a la historia de la poesía en 1549. De dos pueblos diferentes nacen dos artes diferentes. En España los autos sacramentales viven todo el Siglo de Oro, y aun mucho después. Un medievalismo persistente y un Renacimiento recién llegado se conjugan y engendran una híbrida criatura, compuesta de *Weltsucht* y *Welt-flucht,* de hermosos sueños renacentistas y de *desengaño* medie-val, de ilusiones de los sentidos y de macabras desilusiones. Y en la comedia española las espadas y las suntuosas vestiduras pueden, a cada momento, desaparecer dejando paso a la «disciplina» y al hábito monacal. La polaridad del barroco es como el conflicto de dos épocas sucesivas transportado al alma nacional española en un plano de contemporaneidad. No se puede concebir el arte barroco sin el trascendentalismo medieval, ni sin la vida sensual del Renacimiento, sin danza macabra y sin bacanal. De este modo España supo volver a vivir uno de los aspectos fundamentales del cristianismo: la encarnación de lo divino y la renuncia a la carne de ese personaje divino. Hay que decir que hasta los ras-gos estilísticos que nos inclinamos a considerar tan característi-cos de Góngora, de Quevedo, y yo diría que hasta de Lope, el *conceptismo* y el *culteranismo,* en el fondo son rasgos de estilo *medievales.* Si lucen con más resplandores en el Siglo de Oro es gracias a las bellezas sensuales que el Renacimiento les ha añadido embutiéndolas en los antiguos patrones. El *conceptismo* es el más importante de los dos. Pues bien, eso de jugar con los conceptos es uno de los placeres que se impone el alma cristiana, sabedora de que la realidad de este mundo está impregnada de otra reali-dad, de modo que el «juego de palabras» es un juego que se permite lo trascendente con el mundo de aquí abajo, ya que Dios es el único que conoce el verdadero sentido de las palabras. En los padres de la Iglesia, en particular en Tertuliano y en san Agustín los juegos de palabras abundan. También san Isidoro, Al-cuino, Raimundo Lulio y Dante los usaron. De igual modo el *culteranismo,* que emplea palabras poco usadas, se basa en la fe que se tiene en el latín como revelador de verdades eternas. No quiero, desde luego, desconocer que la plenitud de vida que los poetas barrocos han puesto en el uso de esos artificios medievales es un nuevo elemento. Responde cabalmente al elemento renacen-tista superponiéndose al medieval.

El espíritu francés corre una aventura opuesta. Francia cono-ció con la Pléyade, con Rabelais, el Renacimiento de tipo carnal, pero no llegó a conocer el verdadero barroco. El drama de la carne no la afectó tanto como a España, y el Renacimiento pronto se convierte en cosa de moral y de ciencia, basándose en la razón. (Hasta Rabelais es más razonador de lo que suele creerse.) En nombre de la razón Malherbe y Boileau dan de lado a Ronsard; en nombre de la razón mata Descartes a la Edad Media. Todo el barroco de que fue capaz la Francia del XVII lo define el *pahtos* de Corneille, el españolizante, que en su *Illusion comique* convierte en comedia razonable un tema barroco, el preciosismo con sus refinamientos de lenguaje mundanos y nada metafísicos y con sus ambiciones de sociedad exquisita y, por último, el grupo llamado de los *Grotescos,* tímido grupo en el que figuran Saint-Amand y Théophile de Viau. El clasicismo de 1660 se afrontó sólo con esas tres corrientes barrocas, ya muy mitigadas y pulidas. No quiere decir eso que la Francia del XVII no haya rendido su tributo al espíritu barroco. ¿Qué son Pascal, Racine y Bossuet, sino crueles desenmascaradores de la tragedia de la carne flaca? Esas personas que se entretienen en imaginarse lo que habría sido tal o cual gran escritor de un país, de haber vivido en un país distinto, podrán figurarse que en España Pascal daría un Quevedo, Racine un Calderón, Bossuet un Gracián. Pero esos franceses del siglo XVII han tratado sus temas en forma que les parecía muy conforme a la razón, aunque quizá no lo sea tanto; el famoso «roseau pensant» es un concepto al modo de los de Gracián o Góngora. Pero lo decisivo es *lo que pensaban*: el clasicismo francés sólo puede verse a base de razón. Bernini, en aquel París clásico, fue un fiasco. El gusto francés en arte, muy imbuido de jansenismo, se llamaba Poussin, Pujot, Le Notre, más los jardines de Versalles que la fachada del palacio.

El clasicismo francés es un movimiento revolucionario, contra lo tridentino, galicano, defensor de la razón soberana, y que se instaura precisamente en el momento mismo en que triunfaba en Europa el barroco español. Es erróneo juzgar el barroco español partiendo del clasicismo francés, con los ojos del clasicismo francés. Esa era la norma general antes de Wölfflin, y Benedetto Croce que aun hoy define el barroco como el arte que quiere «asombrar» a toda costa, no se da cuenta quizá de cómo al decir eso se descubre en él al clasicista francés. Más bien convendría, para evaluar en justicia la decisión voluntaria de Francia, juzgar su clasicismo partiendo del barroco español. Ya sabemos que tenían que pasar dos siglos antes de que el genio francés, que había cortado todas sus amarras con la Edad Media, permitiese a su romanticismo, por otra parte bastante histriónico, el volver a introducir en la literatura temas españoles y medievales. En el período prerromántico fue menester que los discretos y sesudos predicadores del campo inglés, moralizantes y burgueses, suministrasen a Europa el tema de la poesía sepulcral. Cuando en verdad el tema de las noches y de los cementerios provenía en línea recta de las danzas macabras y de los *pasos* de la muerte de la Edad Media y había sido tratado con una fuerza barroca incomparablemente superior, por el período barroco español e inglés («Who is the beggar, who is the king?»). Las cuevas de los Capuchinos de Palermo, con sus esqueletos vestidos, al modo de Valdés Leal, testimonio, en pie desde hace siglos, de podredumbre para el turista moderno, son restos de la época barroca en que los poetas prerrománticos y románticos de países radicalmente divorciados del espíritu medieval ya no podían inspirarse.

Llegamos ya, como les prometí al principio de esta conferencia, a circunscribir el término técnico cristalizado; *barroco*. Significa un hecho de civilización cultural, que tuvo su apogeo en el siglo XVII en España, pero que irradió por toda Europa antes de que el clasicismo francés le opusiera un valladar. Consiste en la reelaboración de dos ideas, una medieval, otra renacentista, en una tercera idea, que nos muestra la polaridad entre los sentidos y la nada, la belleza y la muerte, lo temporal y lo eterno. Esta polaridad se ha mantenido con una tensión que no llega a integrarse, en el alma española contemporánea, lo mismo en la religión popular que en las obras de los poetas y ensayistas, en el «sentimiento trágico de la vida» de Unamuno, de ese Unamuno enamorado del conceptismo etimológico, barroco y patrístico, en la poesía metafísica de mis amigos Guillén y Salinas. Quizá no hay «hombre barroco»; lo que hay es una *actitud* barroca, que es en suma una actitud fundamentalmente cristiana: «tener como si no se tuviera». Actitud mejor comprendida hoy día, en esta época, desgarrada entre todas, que atravesamos. La civilización moderna, enamorada del progreso físico, ofrece sorprendentes analogías con la España del siglo XVII, cuyos poetas y predicadores insistían sobre la vanidad de las riquezas temporales traídas de Indias, mientras que los barrocos españoles no se negaban a emplear los atractivos de la belleza física y material para dar mayor esplendor a lo divino. Por ejemplo, un poeta moderno de alma cristiana, un «apocalíptico» como T. S. Eliot, siente la trágica tensión de un pasado cristiano perdido y de un presente intolerable. Lo medieval y lo moderno ya no estarán para él en un plano de contemporaneidad, como en los barrocos españoles; se excluyen mutuamente. No queda otro camino abierto a su probidad de poeta que representar la irreductibilidad de lo que fue y de lo que es. De ahí su estilo barroco de desdoblamiento (una conversación insípida a lo siglo XX interrumpida por los acentos de órgano de un cristianismo penitente), de ahí su anhelo de muerte en el seno de esa tierra baldía. Lo que gusta en T. S. Eliot, en Hemingway, es ese fuerte dominio sobre la realidad física moderna, ese «ver a lo vivo», junto al cual cualquier clasicismo o romanticismo nos resultan pálidos. Y de otra parte la conciencia de que hay otra cosa detrás de la vida, la Muerte, más que otra cosa cualquiera, la muerte que es un hecho real, y que Dios lo sabe. Ya no podemos, ante el *sueño de la vida,* refugiarnos en una fe inquebrantable como Calderón y Donne. A falta de cosa mejor, con una honradez que quiera «make the best of it» nos agarramos a ese estado de tensión polar irresoluta, reconocemos la irremediable escisión, sin velárnosla. Y así comprenderemos el barroco español que nunca hizo trampa en ese juego de los dos términos de su problema central.[1]

1. Conferencia que hoy me parece padecer de una cierta confusión entre un credo religioso y un credo estético. El libro de Rousset nos ha descubierto «un barroco francés» antes de él ignorado.

ABREVIATURAS

AfPh	Archiv für die gesamte Phonetik
AGIt	Archivio Glottologico Italiano
AILing	Anales del Instituto de lingüística de la Universidad de Cuyo (Mendoza, Argentina)
AS	American Speech
Asom	Asomante
BAE	Boletín de la Academia Española
BHi	Bulletin Hispanique
BHS	Bulletin of Hispanic Studies
BSS	Bulletin of Spanish Studies
CIL	Corpus Inscriptionum Latinarum
Cu Esp	Cultura Española
Cu N	Cultura Neolatina
DWG	Deutsches Wörterbuch (Jacob-Wilhelm Grimm)
FEWb	Französisches Etymologisches Wörterbuch (W. von Warburg)
FR	Filologia Romanza
GRM	Germanisch-Romanische Monatsschrift
HMP	Homenaje a Menéndez Pidal (3 vols., Madrid, 1925)
HR	Hispanic Review
MLN	Modern Language Notes
N	Neophilologus
NM	Neuphilologische Mitteilungen
NRFH	Nueva Revista de Filología Hispánica
REWb	Romanisches Etymologisches Wörterbuch
RF	Romanische Forschungen
RFE	Revista de Filología Española
RFH	Revista de Filología Hispánica

RHi	Revue Hispanique
RL	Ricerche Linguistiche
RLu	Revista Lusitana
Ro	Romania
ROcc	Revista de Occidente
RPh	Romance Philology
RR	The Romanic Review
SPh	Studies in Philology
StN	Studia Neophilologica
VoxR	Vox Romanica
ZFSL	Zeitschrift für Französische Sprache und Literatur
ZRPh	Zeitschrift für Romanische Philologie

ÍNDICE ALFABÉTICO

ÍNDICE